K. A. TUCKER

IL SUFFIT DE
DIX RESPIRATIONS

roman

TRADUIT DE L'ANGLAIS (ÉTATS-UNIS)
PAR ROBYN BLIGH

LES ÉDITIONS DE L'HOMME
Une société de Québecor Média

IL SUFFIT DE DIX RESPIRATIONS

Infographie : Geneviève Nadeau
Correction : Céline Vangheluwe
Photo de couverture : Elena Kalis Photo

Données de catalogage disponibles
auprès de Bibliothèque et Archives
nationales du Québec

DISTRIBUTEUR EXCLUSIF :
Pour le Canada et les États-Unis :
MESSAGERIES ADP inc.*
2315, rue de la Province
Longueuil, Québec J4G 1G4
Téléphone : 450–640–1237
Télécopieur : 450–674–6237
Internet : www.messageries–adp. com
* filiale du Groupe Sogides inc.,
filiale de Québecor Média inc.

03-15

Dépôt légal : 2015
Bibliothèque et Archives nationales
du Québec

ISBN 978–2-7619-4195-2

Gouvernement du Québec – Programme de crédit
d'impôt pour l'édition de livres – Gestion
SODEC –www.sodec.gouv.qc.ca

L'Éditeur bénéficie du soutien de la Société de
développement des entreprises culturelles du
Québec pour son programme d'édition.

 Conseil des Arts   Canada Council
du Canada   for the Arts

Nous remercions le Conseil des Arts du Canada de
l'aide accordée à notre programme de publication.

Nous reconnaissons l'aide financière du gouvernement du Canada par l'entremise du Fonds du livre
du Canada pour nos activités d'édition.

PROLOGUE

« Respire, me disait ma mère. Dix petites inspirations… Saisis-les. Sens-les. Aime-les. » Chaque fois que je hurlais de rage, que je tapais des poings et des pieds, que je pleurais de frustration ou que j'étais pétrifiée d'angoisse, ma mère me répétait ces mots, calmement. Chaque fois. Toujours exactement pareil. Elle aurait dû se faire tatouer ce satané mantra sur le front. « Ça ne veut rien dire ! » avais-je l'habitude de m'écrier. Je n'ai jamais compris. Pourquoi de petites inspirations ? Pourquoi pas des grandes ? Pourquoi dix ? Pourquoi pas trois ou cinq ou vingt ? Je hurlais, et elle souriait simplement, de son petit sourire habituel. Je ne saisissais pas le sens de ces mots.

Aujourd'hui, je comprends.

PREMIÈRE ÉTAPE

CONFORTABLEMENT
APATHIQUE

CHAPITRE 1

Un sifflement sourd… je sens le battement de mon cœur dans mes oreilles. Je n'entends rien d'autre. Je suis certaine que mes lèvres articulent des mots, appellent leurs noms… *Maman?… Papa?…* mais je n'entends pas ma voix. Pire encore, je n'entends pas les leurs. Je me tourne vers ma droite et vois la silhouette de Jenny, mais ses membres ont des positions étranges et elle est tout contre moi. La portière de la voiture, à côté d'elle, est plus près qu'elle ne devrait l'être. *Jenny?* Je suis sûre d'avoir prononcé son nom. Elle ne répond pas. Je tourne la tête à gauche et ne vois que du noir. Trop sombre pour voir Billy, mais je sais qu'il est là car je sens sa main. Elle est grande et forte et elle tient la mienne. Mais elle ne bouge pas… J'essaie de la serrer, mais mes muscles refusent de se contracter. Je ne peux rien faire à part tourner la tête et écouter mon cœur battre comme un marteau contre une enclume dans ma poitrine. J'ai l'impression de ne faire que ça pendant une éternité.

Des lumières faiblardes… des voix…

Je les vois. Je les entends. Elles sont partout, elles m'encerclent. J'ouvre la bouche pour hurler, mais je n'en ai pas la force. Les voix sont de plus en plus fortes, les lumières se rapprochent. Un râle rauque me donne la chair de poule.

Le dernier souffle de quelqu'un sur le point de mourir.

J'entends un bruit fort, un *tac, tac, tac,* comme quelqu'un manipulant des projecteurs dans un théâtre. De la lumière jaillit soudain de tous les côtés, illuminant la voiture d'une puissance aveuglante.

Le pare-brise explosé.

Le métal tordu.

Des taches sombres.

Des flaques de liquide.

Du sang. Partout.

J'ai l'impression de tomber en arrière, d'être plongée dans de l'eau glacée, de couler vers les ténèbres. Je prends de la vitesse alors que le poids de l'océan m'avale tout entière. J'ouvre la bouche pour respirer. De l'eau glacée envahit mes poumons. La pression sur ma poitrine est insoutenable. Celle-ci va exploser. Je m'étouffe... Je m'étouffe. *Dix petites inspirations.* J'entends les paroles de ma mère, mais je n'y parviens pas. Pas même une seule. Mon corps tremble... tremble... tremble...

– Mademoiselle, réveillez-vous.

J'ouvre les yeux sur un dossier de voiture en velours usé. Il me faut un moment pour reprendre mes esprits et calmer les battements de mon cœur.

– Vous aviez sacrément du mal à respirer, dites donc, me dit la voix.

Je me tourne pour découvrir une dame penchée sur moi. Sur son visage ridé, je lis de l'inquiétude et remarque les doigts tordus de sa vieille main posée sur mon épaule. J'ai un mouvement de recul et je me recroqueville sur moi-même avant d'essayer de lutter contre mon instinct.

Elle retire sa main en souriant gentiment.

– Excusez-moi, j'ai pensé qu'il fallait vous réveiller.

J'avale difficilement, mais je parviens à dire «merci» d'une voix sèche.

Elle hoche la tête et retourne prendre sa place dans le bus.

– Ça devait être un sacré cauchemar.

– Oui, j'ai hâte de me réveiller.

J'ai retrouvé ma voix calme et froide.

* * *

– On est arrivées.

Je secoue légèrement le bras de Livie. Elle ronchonne et réajuste sa tête contre la fenêtre. Je ne sais pas comment elle parvient à dormir ainsi, mais ça fait maintenant six heures qu'elle ronfle doucement. Une ligne de bave sèche serpente depuis son menton vers son cou. *Super classe.*

– Livie! dis-je d'un ton plus impatient cette fois.

Il faut que je sorte de cette boîte à sardines. Tout de suite.

Elle me répond en repoussant maladroitement ma main et en faisant une moue qui signifie «laisse-moi tranquille, je dors».

– Olivia Cleary!

Je hausse le ton alors que les passagers fouillent les compartiments au-dessus de nos têtes pour rassembler leurs affaires :

– Allez! Faut que je sorte d'ici avant de péter un câble!

Je ne fais pas exprès de lui aboyer dessus, mais je ne peux pas m'en empêcher. Je tolère mal les endroits petits et fermés. Après vingt-deux heures passées dans ce bus horrible, je suis sérieusement tentée de tirer le signal d'alarme et de sauter par la fenêtre.

Mes paroles atteignent enfin Livie. Ses paupières remuent et ses yeux bleus s'ouvrent sur la gare routière de Miami.

– Ça y est, on est là? dit-elle en bâillant, se redressant pour s'étirer et inspecter la vue. Oh, regarde! Un palmier!

Je suis déjà debout dans l'allée, à préparer nos sacs à dos.

– Youpi! des palmiers. Allez, on y va. À moins que t'aies envie de te retrouver sur le chemin du retour pour le Michigan.

Cette pensée achève de la réveiller.

Le temps que l'on descende du bus, le chauffeur a déchargé les bagages de la soute. En un coup d'œil, j'ai repéré nos valises rose bonbon. Toutes nos vies, la totalité de nos biens contenue dans une valise chacune. C'est tout ce qu'on a réussi à rassembler dans notre fuite pour quitter la maison d'oncle Raymond et de tante Darla. Peu importe, me dis-je en passant le bras autour des épaules de ma sœur. On est ensemble. C'est tout ce qui compte.

— Qu'est-ce qu'il fait chaud! s'exclame Livie au moment même où une goutte de sueur coule le long de mon dos.

Il n'est pas encore midi et le soleil nous accable déjà. Rien à voir avec le vent froid qu'on a quitté à Grand Rapids. Livie enlève son coton ouaté à capuche, déclenchant les cris et les sifflements d'un groupe de skateurs qui n'ont visiblement pas su lire le panneau «Entrée interdite» à l'entrée du parking.

Je me moque gentiment d'elle.

— Tu dragues déjà, Livie? (Ses joues deviennent soudain toutes rouges, et elle se cache derrière un pilier en béton.) T'as conscience que tu n'es pas un caméléon, non? Oh! Celui avec la chemise rouge vient vers nous!

Je tends le cou en direction du groupe.

Les yeux de Livie s'emplissent de terreur un court instant, avant qu'elle se rende compte que je plaisante.

— Tais-toi Kacey! siffle-t-elle en me frappant l'épaule.

Livie ne supporte pas d'être le centre de l'attention, surtout lorsqu'il s'agit d'un mec. Le fait qu'elle se soit transformée en une méga bombe cette dernière année ne l'a en rien aidée à éviter ce genre de situation.

Je souris en la regardant triturer son chandail. Elle n'imagine même pas à quel point elle est canon et, comme je vais désormais être responsable d'elle, je dois avouer que ça me va parfaitement.

– Reste comme t'es, Livie. Ma vie sera beaucoup plus simple si tu restes naïve encore… allez, disons cinq ans.

Elle lève les yeux au ciel.

– Non mais tu t'es vue, Madame Playboy ?

– Ha !

Pour être honnête, une partie de la curiosité de cette bande d'abrutis m'est probablement destinée. Deux ans de kick-boxing intense m'ont donné un corps d'acier. Ajoutez à ça mes cheveux auburn et mes yeux bleu clair… Mais je trouve qu'on m'accorde beaucoup trop d'attention, et elle n'est pas la bienvenue.

Livie est la même que moi à quinze ans. Les mêmes yeux bleus, le même nez fin, et un teint pâle qui nous vient de nos racines irlandaises. La seule grande différence, c'est la couleur de nos cheveux. Si vous nous mettiez des serviettes sur la tête, vous penseriez qu'on est jumelles. Elle tient ses cheveux noirs brillants de notre mère. Ah oui, elle mesure également cinq centimètres de plus que moi, malgré ses cinq ans de moins.

Ouaip. À nous regarder, n'importe qui en possession d'un demi-cerveau peut comprendre qu'on est sœurs. Toutefois, c'est là que s'arrête notre ressemblance. Livie est un ange. Elle pleure dès qu'elle voit un enfant pleurer, elle s'excuse quand quelqu'un lui rentre dedans, elle est bénévole auprès de banques alimentaires et de bibliothèques. Elle cherche systématiquement à justifier les bêtises des gens. Si elle avait son permis, elle pilerait chaque fois qu'elle croiserait un grillon sur la route. Et moi… moi, je ne suis pas Livie. Peut-être étais-je un peu comme elle, avant. Mais… plus maintenant. Si je suis le nuage noir qui apporte la pluie, Livie est le rayon de soleil frayant son chemin pour dissiper l'orage.

– Kacey !

Je me tourne au moment où Livie ouvre la porte d'un taxi.

– On m'a dit que faire les poubelles pour trouver à manger n'était pas aussi sympa que ça en a l'air.

Elle claque la porte du taxi, l'air renfrogné.

– Allons-y pour un autre bus.

Et elle tire sa valise d'un geste irrité.

– Vraiment? Cinq minutes à Miami et tu râles déjà? Tu veux faire les poubelles, Livie? Parce qu'à partir de dimanche, je n'aurai strictement plus rien dans mon portefeuille pour nous nourrir.

Je le lui tends, ouvert, pour qu'elle puisse vérifier.

Elle rougit.

– Désolée, Kace. T'as raison. Je suis juste un peu déboussolée.

Je soupire, tout en me sentant immédiatement coupable d'avoir craqué. Livie ne râle jamais. Bien sûr, il nous arrive parfois de nous chicaner, mais c'est toujours de ma faute, et je le sais. Livie est une chouette fille. Elle a toujours été une enfant sage. Sérieuse et raisonnable. Maman et papa n'ont jamais eu à lui répéter quoi que ce soit. Lorsqu'ils sont morts et que la sœur de ma mère nous a recueillies, Livie a fait tout son possible pour être encore plus sage. Moi, j'ai fait l'inverse. Une catastrophe.

– C'est par là.

Je glisse mon bras sous le sien et le serre, tout en dépliant le bout de papier sur lequel j'ai noté notre nouvelle adresse. Après une longue et laborieuse conversation avec le vieil homme derrière la vitre de son guichet (qui s'est conclue par une partie de charades et un dessin sur mon plan indiquant les trois changements qui nous attendent), nous sommes dans un bus municipal, et j'espère sincèrement qu'on n'est pas en train de rouler vers l'Alaska.

Je suis soulagée, mais épuisée. Excepté vingt minutes de sommeil léger dans le bus, ça fait trente-six heures que je n'ai pas dormi. Je suis éreintée et inquiète, et je préférerais largement ne pas parler, mais je vois les mains de Livie bouger frénétiquement et je sais que c'est impossible.

– Qu'est-ce qu'il y a, Livie? (Elle hésite, fronçant les sourcils.) Livie?

– Tu crois que tante Darla a appelé les flics?

Je pose ma main sur sa cuisse.

– Ne t'inquiète pas. Tout ira bien. Ils ne nous trouveront pas, et s'ils nous trouvent, on dira aux flics ce qui s'est passé.

– Mais il a *rien fait*, Kace. Il était probablement trop bourré pour savoir où était sa chambre.

Je plonge mon regard dans le sien.

– *Rien fait*? T'as oublié la bite fripée et dégoûtante qu'il a frottée contre ta cuisse? (La bouche de Livie se ferme, elle a l'air sur le point de vomir.) Il a rien fait, Livie, parce que t'as couru dans ma chambre. Ne prends pas la défense de ce connard.

J'avais remarqué la façon dont l'oncle Raymond regardait Livie alors que son corps changeait cette année. La douce et innocente Livie. Je lui aurais broyé les couilles s'il avait mis un pied dans ma chambre, et il le savait. Livie, en revanche…

– Eh ben, j'espère juste qu'ils vont pas venir nous chercher pour nous ramener là-bas.

Je secoue la tête.

– Ça n'arrivera pas. C'est moi ton responsable légal maintenant, et je me fous de toute leur paperasse juridique. Tu restes avec moi. De toute façon, tante Darla déteste Miami, tu te souviens?

Et encore, détester est probablement trop faible. Tante Darla est une chrétienne régénérée[1] qui passe son temps libre à prier et à s'assurer que tous ceux qui l'entourent prient également,

---

1. Cette expression désigne un individu qui affirme avoir vécu une régénération spirituelle après s'être réconcilié avec Dieu. (N.d.T.)

17

ou qu'ils savent qu'ils devraient prier pour éviter l'enfer, la syphilis et les grossesses imprévues. Elle est persuadée que les grandes villes sont le terrain de jeu de tout ce qui va mal dans le monde. Dire qu'elle est fanatique est un euphémisme. Elle ne viendra à Miami que si Jésus lui-même y tient une conférence.

Livie hoche la tête. Elle baisse la voix et chuchote :

— Tu crois qu'oncle Raymond a compris ce qui s'est passé ? On pourrait avoir de sacrés ennuis.

Je hausse les épaules.

— Et alors, s'il l'apprend ?

Une partie de moi-même regrette d'avoir cédé aux supplications de Livie de ne pas appeler les flics après la petite « visite » de Raymond dans sa chambre. Mais Livie ne se sentait pas de gérer les rapports de police, les avocats et la DPJ. On aurait peut-être même eu affaire à la chaîne d'info locale. Ni l'une ni l'autre ne voulions de tout ça. On en avait eu assez après l'accident. Et qui sait ce qu'ils auraient fait de Livie, étant donné qu'elle est mineure ? Ils l'auraient probablement placée dans une famille d'accueil. Certainement pas laissée avec moi. J'ai été diagnostiquée comme étant « instable » par bien trop de membres de la profession médicale pour espérer que l'on me confie la vie de quelqu'un.

Ainsi Livie et moi avons fini par trouver un accord. Je ne porterais pas plainte contre lui si elle partait avec moi. Il s'est avéré qu'hier soir était l'occasion parfaite pour fuguer. Tante Darla était partie à une retraite spirituelle et ne rentrerait pas avant le lendemain ; j'ai donc écrasé trois somnifères et les ai mis dans la bière de l'oncle Raymond après souper. Je n'arrive pas à croire que cet abruti ait pris le verre que je lui ai servi et tendu si gentiment. Je ne lui ai pas dit deux mots en deux ans, depuis que j'ai appris qu'il avait perdu notre héritage en jouant au black jack. Mais il ne s'est douté de rien. À 19 h, il était étalé sur le canapé et ronflait profondément, nous laissant assez de temps pour attraper nos valises, vider son portefeuille ainsi que la cagnotte secrète de tante Darla cachée sous l'évier, et prendre le bus de nuit. Peut-être était-ce un peu excessif de le droguer et de voler son argent. Cela étant, peut-être l'oncle Raymond n'aurait-il pas dû jouer au pervers pédophile.

* * *

— Cent vingt quatre.

Je lis le numéro de l'immeuble à voix haute.

— On y est.

Tout ça est bien réel. On est debout, côte à côte sur le trottoir, devant notre nouveau chez-nous : un immeuble de trois étages dans la rue Jackson Drive, avec des murs en stuc blanc et des petites fenêtres. L'immeuble est propre et a un air de chalet de plage, bien que l'on soit à trente minutes de l'océan. En inspirant profondément, je peux presque sentir la crème solaire et les algues.

Livie passe sa main dans sa crinière noire.

— Comment t'as trouvé cet endroit ?

— Sur www.désespérément-besoin-d'un-appartement.com, dis-je pour plaisanter.

Après que Livie a déboulé dans ma chambre en larmes, cette nuit-là, je savais qu'il fallait qu'on parte de Grand Rapids. Une recherche Internet en entraînant une autre, j'envoyai bientôt un courriel au propriétaire, lui proposant de payer six mois de loyer en liquide. Deux années passées à servir du café Starbucks parties d'un coup en fumée.

Mais chaque goutte de café versée en valait la peine.

On grimpe les marches vers une arche fermée par une grille. Je tourne la poignée, mais la grille est fermée à clé.

— La photo sur l'annonce était vraiment pas mal. Au moins, c'est sécurisé !

— Là, regarde.

Livie appuie sur une sonnette ronde et usée, sur la droite. Nous n'entendons rien, je suis à peu près certaine qu'elle est cassée. Je me retiens de bâiller en attendant que quelqu'un entre ou sorte de l'immeuble.

Trois minutes plus tard, mes mains sont prêtes à me servir de porte-voix et je suis sur le point de crier le nom du propriétaire lorsque j'entends un bruit de pas. Un homme, la cinquantaine, portant des vêtements froissés et à l'air renfrogné, apparaît. Ses yeux sont asymétriques, il est presque chauve sur le dessus du crâne et je jurerais qu'une de ses oreilles est plus grande que l'autre. Il me fait penser à Sloth dans ce vieux film des années 1980 que me faisait regarder mon père. *Les Goonies*, un classique, comme il disait.

Sloth gratte son ventre protubérant et ne dit rien. *Je parie qu'il est aussi bête que son double au cinéma.*

— Bonjour, je suis Kacey Cleary. On cherche M. Tanner. On est les nouvelles locataires du Michigan.

Son regard rusé s'attarde sur moi un instant, il m'inspecte. Dans ma tête, je me félicite d'avoir mis un jean pour couvrir le tatouage énorme que j'ai sur la cuisse, au cas où il aurait osé juger mon apparence à *moi*. Il regarde ensuite Livie, un peu trop longtemps à mon goût.

— Z'êtes sœurs ?

— C'est nos valises assorties qui vous font penser ça ? je ne peux m'empêcher de répondre.

Attends d'avoir passé les grilles pour lui apprendre que t'es Madame-je-sais-tout, Kace.

Heureusement pour moi, les lèvres de Sloth esquissent un minuscule sourire.

— Appelez-moi Tanner. Suivez-moi.

Livie et moi échangeons un regard choqué. Sloth est notre nouveau propriétaire? Il nous ouvre le portail tremblant et grinçant, puis nous invite à entrer. Et, presque comme s'il venait de se souvenir qu'il était censé le faire, il me tend la main.

Je me fige sur place, fixant ses doigts boudinés, mais je ne bouge pas. Comment ne me suis-je pas préparée à ça?

Livie intervient, tendant sa main pour serrer celle de Tanner à ma place, et je fais deux pas en arrière pour qu'il soit clair que ma main ne touchera pas la sienne. Ni celle de n'importe qui. Livie est très douée pour me sauver.

Si Tanner se rend compte de la manœuvre, il n'en dit rien, nous menant à travers la cour où trône un barbecue et dont les murs sont bordés d'arbustes et de plantes moches et déshydratées.

— Ici, ce sont les parties communes, dit-il en gesticulant brièvement. Si vous voulez vous faire un barbecue, vous détendre ou faire bronzette, c'est ici que ça se passe.

Je prends note des chardons d'un mètre quatre-vingt de haut et des fleurs séchées, je me demande qui peut bien trouver cet endroit relaxant. Pourtant il pourrait être sympa si quelqu'un en prenait soin.

— Ça doit être la pleine lune ou quelque chose comme ça, dit Tanner tandis qu'on le suit en direction d'une rangée de portes rouges. Chacune est bordée d'une petite fenêtre et les trois étages sont identiques.

— Ah oui? Pourquoi ça?

— Vous êtes le second appartement que j'ai loué cette semaine par courriel. La même chose: désespérément besoin d'un endroit, le gars voulait pas attendre, paierait en cash. C'est bizarre. Je suppose que tout le monde fuit quelque chose.

Eh ben. Vous avez vu ça? Tanner serait-il plus intelligent que son jumeau de cinéma?

– Lui est arrivé ce matin, dit Tanner en pointant son pouce vers l'appartement 1D avant de nous mener à celui juste à côté, dont la porte est ornée d'un « 1C » doré. (Son immense lot de clés tinte bruyamment tandis qu'il cherche la bonne.) Alors, je vais vous dire ce que je dis à tous mes locataires. J'ai une seule règle, mais si vous l'enfreignez, c'est terminé. Je veux la paix ! Pas de fêtes avec de la drogue ni d'orgies…

– Excusez-moi, vous pourriez être plus précis ? Qu'est-ce qui est qualifié d'orgie dans l'État de Floride ? Les plans à trois, c'est OK ? Et les poupées gonflables, ça compte ? Parce que vous savez…

Mon intervention me vaut un regard noir de Tanner ainsi qu'un coup de coude dans les côtes de la part de Livie.

Après s'être raclé la gorge, il continue, comme si je n'avais rien dit.

– Pas de disputes, familiales ou autres. Je n'ai aucune patience pour ces conneries et je vous foutrai dehors avant que vous puissiez inventer le moindre mensonge. Compris ?

Je hoche la tête et me mords la langue, luttant contre mon envie de fredonner le générique de *C'est mon choix* alors que Tanner ouvre la porte.

– Propre et peint par mes soins. Il n'est pas tout neuf, mais ça devrait vous convenir.

L'appartement est petit et très peu meublé, avec un espace kitchenette carrelé de blanc et de vert. Les murs blancs font ressortir l'horrible canapé pourpre et orange à motifs fleuris. Une moquette vert sapin bon marché dégage une légère odeur de naphtaline : la touche finale pour parfaire le style quétaine des années 1970. À part ça, ça ne ressemble en rien à la photo de l'annonce. Quelle surprise !

Tanner gratte sa nuque grisonnante.

– C'est plutôt simple, je sais. Il y a deux chambres là-bas et une salle de bains entre les deux. J'ai installé un nouveau WC l'an dernier, alors…

Ses yeux asymétriques se posent sur moi :

– Si vous n'avez pas de questions…

Il veut son argent. Un sourire pincé sur les lèvres, j'extirpe une enveloppe épaisse de la poche avant de mon sac à dos. Livie s'aventure dans les profondeurs de l'appartement pendant que je paie Tanner. Il la regarde partir, se mordant la lèvre comme s'il voulait dire quelque chose.

– Elle a l'air un peu jeune pour être ici sans parents. Les vôtres savent que vous êtes ici ?

– Nos parents sont morts.

Ça sonne aussi sec que je le voulais, et ça marche. *Mêle-toi de tes affaires, Tanner.*

Son visage pâlit soudainement.

– Ah… euh… je suis désolé.

On se tient face à face pendant trois secondes inconfortables. Je croise les bras et glisse mes mains sous mes aisselles, afin qu'il soit clair qu'aucune poignée de main ne scellera notre transaction. Lorsqu'il tourne les talons et se dirige vers la porte, je soupire de soulagement. Visiblement, il lui tarde également de ne plus être près de moi. Par-dessus son épaule, il crie :

– La laverie, c'est au sous-sol. Je la lave une fois par semaine et m'attends à ce que tous les locataires m'aident à la garder propre. Je suis dans l'appartement 3F si vous avez besoin de quelque chose.

Il disparaît, laissant la clé dans la serrure.

Je retrouve Livie en train d'inspecter le placard à pharmacie dans la salle de bains pour Hobbits. J'essaie d'entrer avec elle, mais il n'y a pas assez de place pour nous deux.

– Nouveau WC, vieille douche dégueulasse, je constate, suivant du pied les contours du carrelage fendu et crasseux.

— Je prends cette chambre, dit Livie en passant dans le couloir et se dirigeant vers la porte sur la droite.

Elle est vide, si ce n'est une commode et un lit d'une place recouvert d'une couverture au crochet, en laine couleur pêche. Des barreaux noirs barrent la seule fenêtre donnant sur l'extérieur.

— T'es sûre ? Elle est petite.

Je sais, sans même avoir à regarder l'autre chambre, que celle-ci est la plus petite. Car Livie est comme ça. Elle pense toujours aux autres.

— Ouais, ça me va. J'aime les endroits petits, dit-elle en souriant.

Elle fait de son mieux pour voir les choses du bon côté.

— Sûre ? Quand on fera des énormes soirées ici, tu ne pourras contenir dans ta chambre que trois mecs à la fois ; tu le sais ça ?

— T'es drôle, répond Livie en me jetant un oreiller.

Ma chambre est la même, à part qu'elle est légèrement plus grande, qu'elle a un lit double et que l'horrible couverture tricotée est verte. Je soupire, le nez froncé, déçue.

— Je suis désolée, Livie. Cet endroit ne ressemble absolument pas à l'annonce. Satané Tanner et ses pubs mensongères ! Je me demande si on pourrait lui faire un procès.

Livie émet un petit rire nasal.

— Ça va Kace, c'est pas si mal.

— Tu dis ça maintenant, mais quand on devra se battre contre les cafards pour manger notre pain…

— Toi ? Te battre ? *Quelle surprise !*

Je ris. Peu de choses me font rire désormais. Les tentatives de sarcasmes de Livie en font partie. Elle fait de son mieux pour avoir l'air détachée et cool. Mais elle finit toujours par ressembler à un de ces animateurs radio qui essaient de faire des imitations et qui échouent.

— Cet appartement est nul, Livie. Admets-le. Mais on est là, et c'est tout ce qu'on peut se payer pour le moment. Miami, c'est super cher.

Sa main prend la mienne et je la serre très fort. C'est la seule que j'arrive à toucher. C'est la seule qui ne me paraît pas morte. J'ai parfois du mal à la lâcher.

— C'est parfait, Kace. Un peu trop de naphtaline pour un endroit aussi petit, mais on n'est pas loin de la plage ! C'est ce qu'on voulait, non ?

Livie étire les bras au-dessus de sa tête et pousse un grognement :

— Et maintenant, qu'est-ce qu'on fait ?

— Eh ben, pour commencer, on va t'inscrire au collège cet après-midi pour que ton grand cerveau ne rétrécisse pas trop, lui dis-je, ouvrant ma valise pour en vider le contenu. Après tout, quand tu gagneras des trillions de dollars et que t'auras trouvé un vaccin contre le cancer, faudra que tu m'envoies un peu d'argent. Moi, je dois m'inscrire dans une salle de sport. Puis j'irai voir combien de boîtes de raviolis je peux acheter en exhibant mon corps sexy et en sueur sur le trottoir.

Livie secoue la tête. Parfois, elle n'aime pas mon sens de l'humour. Parfois, je crois qu'elle se demande si je suis sérieuse. Je me penche pour arracher les couvertures de mon lit.

— Et ce qui est sûr, c'est qu'on va pouvoir passer tout l'appartement à la Javel.

* * *

La buanderie, au sous-sol de l'immeuble, n'a rien d'exceptionnelle. Des néons projettent une lumière blafarde sur le sol en béton gris. Un parfum floral peine à couvrir l'odeur de moisi qui embaume la pièce. Les machines ont au moins quinze ans et elles feront probablement plus de mal que de bien à nos vêtements. Mais il n'y a pas la moindre toile d'araignée ni la moindre trace de poussière.

J'enfourne nos draps et nos couvertures dans deux machines, déjà choquée que la vie nous fasse dormir dans de la literie d'occasion. *Mon premier salaire servira à nous acheter des nouveaux draps.* Je verse un mélange de Javel et de lessive et choisis la température la plus chaude possible, histoire de faire bouillir à mort jusqu'au dernier organisme vivant dans mes draps. Peut-être me sentirai-je mieux après ça.

Les machines prennent six pièces de vingt-cinq cents par cycle. Je déteste les machines payantes. Tout à l'heure, Livie et moi avons abordé les gens dans le centre commercial avec toute notre monnaie pour faire du change. Je me rends compte maintenant que j'ai pile ce qu'il me faut.

— Y a des machines libres? dit une voix d'homme juste derrière moi.

Surprise, je laisse échapper mes trois dernières pièces, non sans avoir poussé un petit cri, bien évidemment. Heureusement, j'ai les réflexes d'un chat et j'en rattrape deux en l'air avant qu'elles ne tombent par terre. Mon regard fixe la troisième alors qu'elle atterrit sur le sol et roule vers la machine. Me jetant à genoux, je plonge à sa poursuite.

Mais je ne suis pas assez rapide.

— Merde!

Ma joue se colle au sol en béton et j'inspecte le dessous de la machine à la recherche d'un reflet argenté. Mes doigts parviennent tout juste à se glisser dessous...

— Je ne ferais pas ça si j'étais toi.

— Ah ouais?

Maintenant, je suis énervée. Quel genre de mec, autre qu'un psychopathe ou un violeur, s'amuse à entrer sans bruit dans une laverie en sous-sol, pour parler à une femme seule? Peut-être que *c'est* un psychopathe *et* un violeur. Peut-être que je devrais déjà trembler dans mes sandales. Mais ce n'est pas le cas. Je ne suis pas effrayée facilement et, honnêtement, je suis vraiment trop énervée pour ressentir quoi que ce soit d'autre. Qu'il essaie de m'attaquer! Il aura la surprise de sa vie.

– Et pourquoi ça? dis-je, la mâchoire serrée, essayant de garder mon calme.

Je veux la paix, qu'il a dit Tanner. Il a dû pressentir quelque chose en me voyant.

– Parce qu'on est dans une buanderie en sous-sol à Miami, qu'il fait frais et que l'air est humide. Des animaux à huit pattes flippantes, et d'autres du genre qui serpentent, aiment bien se cacher dans des endroits comme ça.

Je me recroqueville sur moi-même, luttant contre le frisson qui me parcourt immédiatement, visualisant ma main émergeant de sous la machine avec ma pièce et un serpent surprise accroché à mes doigts. Peu de choses me foutent la trouille. Mais les yeux globuleux et les choses visqueuses qui se tortillent en font partie.

– C'est drôle, on m'a aussi prévenue que des êtres bizarres à deux pattes ont tendance à traîner dans ce genre d'endroit. On les appelle des Pervers, en général. Certains les fuient comme la peste.

Il doit avoir une belle vue sur mes fesses pendant que je parle, à quatre pattes, penchée en avant dans mon minishort noir. *Vas-y, espèce de pervers. Profites-en, parce que c'est tout ce que t'auras. Et si je sens ne serait-ce qu'un effleurement contre ma peau, je te casse les genoux.*

Il me répond par un rire.

– Bien joué. Et si tu te relevais au lieu de rester à genoux?

Les poils sur mon cou se hérissent. Il y a quelque chose de très sexuel dans sa voix. J'entends un bruit de métal contre du métal quand il ajoute:

– Ce pervers peut te dépanner de vingt-cinq cents, si tu veux.

– Eh bien, dans ce cas, t'es mon pervers préféré, dis-je en m'appuyant sur le haut de la machine pour me relever et regarder ce connard dans les yeux.

Bien sûr, la bouteille de lessive se trouve juste au-dessus. Et bien sûr, ma main la renverse brutalement et, bien sûr, tout se répand sur la machine et le sol.

– Merde!

De nouveau à genoux, je regarde le liquide vert et collant se répandre partout.

– Tanner va me foutre dehors.

La voix du type se fait encore plus basse.

– Tu me donnes combien pour que je dise rien?

Des pas approchent.

D'instinct, je réajuste ma posture pour pouvoir lui casser les jambes d'un seul coup de pied et le réduire en une masse agonisant au sol, comme j'ai appris à le faire pendant mes sessions de boxe. Ma colonne vertébrale frissonne, alors qu'un drap blanc vient s'étendre sur le sol devant moi. Retenant ma respiration, j'attends patiemment que le type vienne à ma gauche pour s'accroupir.

D'un seul coup, l'air quitte mes poumons et je suis incapable de quitter des yeux ses fossettes incroyables et les yeux les plus bleus que j'aie jamais vus: des cercles cobalt remplis d'un bleu clair. Je me concentre davantage. *Est-ce que ce sont des éclats turquoise? Oui! Oh, mon Dieu!* Le sol en béton, les vieilles machines rouillées, les murs, tout disparaît autour de moi sous le poids de son regard qui anéantit mon armure de connasse, me laissant nue et vulnérable en l'espace de quelques secondes.

– On peut éponger avec ça. Il me fallait de la lessive de toute façon, murmure-t-il en prenant son drap pour absorber le liquide.

– Attends, c'est pas la peine de…

Ma voix se casse et ma faiblesse me donne la nausée. Soudain, je me sens coupable de l'avoir étiqueté comme pervers. Il ne peut pas être un pervers. Il est trop beau et trop gentil. C'est moi l'idiote qui jette des pièces partout, et maintenant, pour m'aider, il éponge ma lessive sur ce sol dégueulasse avec ses draps tout blancs.

Je ne trouve pas mes mots. Pas tant que je mate les biceps de Pas-Pervers. Je sens une vague de chaleur traverser mon bas-ventre. Sa chemise dont les manches sont relevées et les premiers boutons défaits me laisse entrevoir les débuts d'un torse incroyable.

– Tu vois quelque chose qui te plaît ? demande-t-il, moqueur.

Sa remarque ironique me fait relever les yeux vers son visage pour constater qu'il sourit, et mes joues rougissent instantanément. Ce mec m'agace. Il semble passer du Bon Samaritain au Tentateur Diabolique chaque fois qu'il ouvre la bouche. Pire, il m'a surprise en train de le mater. Moi ! En train de mater ! Je suis entourée de mecs canon tous les jours à la salle de sport, et ça ne me fait rien. Mais, visiblement, je ne suis pas immunisée contre celui-là.

– Je viens d'emménager dans l'appart 1D. Je m'appelle Trent.

Il me regarde derrière des cils incroyablement longs, son visage magnifique est mis en valeur par des cheveux brun doré.

Je parviens enfin à dire « Kacey ».

Donc, ce mec est le nouveau locataire, notre voisin. Il vit de l'autre côté du mur de mon salon. Argh.

– Kacey, répète-t-il.

J'adore la forme de sa bouche quand il dit mon nom. Mon attention s'arrête sur ses lèvres quelques instants, sur ses dents parfaitement alignées et droites, jusqu'à ce que je sente mon visage exploser, envahi par une troisième vague de chaleur. *Fais chier! Kacey Cleary ne rougit pour personne!*

— Je te serrerais bien la main, Kacey, mais…, dit Trent avec un sourire enjoué, me montrant ses mains recouvertes de lessive.

Là. C'est bon. L'idée de toucher ses mains me fait l'effet d'une claque, brisant la rêverie provoquée par ce Trent et me ramenant à la réalité.

Enfin, je reprends mes esprits et parviens à réfléchir normalement. Prenant une longue inspiration, je peine à réactiver mes boucliers pour former une barrière entre cet Apollon et moi-même. Je mets fin aux réactions qu'il me procure, afin de pouvoir reprendre le cours de ma vie. Je n'ai pas besoin de ce genre d'histoire et des complications qui vont avec. C'est beaucoup plus simple comme ça. *Et c'est tout ce que c'est, Kacey. Une réaction. Une réaction étrange et inhabituelle à un mec. Un mec incroyablement beau, certes, mais au final, une complication que tu ne veux pas dans ta vie.*

— Merci pour la pièce, dis-je froidement en me relevant et en insérant la pièce dans la fente.

Je démarre la machine.

— C'est la moindre des choses après t'avoir foutu la trouille.

Il s'est relevé et il enfourne ses draps dans la machine à côté de la mienne :

— Si Tanner dit quelque chose, je lui dirai que c'est de ma faute. En partie de ma faute, en tout cas.

— En partie ?

Il rit et secoue la tête. On se tient très près l'un de l'autre ; nos épaules se touchent presque. Trop près.

Je fais quelques pas en arrière pour me donner de l'espace. Je me retrouve alors à fixer son dos, à admirer la façon dont sa chemise bleue à carreaux s'étire sur ses larges épaules et la façon dont son jean bleu foncé lui moule parfaitement les fesses.

Il arrête ce qu'il fait et jette un œil par-dessus son épaule, ses yeux rencontrent les miens dans un regard qui me donne envie de lui faire des choses, pour lui, avec lui. Son regard m'inspecte lentement, de haut en bas, sans gêne. Ce mec est une contradiction ambulante. Une seconde il est adorable, la suivante il est effronté. Une contradiction canon à vous couper le souffle.

Un signal d'alarme retentit dans ma tête. J'ai promis à Livie que les coups d'un soir cesseraient. Et c'est le cas. Depuis deux ans, je ne réponds même pas quand on me demande l'heure dans la rue. Mais nous voilà le premier jour de notre nouvelle vie, et je suis prête à chevaucher ce mec sur la machine à laver.

Mal à l'aise, je commence à me tortiller. *Respire, Kacey.* J'entends les paroles de ma mère dans ma tête. *Compte jusqu'à dix, Kace. Dix petites inspirations.* Comme d'habitude, ses conseils ne me sont d'aucune utilité, car je n'y comprends rien. La seule chose qui me paraît logique est de fuir ce piège sur pattes. Tout de suite.

Je recule vers la porte.

Je ne veux pas de ces pensées. Je n'en ai pas besoin.

– Alors, où est-ce que tu… ?

Je monte les escaliers en courant avant même qu'il ait fini sa phrase. Je ne cherche à respirer qu'une fois en sécurité, à l'air libre. Je m'appuie contre le mur et ferme les yeux, accueillant le retour de mon armure protectrice qui m'enveloppe de nouveau et reprend le contrôle de mon corps.

CHAPITRE 2

Un sifflement…
Des lumières vives…
Du sang…
Une vague d'eau déferle sur moi. Je me noie.
– Kacey, réveille-toi !
La voix de Livie m'extirpe de cette noirceur suffocante et me ramène à ma chambre. Il est 3 h du matin et je suis trempée de sueur.
– Merci, Livie.
– Y a pas de quoi, répond-elle doucement en s'allongeant à côté de moi.
Livie est habituée à mes cauchemars. Il est rare que je n'en aie pas. Parfois, je me réveille toute seule. Parfois, je fais de l'hyperventilation et Livie doit me jeter un verre d'eau froide sur le visage pour me réveiller. Elle n'a pas eu à le faire cette nuit.
Cette nuit, ce n'est pas si mal.

* * *

Je me lève tôt pour embrasser Livie avant son premier jour dans son nouveau collège.
– T'as tous les papiers ?

J'ai tout signé en tant que responsable légale de Livie, et je lui ai fait jurer de confirmer si quelqu'un lui posait la question.

– Pour ce que ça vaut…

– Livie, colle à ce que je t'ai dit, et tout ira bien.

Pour être honnête, je suis un peu inquiète. Avoir à dépendre des mensonges de Livie, c'est comme s'attendre à ce qu'un château de cartes résiste à une tempête. C'est impossible. Livie ne parviendrait pas à mentir même si sa vie en dépendait. Et là, c'est un peu le cas.

Je la regarde finir son bol de Chocapic, prendre son sac à dos et mettre ses cheveux derrière ses oreilles au moins une dizaine de fois. Et ça, c'est le signe qu'intérieurement, elle panique.

– Livie, te complique pas la vie. Tu peux choisir d'être qui tu veux, lui dis-je en posant ma main sur son bras avant qu'elle passe la porte.

Je me souviens d'avoir trouvé un brin de réconfort lorsqu'on a emménagé chez oncle Raymond et tante Darla : un nouveau collège et des nouvelles personnes qui ne savaient rien de moi. J'étais assez bête pour penser que les regards de pitié cesseraient suffisamment longtemps pour me laisser du répit. Mais les nouvelles vont vite dans les petites villes, et je me suis souvent retrouvée à manger mes repas dans les toilettes ou à sécher les cours pour éviter les chuchotements. Mais aujourd'hui, nous sommes à des centaines de kilomètres du Michigan. On a réellement une chance de recommencer à zéro.

Livie s'arrête, se tourne et me regarde d'un air ahuri :

– Je suis Olivia Cleary. J'essaie pas d'être quelqu'un d'autre.

– Je sais. Je veux juste dire que personne ne connaît notre passé ici.

Ça, c'était un autre sujet de négociation pour venir ici. J'ai exigé qu'on ne raconte notre passé à personne.

– Notre passé ne nous définit pas. Je suis moi, tu es toi, et c'est ça qu'on doit être, me rappelle Livie.

Elle s'en va et je sais exactement ce qu'elle veut dire. Je ne suis plus Kacey Cleary. Je suis une coquille vide qui sort des blagues inappropriées et ne ressent rien. Je suis une imposture de Kacey.

* * *

Lorsque je nous cherchais un appartement, je ne voulais pas seulement qu'il soit près d'un bon collège pour Livie. Je cherchais également une salle de sport. Pas une salle où des filles super fines se baladent dans leurs nouvelles tenues et se tiennent debout à côté des haltères tout en étant suspendues à leur téléphone. Je voulais une salle pour ceux qui veulent se battre.

C'est comme ça que j'ai trouvé The Breaking Point.

Cette salle fait à peu près la même taille que O'Malleys au Michigan, et je me suis tout de suite sentie chez moi : la lumière tamisée, un ring et une douzaine de sacs de frappe de tailles variées suspendus à des poutres. Je suis accueillie par l'odeur familière de transpiration et d'agressivité : le résultat du fait qu'il n'y a qu'une femme pour cinquante hommes.

Alors que je m'avance dans la salle principale, j'avale une bouffée d'air et je me sens immédiatement en sécurité. Il y a trois ans, lorsque je suis sortie du service des soins de longue durée, après une lourde rééducation pour fortifier tout le côté droit de mon corps qui avait été broyé dans l'accident, je me suis inscrite dans une salle de sport. J'ai passé des heures, chaque jour, à soulever des poids et à travailler mon cardio ; tout ce qui pouvait redonner de la force à mon corps brisé, mais qui ne faisait rien pour mon âme ravagée.

Et puis un jour, un mec hyper-musclé, qui s'appelait Jeff et qui avait plus de piercings et de tatouages qu'une rock star démodée, est venu vers moi.

– Tes entraînements sont plutôt intenses, a-t-il dit.

J'ai simplement hoché la tête car je n'étais pas intéressée par cette conversation, quel qu'en fût le sujet. Et puis il m'a tendu sa carte.

– Est-ce que t'as essayé O'Malleys un peu plus loin? J'y donne des cours de kick-boxing deux ou trois fois par semaine.

À ce qui paraît, j'ai ça dans le sang. Je suis vite devenue la meilleure du club; probablement parce que je m'entraînais tous les jours sans exception. Il s'est avéré que c'était pour moi le meilleur moyen de réadaptation. Chaque coup de pied ou de poing me permet de canaliser ma colère, ma frustration et ma douleur, et de libérer le tout dans un bon coup solide. Ici, je peux relâcher sans risquer que toutes les émotions que j'enfouis au quotidien ne ressortent.

Heureusement, The Breaking Point n'est pas cher et ils vous laissent régler chaque mois sans vous imposer de frais d'inscription. J'ai mis assez d'argent de côté pour un mois. Je sais que je devrais l'utiliser pour nous acheter à manger, mais je ne peux pas me permettre de ne pas m'entraîner. En fait, c'est même mieux pour tout le monde que je m'entraîne.

Après m'être inscrite et avoir fait le tour du club, je pose mes affaires près d'un sac de frappe libre. Je sens leurs yeux sur moi, leurs regards curieux. *C'est qui la rousse? Elle sait pas quel genre de salle c'est ici?* Ils se demandent si j'arriverai à viser le sac. Ils prennent probablement déjà des paris sur celui qui me prendra dans la douche en premier.

Qu'ils essaient!

J'ignore leurs regards, leurs commentaires stupides et leurs ricanements pendant que je m'étire, craignant de me blesser après avoir raté trois jours d'entraînement. Et c'est moi qui ricane. Bande d'abrutis !

Prenant plusieurs inspirations pour calmer mes nerfs, je me concentre sur ce sac, cet objet généreux qui absorbera ma douleur, ma souffrance, ma haine, sans se plaindre.

Et je lâche tout.

* * *

Le soleil n'est même pas encore levé, et le pire genre de heavy metal traverse ma chambre à plein volume. Mon réveil indique 6 h. *Ouaip. Pile à l'heure.* C'est le troisième jour d'affilée que mon voisin me réveille avec ce bordel.

– Je veux la paix, je murmure en recouvrant ma tête avec les couvertures, me remémorant ce que Tanner nous a dit à notre arrivée. Je suppose que pour avoir la paix, je ne peux quand même pas enfoncer la porte de mon voisin à coups de pied et jeter sa chaîne hifi par la fenêtre.

Mais ça ne signifie pas que je ne peux pas me venger.

J'attrape mon iPod, un des seuls biens non vestimentaires que j'ai réussi à prendre dans notre fuite, et fais défiler les morceaux. Le voilà. Hannah Montana. Jenny, ma meilleure amie, a téléchargé cette merde pour rire il y a quelques années. *Eh bien, ça va enfin me servir à quelque chose.* Je mets de côté la douleur qui remonte avec ces souvenirs et j'appuie sur « Play » en réglant le volume à fond. Le son rebondit sur les murs de ma petite chambre. Les baffles vont probablement exploser, mais ça en vaut la peine.

Et je me mets à danser.

Comme une furie. Je fais des bonds dans ma chambre, remuant les bras en l'air, espérant que cette personne déteste Hannah Montana autant que moi.

– Qu'est-ce que tu fais? crie Livie, déboulant dans ma chambre dans son pyjama froissé, les cheveux ébouriffés.

Elle bondit sur mon iPod pour l'éteindre.

– J'apprends à notre voisin à ne pas me réveiller. Quel connard!

– Tu l'as rencontré? Comment tu sais que c'est un mec? dit-elle, éberluée.

– Parce qu'aucune fille ne met ce genre de merde à fond à 6 h du mat', Livie.

– Ah, je n'entendais rien depuis ma chambre. C'est horrible, dit-elle en étudiant le mur qui nous sépare de l'appartement voisin.

– Ah bon, tu crois? dis-je en levant un sourcil. Surtout que j'ai travaillé jusqu'à 11 h du soir!

J'ai eu mon premier jour au Starbucks du coin. Ils étaient désespérés et j'avais une lettre de recommandation élogieuse de la part de mon ancien patron, un fils à maman de vingt-quatre ans prénommé Jake qui était dingue de moi. J'ai été assez intelligente pour rester sympa avec lui. Et j'ai été récompensée.

Après avoir marqué une pause dans sa réflexion, Livie hausse les épaules, puis s'écrie « *Dance Party!* » et remonte le volume.

On saute toutes les deux autour de ma chambre, mortes de rire, jusqu'à ce qu'on entende des coups contre notre porte d'entrée.

Le visage de Livie devient blême. Elle est comme ça: la douceur incarnée. Moi? Je ne suis pas inquiète. J'enfile ma robe de chambre violette tout usée et avance fièrement vers la porte. *Voyons voir ce qu'il a à dire.*

Ma main est sur le verrou, sur le point d'ouvrir la porte, quand Livie chuchote d'un ton sec:

– Attends!

Je m'arrête et me retourne pour la voir, l'index en l'air, comme le faisait ma mère lorsqu'elle nous grondait.

– Souviens-toi de ce que t'as promis! C'était notre deal. On repart à zéro, OK? Une nouvelle vie? Une nouvelle Kacey?

– Ouais, et alors?

– Alors, est-ce que tu peux essayer, s'il te plaît, de ne pas faire ta Reine des neiges? Tu peux essayer d'être un peu plus comme la Kacey d'avant? Tu sais, celle qui n'envoie pas promener tous ceux qui s'approchent? Qui sait, peut-être qu'on arrivera même à se faire des amis dans cette ville? Essaie, s'il te plaît.

– Tu veux que j'essaie d'être amie avec des vieux mecs, Livie? Parce que, si c'est le cas, on aurait pu rester chez l'oncle Raymond, dis-je froidement.

Cependant, ses paroles me piquent comme si on m'avait planté une aiguille dans le cœur. Venant de quelqu'un d'autre, elles auraient glissé sur mon armure en Téflon. Le problème, c'est que je ne sais pas qui est la Kacey d'avant. Je ne me souviens pas d'elle. On m'a dit que ses yeux pétillaient lorsqu'elle riait, qu'elle faisait pleurer son père lorsqu'elle jouait «*Stairway to Heaven*» au piano. Qu'elle avait plein d'amis et qu'elle câlinait et embrassait son petit ami dès qu'elle en avait l'occasion.

La Kacey d'avant est morte il y a quatre ans, et tout ce qui reste d'elle est un sacré bordel. Un bordel qui a passé un an en rééducation pour réparer son corps brisé et qui a été relâché avec l'âme brisée. Un bordel dont les notes ont chuté jusqu'à devenir la pire élève de la classe. Un bordel qui a sombré dans un monde de drogues et d'alcool pendant un an pour pouvoir supporter la douleur. La Kacey d'après ne pleure pas. Pas la moindre larme. Je ne suis pas sûre qu'elle sache pourquoi. Elle ne se confie pas et elle ne supporte pas que des mains la touchent car ça lui rappelle la mort. Elle ne laisse personne l'approcher car la souffrance est sûre de suivre. La vue d'un piano la plonge dans un puits de tristesse. Son seul réconfort est de martyriser des sacs de frappe énormes jusqu'à ce que ses phalanges soient rouges, ses pieds en sang et que son corps, rassemblé grâce à d'innombrables plaques et vis de métal, soit sur le point de s'effriter. Je connais très bien la Kacey d'après. Pour le meilleur ou pour le pire, je suis coincée avec elle.

Mais Livie, elle, se souvient de la Kacey d'avant. Et pour Livie, je suis prête à tout essayer. Je soulève les coins de ma bouche pour former un sourire. C'est un peu bizarre, et, vu la tête que fait Livie, ce doit être un peu menaçant.

– OK.

Et je m'apprête à tourner la poignée de la porte.

– Attends!

– Livie! Qu'est-ce qu'il y a encore? dis-je en soupirant d'exaspération.

– Tiens.

Elle me tend son parapluie rose à pois blancs:

– C'est peut-être un tueur en série.

Je penche ma tête en arrière et éclate de rire. Un son qui paraît étrange vu que je ris rarement, mais c'est sincère.

– Et je suis censée faire quoi avec ça?

Elle hausse les épaules.

– Je sais pas, mais c'est mieux que de le tabasser à coups de poing comme tu préférerais le faire.

– OK, OK. Voyons voir à quoi nous avons affaire.

Je me penche à la fenêtre qui est à côté de la porte et écarte le rideau, à la recherche d'un homme aux cheveux grisonnants portant un t-shirt usé trop court et des chaussettes noires. Une minuscule partie de moi trépigne à l'idée qu'il s'agit peut-être du Trent de la laverie. Ces yeux brûlants qui ont jailli dans mes pensées plusieurs fois ces derniers jours sans que je les y aie invités. Et j'ai du mal à m'en débarrasser une fois que la pensée s'est installée. Je me suis même surprise à fixer le mur entre nos appartements, comme une psychopathe, en me demandant ce qu'il pouvait bien être en train de faire. Mais la musique ne vient pas de chez lui, donc ça ne peut pas être lui.

En effet, des cheveux blond platine attachés en queue de cheval se balancent devant notre porte.

– Sérieusement? dis-je en râlant, tout en défaisant le verrou.

Barbie est debout sur notre paillasson. Sans rire. C'est une blonde sexy d'un mètre quatre-vingt au corps ferme, aux lèvres pulpeuses et aux yeux bleus. Je reste sans voix, le temps d'inspecter son minishort en coton et la façon dont le logo « Playboy » se déforme en s'étirant sur son débardeur. *Ce ne sont pas des vrais. Ils font la taille de deux montgolfières.*

Ma rêverie est interrompue par une voix douce et traînante.

– Salut, je suis votre voisine, Nora Matthews. Mais tout le monde m'appelle Storm.

Storm? Notre voisine Storm avec des montgolfières cousues sur la poitrine?

J'entends un raclement de gorge et je me rends compte que je mate encore ses seins. Je remonte vite mon regard vers son visage.

– T'en fais pas. Le médecin m'a filé une taille en plus gratos pendant que je dormais, plaisante-t-elle en riant nerveusement, ce qui déclenche une toux nerveuse chez Livie.

Notre nouvelle voisine : Nora, dite « Storm », et ses seins énormes. Je me demande si elle a aussi eu droit au « pas d'orgies, je veux la paix » de Tanner lorsqu'il lui a donné les clés.

Elle tend son bras ferme et je me crispe instantanément, luttant pour ne pas frissonner de dégoût. C'est précisément pour cette raison que je déteste rencontrer de nouvelles personnes. De nos jours, avec les maladies qui traînent, est-ce qu'on ne pourrait pas se satisfaire d'un signe de la main et passer à autre chose?

Les cheveux noirs de Livie entrent dans mon champ de vision alors qu'elle serre la main de Storm.

– Salut, moi c'est Livie. (Je remercie mentalement Livie de m'avoir sauvé la vie encore une fois.) Et Kacey est ma sœur. On vient d'arriver à Miami.

Storm offre un sourire parfait à Livie avant de s'intéresser à moi de nouveau.

– Écoute, je suis vraiment désolée pour la musique. (*Donc elle sait que c'est moi la responsable.*) Je savais pas que quelqu'un avait emménagé à côté. Je travaille de nuit et je me lève tôt pour ma fille de cinq ans. C'est tout ce que j'ai trouvé pour m'aider à me réveiller.

C'est à ce moment-là que je remarque que ses yeux sont rouges. Je suis prise de culpabilité en sachant qu'une gamine est impliquée. *Merde.* Je déteste me sentir coupable, surtout pour des inconnus.

Livie se racle la gorge et me regarde, l'air de dire «souviens-toi de ne pas être une garce».

– Pas de problème. Simplement, peut-être pas aussi fort? Ou pas aussi années 80?

– C'est mon père qui m'a rendu accro à AC/DC. Je sais, c'est nul, dit-elle en souriant. Je veux bien entendre ta requête. Mais, en contrepartie, promets-moi de ne plus mettre Hannah Montana, je t'en supplie!

Elle tient ses deux mains en l'air en signe de capitulation, faisant rire Livie.

– Maman!

Une version miniature de Storm, en pyjama à rayures, fait son apparition et se cache derrière les longues jambes de sa mère, levant les yeux pour nous inspecter tout en suçant son pouce. C'est probablement la gamine la plus adorable que j'aie jamais vue.

– C'est nos nouvelles voisines, Kacey et Livie. Je vous présente Mia, explique Storm en caressant les boucles blondes de sa fille.

– Salut! dit Livie de sa voix réservée aux enfants. Ravie de faire ta connaissance.

Malgré mes difficultés à me laisser approcher par qui que ce soit, les enfants ont le pouvoir, temporairement, de faire fondre la couche de glace protectrice qui entoure mon cœur. Les enfants, et les chiots dodus.

– Salut Mia, dis-je d'une voix douce.

Mia recule et semble hésitante, levant les yeux vers Storm.

– Elle est timide avec les gens qu'elle connaît pas, explique Storm pour s'excuser, puis elle s'adresse à Mia. N'aie pas peur. Peut-être que ces jeunes filles veulent être nos nouvelles amies.

«Nouvelles amies» doit être la formule magique car Mia sort de derrière les jambes de sa mère et se faufile dans notre appartement, traînant derrière elle une vieille couverture en polaire jaune. Au début, elle regarde simplement notre appartement, cherchant probablement des indices sur ses «nouvelles amies». Lorsque son regard se pose finalement sur Livie, il n'en décolle plus.

Livie se met à genoux pour regarder Mia dans les yeux, un grand sourire aux lèvres.

– Moi, c'est Livie.

Mia lève le bras dans lequel elle tient sa couverture.

– Ça, c'est M. Magoo. C'est mon ami.

Maintenant qu'elle parle, je vois le trou géant là où elle a perdu ses deux dents de devant. Et ça la rend encore plus mignonne.

– Ravie de te rencontrer, M. Magoo, dit Livie en prenant le tissu entre son index et son pouce, comme si elle lui serrait la main.

Livie a dû passer le test de M. Magoo, car Mia la prend par la main et la tire vers la porte.

– Viens voir mes autres amis.

Et elles disparaissent dans l'appartement de Storm, nous laissant seules.

– Vous n'êtes pas du coin, me dit-elle. (Ce n'est pas une question. J'espère qu'elle va s'arrêter là.) Vous êtes là depuis longtemps?

Storm observe notre salon vide, comme l'a fait sa fille, s'arrêtant un instant sur une photo de nous deux avec nos parents. Livie l'a décrochée du mur de tante Darla quand on est parties.

Je réprimande intérieurement Livie de l'avoir accrochée là où tout le monde peut la voir, suscitant des questions dont les réponses ne regardent personne. Mais il y a des fois où Livie impose sa volonté. Et ça, ça en fait partie. Si ça ne tenait qu'à moi, la photo serait dans la chambre de Livie, où je pourrais choisir de la regarder de temps en temps.

C'est simplement trop douloureux pour moi de voir leur visage.

– Seulement quelques jours. Chaleureux, tu trouves pas?

Storm sourit discrètement à ma tentative d'humour. Livie et moi avons acheté le strict nécessaire. En dehors de cette photo de famille, la seule touche qu'on ait ajoutée est l'odeur de Javel au lieu du parfum de naphtaline.

Storm hoche la tête, croisant ses bras comme si elle avait froid. Mais il ne fait pas froid. Il fait chaud à Miami, même à 6 h du mat'.

– Pour l'instant, ça suffit, non? C'est tout ce qui compte, dit-elle d'une voix douce.

J'ai comme l'impression qu'elle ne parle pas seulement de notre appartement.

Un cri de joie surgit de l'appartement d'à côté, et Storm rit.

– Ta sœur est douée avec les enfants.

– Oui, Livie a une sorte de pouvoir sur eux. Aucun enfant ne peut lui résister. Chez nous, elle était bénévole à la garderie locale. Je suis sûre qu'elle aura au moins douze enfants. Mais attends qu'elle découvre ce qu'elle doit faire avec les mecs pour avoir le même pouvoir sur eux, dis-je en mettant ma main contre ma bouche, feignant de lui révéler un secret.

Storm rit doucement.

– Je suis sûre qu'elle l'apprendra très vite. Elle est magnifique. Quel âge elle a?

– Quinze ans.

– Et toi? T'es à l'université?

Moi? Je soupire, luttant contre l'envie de me refermer. Elle pose beaucoup de questions personnelles. J'entends la voix de Livie dans ma tête. *Essaie…*

– Non, pour le moment je travaille. Les études, ça viendra plus tard. Peut-être dans un an ou deux.

Ou dix. Je m'assurerai d'abord que Livie est sur la bonne voie, ça c'est sûr. L'avenir brillant, c'est pour elle.

Il y a un long silence pendant qu'on est toutes les deux perdues dans nos pensées.

– Pour l'instant, ça suffit, non? dis-je en répétant les paroles de Storm, et je vois dans ses yeux bleus qu'elle sait ce que je veux dire, trahissant ses propres secrets.

DEUXIÈME ÉTAPE

LE DÉNI

CHAPITRE 3

Je me traîne dans la cuisine, à moitié endormie, pour y trouver Livie et Mia à la table de la salle à manger, concentrées sur une partie de bataille corse.

– Bonjour, chantonne Livie.

– Bonjour, répète Mia en l'imitant.

– Il est *8 h* du mat' les filles, dis-je sur un ton ronchon en attrapant la bouteille de jus d'orange bon marché dans le frigo.

– C'était comment le boulot ? demande Livie.

Je bois une longue gorgée à la bouteille.

– Merdique.

Mia inspire bruyamment pour signifier qu'elle est choquée, et pointe son index dans ma direction :

– Kacey a dit un gros mot ! murmure-t-elle.

Je grimace en voyant Livie me dévisager.

– J'ai droit à *un* gros mot, d'accord ? dis-je, cherchant une façon de m'excuser.

Il va falloir que je fasse attention à ce que je dis si Mia se met à traîner chez nous.

Mia penche la tête sur le côté, comme si elle analysait mon raisonnement. Puis, comme n'importe quel enfant de cinq ans dont la concentration est limitée, mon infraction est vite oubliée. Elle sourit et déclare :

– Vous venez pour le brunch.

Maintenant, c'est à moi de dévisager Livie.

– Tiens donc, c'est vrai ?

Fronçant légèrement les sourcils, Livie se lève et vient à côté de moi.

– T'as dit que t'allais essayer, me rappelle-t-elle en murmurant pour que Mia n'entende pas.

– J'ai dit que je serais gentille. J'ai pas dit que j'échangerais des recettes de muffins avec les voisins, je réponds, en faisant de mon mieux pour ne pas lui aboyer dessus.

Livie lève les yeux au ciel.

– T'exagères. Storm est cool. Je pense que tu l'aimerais bien si t'arrêtais de l'éviter. Elle, ainsi que tous les autres êtres vivants.

– Je te rappelle que, cette semaine, j'ai gracieusement servi plus de mille cafés à des êtres vivants. Dont certains étaient plus que douteux. (Livie croise les bras et son regard s'adoucit, mais elle ne dit rien.) Je n'évite pas les gens, Livie.

Hélas, elle a raison.

Y compris Barbie. Ainsi que Fossettes, notre voisin. Surtout lui. Je suis certaine d'avoir vu sa silhouette à la fenêtre quand je rentrais la nuit quelquefois, mais j'ai baissé la tête et pressé le pas, des papillons dans le ventre à l'idée de me retrouver face à lui de nouveau.

– Ah bon, vraiment ? Parce qu'en tout cas c'est ce que Storm pense. Elle est sortie pour te parler l'autre jour, et t'es rentrée dans l'appartement à la vitesse de l'éclair avant qu'elle ait pu te dire « salut ».

Je me cache en reprenant une gorgée de jus d'orange. Prise en flagrant délit. C'est vrai que j'ai fait ça. J'ai entendu le verrou de sa porte et les débuts de « salut Kacey », et je me suis dépêchée de rentrer et de fermer la porte de chez nous.

– C'est *vrai* que je suis rapide comme l'éclair. Ça pourrait être mon nouveau surnom !

Livie m'observe alors que j'inspecte le maigre contenu de notre frigo, et mon estomac proteste avec un gargouillement parfaitement synchronisé. On s'est mises d'accord pour dépenser le moins d'argent possible, le temps que j'aie un ou deux salaires en banque, donc on survit en mangeant des céréales premier prix et des sandwichs au pain de mie depuis plus d'une semaine. Étant donné que j'ai besoin de plus de calories que la plupart des gens de mon âge pour fonctionner, je suis moins vive que d'habitude. Je suppose qu'en proposant de nous nourrir, Storm marque quelques points sur le tableau de l'amie potentielle.

Je passe ma langue le long de mes dents.

– D'accord.

Le visage de Livie s'illumine.

– Ça veut dire oui ?

Je hausse les épaules, feignant la nonchalance. Cependant, intérieurement, la panique grandit. *Livie s'attache trop à ces gens.* Ce n'est pas bien de s'attacher. On finit toujours par être blessé. Je grimace.

– Du moment qu'on mange pas du pain de mie.

Elle rigole et je sais que ce n'est pas pour ma blague pourrie. Elle sait que je fais des efforts, et ça la rend heureuse.

Je change de sujet.

– Au fait, elle est comment ta nouvelle école ?

J'ai travaillé tous les soirs de la semaine, ce qui fait qu'on ne s'est pas parlé une seule fois, mis à part quelques mots laissés sur le frigo.

– Ah… oui.

Livie pâlit comme si elle avait vu un fantôme. Elle attrape son sac à dos, jetant un œil à Mia qui est occupée à jouer au jeu de cartes qu'elle vient visiblement d'inventer.

– J'ai regardé mes courriels, explique-t-elle en me tendant une feuille.

Mes épaules se contractent. Je savais que ça allait arriver.

Ma très chère Olivia,
Je suppose que ta sœur t'a convaincue de t'enfuir. Je n'arrive tout simplement pas à imaginer pourquoi, mais j'espère que tu es en sécurité. Je te prie de m'envoyer un message pour me dire où tu es. Je viendrai te chercher et te ramènerai à la maison, là où tes parents veulent que tu sois. Cela les rendra heureux. Je ne suis pas fâchée contre toi. Tu es une brebis égarée qui a malencontreusement suivi le loup. S'il te plaît, laisse-moi te ramener à la maison. Tu nous manques terriblement à ton oncle et moi.
Je t'embrasse tendrement,
Tante Darla

Je bous de rage. Pas pour la comparaison avec le loup. Je me fiche de ça. Elle m'a déjà comparée à des choses bien pires. En revanche, ce qui est inacceptable, c'est qu'elle se serve de nos parents pour faire culpabiliser Livie, sachant très bien à quel point ça la blesserait.

— T'as pas répondu, si?

Livie secoue la tête, l'air grave.

— Bien, dis-je, la mâchoire serrée en froissant la feuille. Supprime ta messagerie et crées-en une nouvelle. Ne lui réponds jamais, Livie. Jamais.

— D'accord, Kacey.

— Je suis sérieuse!

J'entends Mia pousser un petit cri d'exclamation et je baisse vite d'un ton.

— On n'a pas besoin d'eux, Livie.

Il y a un long silence, puis Livie dit d'une voix douce:

— C'est pas une mauvaise personne. Elle pense bien faire. Et tu ne leur as pas vraiment rendu la vie facile.

Je ravale la boule de culpabilité qui se forme dans ma gorge et qui est sur le point de prendre le dessus sur ma colère.

– Je sais, Livie. Vraiment, je le sais. Mais la façon qu'a tante Darla de « bien faire » ne nous convient pas.

Je me frotte le front. Je ne suis pas bête. Pendant un an après l'accident, j'ai tout donné pour réparer mon corps, pour pouvoir bouger de nouveau. Une fois sortie de l'hôpital, je me suis concentrée sur le fait de faire disparaître tout souvenir de notre ancienne vie dans un puits sans fond. Cependant, certains jours, comme les anniversaires, étaient impossibles à supporter. J'ai vite appris que l'alcool et la drogue, bien que capables de détruire des vies, avaient aussi des pouvoirs magiques, notamment celui d'amoindrir la souffrance. Je me suis de plus en plus reposée sur ces armes face à la menace permanente d'être accablée par cette vague qui cherchait à me noyer.

Il y avait aussi le sexe. Avec des inconnus dont je me fichais et qui se fichaient de moi, sans attache, sans réfléchir, m'apportant simplement le répit dont j'avais besoin. Il n'y avait aucune attente. De mon côté, tout du moins. Des mecs que je rencontrais à des fêtes, ou qui allaient à mon école. C'était gênant pour eux après coup, mais moi je m'en fichais. Je ne les ai jamais laissés s'approcher suffisamment pour arriver à découvrir mes secrets. C'était le mécanisme de réadaptation parfait.

Tante Darla savait ce qui se passait. Mais elle ne savait pas comment gérer la situation. Au début, elle a essayé de me présenter à son prêtre pour qu'il me parle et me débarrasse de mes démons. À ses yeux, tout cela devait forcément être dû à des démons. Or, lorsque les démons se sont montrés plus forts que les pouvoirs de son Église, je crois qu'elle a décidé qu'il valait mieux faire comme si de rien n'était. « C'est juste une passade », disait-elle à Livie pour la réconforter. Une passade répugnante et autodestructrice dont elle ne voulait absolument pas faire partie. À partir de ce moment-là, elle a concentré tous ses efforts sur la nièce qui n'était pas déjà cassée.

Et cela me convenait parfaitement.

Jusqu'à ce qu'un jour je sois réveillée par Livie, me frappant le dos pour ne pas que je m'étouffe dans mon vomi, pleurant à chaudes larmes, ne cessant de répéter : « Promets-moi que tu me laisseras pas ! » Ses mots ont eu sur moi l'effet d'un poignard me transperçant le cœur.

Après cette nuit, j'ai tout arrêté. L'alcool. La drogue. Les coups d'un soir. D'ailleurs, le sexe tout court. Je n'ai pas posé les yeux sur un mec depuis cette nuit-là. Je ne sais pas exactement pourquoi. Je suppose que tout est lié dans ma tête. Heureusement, j'ai vite trouvé une nouvelle échappatoire avec le kick-boxing. Livie ne m'a jamais encouragée à fond dans cette nouvelle addiction, mais elle préfère largement ça à tout le reste.

Je ferme la porte du frigo, choisissant de ne pas penser à tante Darla et à ma propension autodestructrice.

— C'est à quelle heure le repas ?

— Le brunch ! corrige Mia, en poussant un soupir en signe d'exaspération.

* * *

Mon estomac gargouille bruyamment lorsque nous suivons Mia chez elle et sommes accueillies par une odeur de bacon et de café. Je me félicite d'avoir pris la bonne décision en acceptant de venir. Au moins, je serai pleine d'énergie pour le sport aujourd'hui.

J'inspecte l'appartement de Storm, légèrement abasourdie. C'est le même que le nôtre, sauf que celui-ci est *beau*. Le salon possède un canapé gris clair, des coussins pailletés et des petites tables en verre sur lesquelles sont posées des lampes en cristal. Une télévision écran plat trône sur une commode en teck. On aperçoit ici et là l'horrible moquette verte dépassant du tapis moelleux couleur crème qui la recouvre. Les murs sont gris clair et parsemés de photos de Mia en noir et blanc. Alors que notre appartement ressemble à une location à bas prix, celui de Storm pourrait être en couverture d'un magazine de déco.

Je dois admettre que, assise à table, à écouter Storm, Livie et Mia parler et rire ensemble, je commence à apprécier Storm, que je le veuille ou non. Personne ne s'en douterait à première vue, surtout parce qu'on est vite distrait par sa poitrine généreuse, mais Storm est une femme sensée et débrouillarde, et elle paraît plus mature qu'une fille de vingt-trois ans. Ça se voit instantanément. Elle est détendue et répond de façon à la fois intelligente et très drôle, de sa voix douce et sensuelle. Elle tripote pas mal ses cheveux et rit facilement, et je ne vois rien d'autre que sincérité et curiosité dans son regard. Pour une femme aussi belle, elle ne paraît ni vaine ni arrogante. Elle écoute le plus souvent, et elle observe. Son regard acéré absorbe tout. Je la surprends en train d'inspecter le tatouage sur ma cuisse, plissant des yeux au moment où, je suppose, elle découvre l'horrible cicatrice qu'il recouvre. C'est la seule grosse cicatrice qui ne soit pas due à une opération mais à un bout de verre.

Cependant elle ne me pose aucune question, ce qui me fait l'apprécier davantage.

– Roh… dis donc! s'exclame Storm en bâillant.

Ses yeux sont rouges et bordés de cernes violets. Posant ses coudes sur la table, elle se frotte vigoureusement le visage.

– J'ai hâte que Mia apprenne à faire des grasses mat'. Au moins, pendant la semaine, je peux faire une petite sieste le matin pendant qu'elle est à l'école.

– J'allais te demander, est-ce que ça te gêne si j'emmène Mia au parc en bas de la rue ? demande Livie, comme si elle venait réellement de s'en souvenir. (Je vois clair dans son jeu. Ça lui ressemble tellement.) Je la quitterai pas des yeux. Pas une seule seconde, promis. J'ai mon brevet de secouriste et de maître-nageur sauveteur, et des centaines d'heures d'expérience dans une garderie. (Livie commence à réciter son CV impressionnant.) J'ai même une copie papier de mon CV chez nous si tu veux. Et des lettres de recommandation ! (*Bien sûr, Livie. Pourquoi suis-je étonnée ?*) On sera de retour, disons, dans quatre heures, si ça te va ?

– Oui, maman ! Dis oui ! s'exclame Mia en sautillant sur le canapé, balançant ses bras dans toutes les directions. Dis oui ! Steuplaît ! Steuplaît ! Dis oui, maman, dis oui !

– D'accord, d'accord, calme-toi, répond Storm en riant. Bien sûr que tu peux, Livie. Tu passes déjà tellement de temps avec nous, tes recommandations ne sont pas nécessaires. En revanche, je voudrais te payer !

– Non, absolument pas.

Livie balaie d'un geste de la main la proposition de Storm, ce qui lui vaut un regard réprobateur de ma part. *Elle est cinglée ? Est-ce qu'elle n'aime que les sandwichs en triangle ? Va-t-on devoir passer aux salades de riz en boîte ?*

Livie aide Mia à enfiler ses chaussures.

– Au revoir, maman ! crie Mia en sortant.

Livie évite de croiser mon regard. C'est comme si elle lisait dans mes pensées et qu'elle y avait découvert mes reproches.

Dès que la porte se referme, Storm pose bruyamment sa tête sur la table.

– J'ai cru que j'allais mourir aujourd'hui. Kacey, ta sœur est comme un ange voletant avec ses petites ailes en satin et une baguette magique. Je n'ai jamais rencontré quelqu'un comme ça. Mia est déjà folle d'elle.

La couche de glace autour de mon cœur fond. Et je décide que je peux peut-être « essayer » d'être amie avec Storm Matthews et ses faux seins.

* * *

— À tout à l'heure, Livie, dis-je en bougonnant et en grimaçant.
J'attrape mes affaires pour aller au Starbucks.
— Kace…
Il y a une longue pause pendant laquelle j'entends Livie déglutir difficilement, et je sais que quelque chose la perturbe.
— Argh, Livie !
Je lève les yeux au ciel :
— Crache le morceau. Je veux pas être en retard pour le meilleur boulot au monde.
— Je crois que j'aurais dû rester à Grand Rapids.
Ses paroles me pétrifient. Une boule de colère se forme dans mon ventre à l'idée que ma petite sœur soit là-bas. Sans moi.
— Arrête de dire des conneries pareilles, Livie.
Je lui tapote le nez, la faisant grimacer :
— Bien sûr que non, t'aurais pas dû rester à Grand Rapids.
— Mais comment on va s'en sortir ?
— Avec dix heures de prostitution chacune. Maximum.
— Kacey !
— On se débrouillera, dis-je en soupirant, cessant de plaisanter.
— Je peux travailler.
— Tu dois te concentrer sur l'école, Livie. Mais… si Storm te propose à nouveau de l'argent, prends-le, dis-je en pointant mon index sur elle.
— Non. Je ne me ferai pas payer pour traîner avec Mia. Elle est marrante, dit-elle en secouant la tête.
— T'es censée t'amuser avec des gens de ton âge, Livie. Des mecs, par exemple.

Sa mâchoire se contracte en signe de refus.

– Quand les mecs ne seront plus des abrutis, OK. Jusqu'à ce que ce jour arrive, les enfants de cinq ans me semblent plus intelligents.

Je me retiens d'éclater de rire. Ça fait partie du problème de Livie. Elle est trop intelligente. Un petit génie. Elle n'a jamais compris les jeunes de son âge. Je crois qu'elle est née avec la maturité d'un adulte de vingt-cinq ans. D'avoir perdu nos parents n'a fait qu'exacerber le problème. Elle a grandi trop vite.

– Et toi ? Il n'est jamais trop tard pour réaliser ton rêve d'aller à Princeton, dit-elle calmement.

Un rire nasal, plutôt laid, m'échappe.

– Ce rêve est mort il y a quelques années, Livie, et tu le sais. Toi t'iras, avec la bourse au mérite que tu auras eue les doigts dans le nez. Moi, je déposerai un dossier dans une université du coin dès que j'aurai l'argent.

Et je me débrouillerai pour cacher mes deux années de notes pourries.

Elle fronce ses sourcils.

– Dans le coin, Kacey ? Papa détesterait ça.

Elle a raison. Notre père est allé à Princeton. Son père est allé à Princeton. Pour lui, si je ne vais pas à Princeton, autant prendre des cours intitulés « Introduction à la cuisson des burgers » dans une école dont le blason est composé de deux arches dorées. Mais ma mère et mon père ne sont plus là, et oncle Raymond a grillé tout notre héritage en jouant au black jack.

Je me souviens comme si c'était hier du jour où je l'ai découvert. C'était le jour de mes dix-neuf ans, et j'ai demandé notre argent à tante Darla et oncle Raymond pour que l'on puisse déménager. Je voulais être la responsable légale de Livie. Je me suis doutée que quelque chose n'allait pas lorsque tante Darla a évité mon regard. L'oncle Raymond a bafouillé un moment, jusqu'à ce qu'il finisse par lâcher qu'il ne restait plus rien.

Après avoir cassé la quasi-totalité de la vaisselle dans la maison et avoir mis un coup de pied dans la jugulaire de l'oncle Raymond, le faisant virer au pourpre, j'ai appelé les flics, prête à porter plainte pour vol. Livie m'a arraché le téléphone des mains et a raccroché avant que ça sonne. On ne gagnerait pas. Ce serait probablement moi qui me ferais arrêter. Aussi intelligents que fussent maman et papa, ils n'avaient pas prévu de mourir. Tout l'argent qui restait après avoir payé leurs dettes a été donné à Raymond et Darla pour *prendre soin* de nous. Je suis secrètement heureuse que l'oncle Raymond ait fait tout ce qu'il a fait. Cela m'a donné une raison supplémentaire de prendre ma sœur et de laisser cette partie de notre vie derrière nous.

Je frotte le dos de Livie avec la paume de ma main, essayant de soulager son sentiment de culpabilité.

– Papa serait heureux qu'on soit saines et sauves. Point à la ligne.

* * *

Le lendemain, je suis à la laverie lorsque Storm descend les escaliers, souriant malgré ses traits fatigués. Livie a encore emmené Mia au parc, et je songe sérieusement à lui mettre une claque pour avoir refusé l'argent que Storm lui proposait.

– Ça a dû rendre Tanner furieux, dit-elle en tapotant du pied la tache verte et collante laissée par ma lessive.

Je baisse la tête, jurant de revenir pour nettoyer le sol. Imaginer Tanner furieux ne me plaît pas trop.

Je continue de trier mes affaires jusqu'à ce que je remarque que Storm est plantée près de moi et me regarde. Il est évident qu'elle veut me parler, mais elle ne sait probablement pas par où commencer.

Je finis par parler la première :

— Ça fait combien de temps que t'habites ici ?

Je crois qu'elle ne s'attendait pas à ce que je parle car elle sursaute légèrement et commence à jeter les petits t-shirts et les culottes minuscules de Mia dans la machine.

— Oh, euh, trois ans je crois ? L'immeuble est assez sécurisé, mais je descendrais quand même pas ici la nuit.

Ses paroles me font penser à Trent et à tous les sentiments qu'il a fait jaillir aussi facilement et qui n'étaient pas les bienvenus. Ça fait trois semaines qu'on est là et je ne l'ai pas recroisé. Si je creuse un peu, si je prête attention à ce que j'essaie d'enfouir, je perçois une once de déception. Mais je la fracasse immédiatement avec un marteau et la jette dans le puits avec tous les autres sentiments qui ne sont pas les bienvenus.

— Les autres gens de l'immeuble sont comment ?

Elle hausse les épaules.

— Les gens vont et viennent. Le loyer est tellement bas qu'il y a pas mal d'étudiants. Ils ont tous été très sympas, surtout avec Mia. Mme Potterage, au troisième étage, me la garde après l'école quand je travaille. Oh, et fuis l'appart 2B comme la peste. C'est l'appart de Peter le pervers.

Je penche la tête en arrière en grognant.

— Super ! Un immeuble n'est pas parfait sans son locataire pervers.

— Ah, et y a un nouveau mec à côté de chez vous. 1D.

J'ai du mal à contrôler la chaleur qui remonte le long de mon dos jusqu'à ma nuque.

— Ouais, Trent, dis-je en essayant d'être aussi détendue que possible pendant que je programme la machine.

Même son nom est sexy. Trent. Trent. Trent. *Arrête, Kace.*

— Eh bien, je n'ai pas parlé à Trent, mais je l'ai vu et… waouh.

Elle tortille ses sourcils, l'air coquin.

Génial. Barbie, ma superbe voisine, pense que Trent est sexy. Il lui suffit d'ajuster sa chemise et il sera à ses pieds. Je me rends compte que ma mâchoire est crispée, et je fais un effort pour me détendre. *Elle peut l'avoir, lui et tous les problèmes qui vont avec. Qu'est-ce que t'en as à faire, Kace ?*

Storm claque la porte de la machine et la met en route en soupirant profondément, elle dégage ses longues mèches de son visage.

– Tu vas rester ici un moment ? dit-elle en lorgnant sur le journal et le feutre que j'ai apportés. Ça te gênerait pas de mettre mes affaires à sécher lorsque le cycle est terminé ? Je veux dire, si tu restes là et que ça t'embête pas trop ?

Je la regarde de nouveau ; je vois ses traits tirés et les cernes sous ses beaux yeux bleus, et je vois à quel point elle est épuisée. Une jeune mère célibataire avec une gamine de cinq ans, et elle travaille six jours par semaine jusqu'à 3 h du mat'.

– Bien sûr, pas de problème.

Je crois que c'est ce que ferait tout être humain normal et sympa. Livie serait fière de moi.

– T'es sûre ? Je veux pas t'embêter.

Elle se mord la lèvre et ses épaules sont tendues, elle a l'air particulièrement nerveuse. Solliciter mon aide a dû lui demander une tonne de courage et elle doit vraiment être désespérée pour le faire. Ça me donne envie de me cogner la tête contre le mur. Je n'ai pas fait beaucoup d'efforts pour me rendre disponible, alors que je l'avais promis à Livie. Et Storm est sympa. Vraiment gentille.

– Mais pourquoi, ma p'tite dame ? Je serai flattée de laver vos dessous, dis-je en imitant l'accent de la Louisiane.

J'attrape le journal pour m'éventer.

Son visage s'illumine de surprise et elle rigole. Elle ouvre la bouche pour répondre, mais rien n'en sort. Le fait que j'aie le sens de l'humour la laisse sans voix. *Fait chier. Livie a raison. Je suis vraiment la Reine des neiges.*

Je m'empresse d'ajouter :

– D'ailleurs, je te dois bien ça après avoir dégainé Hannah l'arme fatale, la semaine dernière.

Je souris, et ce n'est pas forcé :

– Je vais regarder les petites annonces pour trouver un boulot de toute façon, alors autant faire ça ici dans ce petit coin de paradis.

Elle fronce les sourcils.

– Ça marche pas chez Starbucks ?

– Ça va, mais le salaire est pourri. Je pourrais m'en accommoder si j'avais envie de manger des raviolis en boîte et de gratter la moisissure de mon pain jusqu'à la fin de mes jours mais...

Elle hoche la tête, pensive.

– Vous devriez venir souper ce soir.

J'ouvre la bouche pour refuser sa charité, mais elle ajoute :

– C'est ma façon de remercier Livie de s'être occupée de Mia aujourd'hui.

Quelque chose dans le ton de sa voix fait que je suis incapable de rétorquer, un mélange de bravoure forcée et d'autorité naturelle.

– Et...

Elle gigote, comme si elle hésitait à dire ce qu'elle pense :

– ... est-ce que tu sais faire des cocktails ?

– Euh..., dis-je en clignant rapidement des yeux, surprise par le changement de sujet. C'est pas un peu tôt pour ça ?

Elle sourit, dévoilant ses dents parfaites.

– Tu sais faire des Martinis et des Long Islands ?

– Mmm, je sais parfaitement bien verser des shots de tequila.

– Eh bien, je peux parler à mon patron pour voir s'il veut bien t'embaucher, si ça t'intéresse. Je suis barmaid dans un club, et ça paie très bien. Genre, vraiment bien, dit-elle en écarquillant les yeux.

– Barmaid ?

– Alors, t'en penses quoi ? dit-elle en souriant jusqu'aux oreilles.

Est-ce que j'y arriverais ?

Je ne réponds pas, essayant de m'imaginer derrière un bar. Mes rêveries s'achèvent au moment où je brise une bouteille et que je mets un coup de pied dans la tête d'un client aux mains baladeuses.

– Faut que je te dise, dit-elle en hésitant. C'est un club pour adultes.

– Adultes comme…

– Un club de strip-tease.

– Ah…

Bien sûr, me dis-je en regardant mes jambes.

– Perso, je suis plutôt du genre à ne pas me déshabiller en public.

– Non, ne t'en fais pas. T'auras pas à te déshabiller. Je te le promets, répond-elle pour me rassurer.

Moi ? Dans un club de strip-tease ?

– Tu crois que ça me conviendrait, Storm ?

– Tu crois que tu pourras supporter d'être entourée de sexe, d'alcool et d'une tonne de fric ?

– Ça me fait penser à mon adolescence, le fric en moins, dis-je en haussant les épaules.

– Tu crois que tu pourrais apprendre à sourire un peu plus ? dit-elle en riant nerveusement.

Je lui offre mon plus beau sourire forcé.

Elle hoche la tête.

– Parfait. Je pense que tu seras très bien derrière le bar. Ton look leur plaira.

J'émets un rire nasal.

– Quel look ? Le look « je débarque du Michigan et je ferais n'importe quoi pour de l'argent pour ne pas avoir à manger du macaroni » ?

Les coins de ses yeux se plissent et elle rit.

– Penses-y et laisse-moi parler à mon patron. C'est *vraiment* bien payé. Tu mangeras plus jamais de macaroni de ta vie. Promis.

Et sur ses mots, elle remonte les escaliers en sautillant.

J'y réfléchis. J'y réfléchis en regardant les vêtements de Storm et de Mia tourbillonner dans la machine. J'y réfléchis lorsque le cycle se termine et que je les mets dans la sécheuse et remplis la machine de nouveau. J'y réfléchis encore quand je trie leurs habits propres et les plie, les empilant soigneusement dans le panier à linge, accordant bien trop d'attention aux tenues hyper-sexy dans la pile de Storm. Comme ce petit haut noir qui ressemble à un soutien-gorge de sport à paillettes qu'un chien enragé aurait déchiqueté. Je le tiens à bout de bras. Est-ce qu'elle porte ce haut lorsque les clients boivent des shots sur son ventre ? Ça expliquerait ses seins énormes. Waouh ! Je suis peut-être en train de devenir amie avec une strip-teaseuse. C'est bizarre. Ce n'est qu'à ce moment-là que je réalise que je suis en train d'inspecter ses sous-vêtements. Et c'est encore plus bizarre.

– Dis-moi à quelle occasion tu portes ce haut pour que je sois dans le coin.

Cette voix grave me surprend encore une fois.

J'inspire profondément et tourne la tête pour voir Trent s'avancer vers moi, un sac de linge sur l'épaule. À la vue de ses fossettes, ma respiration se fait plus saccadée. Ça fait plus de deux semaines que je ne l'ai pas croisé, mais le revoir réveille immédiatement cette flamme qui s'était endormie.

Sérieusement ? Encore la laverie ? Bon sang, détends-toi ! Je suis mieux préparée cette fois-ci. Je ne serai pas aussi bizarre. Je ne me laisserai pas perturber par ce visage magnifique. Certainement pas.

— Eh bien, le Pervers de la Laverie a encore frappé !

Trent sourit et me regarde de haut en bas, s'arrêtant un instant sur le tatouage de ma cuisse avant de revenir sur mon visage. Le temps que ses yeux y parviennent, mon cœur bat la chamade et je crois bien que je vais devoir changer de sous-vêtements. *Fait chier. Et c'est reparti.*

— Second round, dis-je à voix basse sans pouvoir m'en empêcher.

Surpris, il hausse les sourcils et se dirige vers la machine dont la porte est ouverte.

J'essaie de ne pas mater son corps à travers son t-shirt blanc moulant pendant que je le regarde mettre sés draps blancs dans la machine.

— Tu laves souvent tes draps, dis-je froidement, persuadée que c'est un commentaire tout ce qu'il y a de plus innocent.

Les mains de Trent cessent un instant leurs mouvements, il rit, secoue la tête, mais ne dit rien. D'ailleurs, il n'a pas besoin de dire quoi que ce soit. Je viens de réaliser ce que pouvait impliquer mon commentaire et je ronchonne intérieurement, luttant contre l'envie de me frapper le front alors que je me sens rougir de la tête aux pieds. Si je pensais avoir le dessus lorsqu'il est entré, il est évident que je viens de tout faire foirer.

Je suis sûre que ses draps doivent en voir des choses. Il doit avoir une copine. Un mec comme lui a forcément une copine. Ou bien tout un tas de plans cul. Quoi qu'il en soit, j'ai plutôt envie de me faire toute petite et de me cacher dans un trou de souris jusqu'à ce qu'il parte.

— Qu'est-ce que tu veux, il fait chaud à Miami sans la clim, dit-il au bout d'un moment, comme s'il voulait détendre l'atmosphère.

En tout cas, c'est ce que je suis assez bête pour croire, jusqu'à ce qu'il ajoute :

— Même à poil, je me réveille en nage.

Ce qui me fait rougir davantage.

Trent dort à poil. Ma bouche se dessèche, mon regard se fixe inévitablement sur son corps. Encore. Juste derrière le mur de mon salon se trouve ce dieu grec, dans un lit, à poil. Je pensais que c'était physiquement impossible, mais mon cœur bat encore plus fort.

J'ouvre la bouche pour changer de sujet, mais je ne trouve rien de cohérent à dire. Des mots flottent dans ma tête et toute tentative de phrase se transforme en une succession de mots qui n'a aucun sens. Je ne trouve pas la moindre réponse intelligente. Pas une seule. Moi qui parviens à sortir des blagues sur des histoires d'orgies et à anéantir n'importe quel abruti arrogant en l'espace d'une seconde, je ne trouve rien à dire. Il a subtilement réussi à briser mon armure, avec une simple référence à ses draps et à sa nudité.

Et ces incroyables fossettes !

Je regarde les muscles de ses épaules se contracter lorsqu'il verse de la lessive dans la machine. Qui aurait cru que faire sa son lavage pouvait être aussi sexy ? Lorsqu'il se tourne vers moi et me fait un clin d'œil, je sursaute.

— Ça va ? me demande-t-il.

Je hoche la tête et essaie d'émettre un son pour signifier que oui, mais lorsque ça sort, on dirait un chat qu'on étrangle et je suis certaine que mon visage est carrément cramoisi.

Il referme le couvercle de la machine et y insère sa monnaie, puis se tourne vers moi.

— Pour être honnête, je t'ai vue passer devant chez moi avec ton linge et j'ai attrapé la première chose que je pouvais laver.

Attends. Quoi ? Je secoue la tête pour me réveiller. *Je crois qu'il est en train de me dire quelque chose d'important.*

Il sourit en passant sa main dans ses cheveux en bataille. *Moi aussi, je veux faire ça,* me dis-je, en serrant mon poing involontairement. *Je t'en supplie, laisse-moi faire ça.* J'ai envie de lui faire tout un tas de choses. Ici même, dans ce sous-sol pourri. Sur la machine à laver. Par terre. N'importe où. Je lutte contre mon envie de lui sauter dessus comme un animal enragé. Merde.

– Alors, comment s'amusent les gens par ici ? demande-t-il en se penchant légèrement en arrière pour me donner un peu d'espace, comme s'il savait que j'étais sur le point de m'évanouir d'être aussi près de lui.

– Euh…

Il me faut un moment avant de retrouver ma voix. Ainsi que ma présence d'esprit :

– … ils traînent dans les laveries ?

Ma voix est tremblante. *Fait chier. Mais qu'est-ce qui me prend ?*

Il rit et son regard se pose sur mes lèvres. Son simple regard sur ma bouche semble autoriser les mots à en jaillir sans avoir été validés par mon cerveau.

– Je sais pas. Je viens d'emménager. Je ne me suis pas encore amusée.

Oh, mon Dieu, Kacey. Tais-toi ! Maintenant t'as l'air d'une débile et d'une paumée !

Un sourire en coin apparaît sur ses lèvres, il s'appuie contre la machine à laver et croise ses bras musclés sur son torse. Puis il me fixe. Son regard dure une éternité, jusqu'à ce que je sente la transpiration couler le long de ma colonne vertébrale.

– Eh bien, il va falloir remédier à ça, non ?

– Hein ? dis-je d'une voix rauque alors qu'une boule de chaleur se forme dans mon ventre.

Il a réussi à faire fondre la couche de titane qui me protège habituellement. Encore une fois. Il l'a jetée sur une autre planète où je n'ai aucune chance de la retrouver. Je suis nue et vulnérable, et ses yeux me transpercent jusqu'à la moelle.

Il glisse contre la machine sur laquelle il est appuyé et vient jusqu'à moi, sa hanche contre la mienne, son bras s'appuyant sur l'angle de la machine qui est devant moi, envahissant mon espace personnel.

– On va remédier au fait que tu t'amuses pas, murmure-t-il.

Ma respiration cesse soudainement. C'est comme s'il avait pris mon cœur affolé dans sa main. A-t-il la moindre idée de ce qu'il me fait? Est-ce que je suis si transparente que ça?

Son index s'approche de mon visage et caresse d'abord ma tempe, puis ma joue, puis sa main entière me tient par le menton. Son pouce glisse sur ma lèvre inférieure alors que mes yeux plongent dans les siens. Je suis incapable de bouger. Aucun muscle ne répond, comme s'il avait le pouvoir de me paralyser.

– T'es incroyablement belle.

Mes nerfs sont tiraillés dans tous les sens. Alors que la sensation de son doigt sur ma lèvre est absolument géniale, ma voix a envie de s'écrier: *Non! Stop! Danger!*

Je m'entends murmurer «toi aussi» et maudis immédiatement la traîtresse qui se cache en moi.

Ne. Te. Laisse. Pas. Tenter.

Il s'avance peu à peu vers moi, jusqu'à ce que son souffle caresse mes lèvres. Je suis paralysée. Je suis certaine qu'il va m'embrasser.

Je suis certaine que je vais le laisser faire.

Mais c'est à ce moment-là qu'il se redresse, comme s'il se rappelait quelque chose. Il se racle la gorge et me dit, en même temps qu'il me fait un clin d'œil:

– À plus, Kacey.

Il se tourne et disparaît dans les escaliers, ses grandes jambes avalant les marches deux à deux.

– Ou… ouais. Car… carrément, dis-je en bégayant.

Et je m'écroule contre la machine, mes jambes se transforment en guimauve. Je suis sûre que je suis à deux doigts de me liquéfier sur le sol en béton. Je me débats contre l'envie de lui courir après. *Un… Deux… Trois…* Je lutte contre cette sensation de papillonnement qui s'est formée dans mon ventre. Me penchant en avant, je repose ma joue contre la machine, le froid soulage ma peau brûlante.

Ce qui est sûr, c'est qu'il sait ce qu'il fait. D'habitude, je suis très douée pour mettre fin à ce genre de situation. Étant la seule femme dans une salle de sport remplie de mecs, à O'Malleys j'ai dû quotidiennement gérer des mecs en rut à l'ego surdimensionné. *Tiens-moi mon sac… Domine-moi…* Les commentaires étaient sans fin et sans imagination. Et puis, un jour, ils ont dû décider que j'étais lesbienne, parce que je ne m'étais déshabillée pour personne, et le nombre de commentaires stupides a été multiplié par dix.

Je n'ai jamais eu de mal à leur résister, même aux plus beaux d'entre eux. Aucun n'est parvenu à faire tomber ce mur habilement construit pour me préserver. J'ai aimé m'entraîner contre eux. J'ai adoré les mettre à genoux. Mais je ne m'étais jamais intéressée à eux de quelque façon que ce soit, même physiquement.

Mais Trent… Quelque chose chez lui est différent, ça se voit au premier regard. Sa façon de prendre possession d'une pièce, de me regarder, comme s'il avait identifié et démonté sans difficulté chacun de mes mécanismes de défense. Comme s'il voyait à travers moi et y avait décelé le désastre caché derrière.

Comme si c'était ce désastre qu'il voulait.

– Non mais quel séducteur, dis-je à voix basse en courant au lavabo.

Je me passe de l'eau froide sur le visage, ce qui m'apaise temporairement. Quel tombeur! Quel manipulateur! Il est bien plus sophistiqué que les abrutis auxquels je suis habituée. «T'es incroyablement belle», je répète avant de me moquer de moi-même et de mon «toi aussi». Je suis sûre qu'il dit ça à tout le monde. Il n'y a qu'à voir, il va rencontrer Storm et lui dire exactement la même chose. *Mon Dieu.* Mon estomac se noue et mes poings sont tellement crispés que mes phalanges en sont toutes blanches. Que va-t-il se passer lorsqu'il rencontrera Storm? Il va tomber amoureux d'elle, c'est certain. C'est un mec. Quel mec ne tomberait pas amoureux de Barbie Strip-teaseuse? Et moi, je ne serai plus que la folle de l'appartement 1C, et il faudra que je les regarde se faire des câlins sur le canapé et que j'entende leurs parties de jambes en l'air sauvages de l'autre côté du mur; et j'aurai envie d'étrangler Storm. *Fait chier.* Je m'asperge de nouveau le visage. En deux temps trois mouvements, ce type a provoqué des fissures permanentes dans mon armure, et je ne sais pas comment le contrer pour me protéger et le maintenir à distance.

Pour tous les maintenir à distance.

Quatre-vingt-dix-neuf pour cent de mon cerveau sait pertinemment que je ne dois pas l'approcher. Qu'il n'y a aucune raison d'envisager quoi que ce soit. Dès qu'il aura eu un aperçu de tous mes problèmes, il partira en courant, laissant un bordel encore plus grand derrière lui. Cependant, en regardant la machine sur laquelle il s'appuyait il y a encore quelques minutes, dans laquelle tourbillonnent ses draps, j'envisage sérieusement de les lui voler et de laisser un mot du genre «Viens les chercher» dans la machine vide. *Non.* Je passe violemment mes mains dans ma chevelure épaisse, agrippant l'arrière de ma tête comme pour l'empêcher d'exploser. Je ne peux pas l'approcher. Il va foutre en l'air tout ce que je me suis battue pour construire.

Soudain, j'éprouve le besoin de sortir de cette laverie aussi vite que possible.

* * *

Mia et Livie sont assises en tailleur au milieu du salon, un jeu de « Qui est-ce ? » entre elles. Storm, fraîchement douchée, met une poignée de spaghettis dans une casserole d'eau bouillante.

– J'espère que ça te gêne pas qu'il y ait du veau dans la sauce ? dit-elle au moment où j'entre dans l'appartement sans frapper.

J'ai supposé qu'on avait dépassé ce stade. Après tout, je viens quand même de toucher ses strings.

– Pas du tout, c'est parfait. Tes vêtements sont tous là.

Elle jette un œil vers moi par-dessus son épaule et grimace, surprise.

– Est-ce que t'as plié mes sous-vêtements ?

– Euh… Non…

Se tournant davantage pour regarder mon visage encore trempé, elle fronce les sourcils.

– Qu'est-ce qui t'est arrivé ?

Comment expliquer qu'il m'a fallu prendre une petite douche froide à la laverie parce que notre voisin beau gosse et beau parleur m'a coincée contre la machine à laver ? Mieux vaut ne rien dire.

– Écoute, j'ai eu l'impression d'être dans *Maximum Overdrive* de Stephen King. La machine à laver était vivante et m'a attaquée. Le lavage et moi, c'est officiellement fini.

– J'ai jamais lu ce bouquin, dit Storm alors que Mia pousse un petit cri de frayeur.

– Ça m'étonne pas, dis-je en allant vers la cuisine, croisant le regard noir de Livie parce que j'ai fait peur à Mia. Notre père nous a forcées à regarder tous les films de son époque afin qu'ils ne tombent pas dans l'oubli. La plupart du temps, les gens de mon âge n'ont pas la moindre idée de ce dont je parle.

Storm me fait face en souriant à pleines dents, exhibant un tablier avec l'inscription « Comment vous trouvez ma sauce ? ».

– Au fait, j'ai parlé à mon patron. Tu commences quand tu veux.

– Storm ! je m'écrie en écarquillant les yeux.

Ses longues boucles blondes virevoltent lorsqu'elle penche la tête en arrière pour rire. Visiblement, le fait que je sois surprise l'amuse beaucoup. Il est évident qu'elle est ravie de m'annoncer la nouvelle. J'ai l'impression qu'elle veut véritablement nous aider et qu'il n'y a aucune autre raison à cela que le fait qu'elle soit tout simplement gentille.

– J'ai pas décidé encore.

Menteuse. Bien sûr que si, t'as décidé. Un bon salaire est un bon salaire, et du moment que je n'ai pas à me déshabiller, je peux supporter de travailler avec un troupeau de Barbie.

– C'est quoi ce boulot ? demande Livie, sa curiosité éveillée.

– Un boulot avec moi, là où je bosse, explique Storm.

– Ma maman est payée pour servir des gens dans un restaurant, comme ça ! s'écrie Mia en se levant et en courant pour attraper un verre vide sur le comptoir. Voulez-vous un verre de limonade, madame ? dit-elle en l'apportant à Livie, en prenant toutes les précautions nécessaires.

– Merci beaucoup, ma bonne dame, dit Livie en buvant le contenu fictif du verre comme si elle venait de traverser le Sahara, et en faisant un clin d'œil à Mia.

Toutefois, lorsqu'elle se tourne vers moi, c'est les sourcils froncés :

– Je suppose que tu serviras pas que de la limonade?

Je hoche la tête, m'affairant à replacer les couverts sur la table avant de pouvoir affronter de nouveau son regard inquiet. Elle se mord la lèvre inférieure, faisant de son mieux pour l'empêcher de trembler, et je sais ce qu'elle pense. Elle a peur que je replonge dans une période sombre pleine de tequila et de coups d'un soir. Bien que je lui aie promis des centaines de fois que tout ça était bien fini, elle est encore terrorisée à l'idée que je retombe dedans. Et je ne peux pas lui en vouloir.

C'est pour ça que la phrase qu'elle prononce ensuite me laisse bouche bée.

– Tu devrais accepter, Kacey.

Je penche la tête sur le côté pour la regarder. Elle hausse les épaules:

– Si tu les sers, tu peux aussi leur dire non, pas vrai?

– Ouais, dis-je en hochant lentement la tête, tout en analysant le raisonnement de Livie.

Elle voit toujours le verre à moitié plein. Je jette un coup d'œil dans la direction de Storm et la trouve intensément concentrée sur sa sauce tomate. Je sais qu'elle a dû entendre ce que l'on disait. Elle doit se demander ce que cachent ses deux voisines. Mais, comme toujours, elle a la bonté de ne pas poser de questions.

– Et de ce que j'ai pu comprendre, les pourboires sont plutôt pas mal, ajoute Livie. Je pourrais peut-être obtenir une fausse carte d'identité et bosser là moi aussi!

– Non!

Storm et moi nous avons réagi à l'unisson en échangeant un regard plein de sens. Un regard qui nous suffit à nous, mais pas à Livie qui est trop pure pour ce monde.

– Maman, est-ce que tu travailles ce soir? dit Mia de sa petite voix, remettant les questions de Livie à plus tard.

– Oui, mon chaton.

Cela ne doit pas être facile de la laisser six nuits d'affilée.

– Est-ce que je peux rester avec Livie? S'il te plaît, maman? demande-t-elle en joignant ses deux mains devant elle comme si elle priait.

– Je ne sais pas, Mia. Je crois que tu as déjà assez monopolisé Livie aujourd'hui, tu crois pas?

– Mais, noooooooon… Maman! s'écrie Mia d'une voix traînante, piétinant le sol en faisant le tour de la pièce, rappelant à tout le monde qu'elle n'a *que* cinq ans.

Elle cesse sa marche en soupirant bruyamment, s'enveloppant dans ses bras et faisant la moue.

– J'aime pas Mme Potterage!

– Elle est gentille, Mia, dit Storm en soupirant à son tour, comme si elle avait déjà prononcé cette phrase des dizaines de fois.

Elle se penche vers moi et chuchote:

– Je la comprends, la pauvre petite. Potterage fume comme un pompier. Mais je peux compter sur elle au moins quatre nuits par semaine.

– Ça me gêne vraiment pas, dit Livie en frottant le dos de Mia.

– Tu vois, maman? Elle a dit oui!

Storm grimace.

– T'es sûre?

– Bien sûr. D'ailleurs, ça ne me gêne pas non plus de la garder toutes les nuits si tu veux, dit Livie d'un ton très sérieux.

– Oh, Livie, je travaille six soirs par semaine. C'est trop pour une ado de quinze ans. Tu devrais aller faire la fête ou je ne sais quoi d'autre que font les ados de quinze ans de nos jours.

Livie secoue déjà la tête.

– Non, j'en ai aucune envie, et ça ne me gêne absolument pas, dit-elle en pinçant la joue de Mia. J'adorerais la garder.

Storm marque une longue pause, puis dit :

– Alors, faut que t'acceptes de l'argent. Tu peux plus refuser.

Livie lève les bras en signe de capitulation.

– Ouais, OK. Comme tu veux. Elle dormira la plupart du temps de toute façon, et Kacey sera au boulot avec toi, non ? Au moins, je ne serai pas toute seule.

Les trois se tournent vers moi, les yeux remplis d'espoir.

Je soupire lentement et bruyamment.

– Je ne fais que servir des verres, on est d'accord ?… Je ne sers rien d'autre.

Les yeux de Storm pétillent.

– Pas si t'en as pas envie.

– Et j'ai pas besoin de porter des habits transparents ni quoi que ce soit ?

– Eh ben…

– Et voilà, c'est parti, dis-je en penchant la tête en arrière.

– J'allais simplement dire que tu te feras plus d'argent en portant un décolleté qu'en étant habillée comme une nonne. Beaucoup plus d'argent. Si j'étais toi, je montrerais un petit carré de peau.

– Et je peux démissionner si ça me plaît pas ? Tu m'en voudras pas ?

– Exactement, Kacey. Je ne t'en voudrai absolument pas, m'assure Storm.

Je marque une pause assez longue et Storm se met à se tortiller sur place.

– Alors, d'accord.

– Génial !

Storm jette ses bras autour de mes épaules, ignorant le fait que ce contact me retourne le ventre et me donne envie de hurler. Mais elle me lâche tout aussi vite et retourne à sa casserole, me laissant reprendre mon souffle.

– Tu commences ce soir, au fait.

– Ce soir, génial.

Je ne parviens pas à retenir le sarcasme dans ma voix alors que mon estomac est envahi par une horde de papillons, me coupant l'appétit. Je croise mes bras très fort, réalisant qu'une boîte de nuit remplie de gens implique de serrer beaucoup de mains et de répondre à beaucoup de questions qui ne regardent absolument personne. Je ne suis pas préparée à ça. Je ne suis pas prête... *Un... Deux... Trois... Quatre...* Le temps que j'arrive à dix, je suis complètement morte de trouille.

LA RÉSISTANCE

CHAPITRE 4

On arrive dans le parking de *Penny's Palace* dans la Jeep de Storm alors que le soleil se couche à l'horizon. Storm n'a même pas coupé le moteur que je suis déjà dehors. Lorsqu'elle fait le tour de la voiture pour me rejoindre, c'est avec un regard auquel je suis habituée depuis longtemps : un mélange de surprise et d'inquiétude. Cependant, elle ne fait aucun commentaire.

La seule remarque vient au moment où je tire sur la minijupe noire qu'elle m'a prêtée.

— Arrête de gigoter, dit-elle en me tapant la main. J'aurais jamais pensé que t'étais du genre à être aussi nerveuse.

— C'est facile pour toi de dire ça, c'est pas ton cul qui est à l'air. Je n'arrive pas à croire que j'ai accepté de porter ce minuscule bout de tissu. Tout le bar va voir mes foufounes chaque fois que je me penche.

— Arrête, t'as bien fait de mettre cette jupe. Tes jambes magnifiques méritent d'être montrées, dit-elle en riant.

— C'est pas juste mes jambes qu'elle montre, dis-je en marmonnant, tirant de nouveau dessus pour couvrir mon tatouage. Ce n'est pas que j'en aie honte, mais je ne veux pas attirer encore plus l'attention.

— Mon Dieu ! T'as beau faire la dure à cuire, en fait t'es vraiment une chochotte !

Elle a raison. Je crois que je ne suis pas dans mon élément et ça me fait douter de tout. Si nous étions à la salle de sport, je n'aurais aucun problème à être en minishort moulant. Mais nous ne sommes pas à la salle de sport, et ici, je n'ai le droit de casser la gueule de personne.

Je penche la tête sur le côté pour inspecter Storm.

– Tu viens de me traiter de chochotte?

Storm ne me rate pas.

– Tu viens de dire «foufounes»? C'est un club pour adultes ici, pas une garderie.

– Je tâcherai de m'en souvenir, dis-je en riant alors que l'on approche de la lourde porte en métal.

– T'es canon, Kacey. Vraiment.

J'essaie de ne pas frissonner lorsqu'elle me tapote l'épaule.

Au fond, je dois admettre que c'est vrai. La minijupe n'est pas la seule chose que j'ai empruntée à Storm. Je porte aussi son haut gris foncé ainsi que plusieurs de ses bijoux. Elle m'a également donné un coup de main pour me coiffer et me maquiller. J'ai l'air plus correcte. Je ne dirais pas que je suis une bombe à côté de Storm, dans sa robe turquoise, sa peau bronzée et son corps de Barbie, mais je m'en sors plutôt bien. Suffisamment pour que je me sois surprise à ralentir le pas lorsqu'on est passées devant l'appart 1D, espérant apercevoir le visage de Trent par la fenêtre. Mais en réalisant ce que je faisais, je me suis mise à courir jusqu'à la Jeep, une petite voix dans ma tête se moquant de moi.

Storm frappe quatre fois contre la porte. Elle s'ouvre et mon estomac fait un saut périlleux. Peu de gens parviennent à m'intimider. Toutefois, devant le géant aux muscles saillants qui me fait face... je n'ai pas honte d'admettre que je suis bluffée. À le voir, je ne serais pas surprise d'apprendre qu'il n'a jamais esquissé un sourire de toute sa vie. Il n'a probablement jamais été un bébé mignon.

– Je te présente Nate. C'est le chef des videurs et aussi le bras droit de Cain. Salut Nate! Je te présente mon amie Kacey.

Storm n'attend pas qu'il réponde. On se faufile pour entrer et elle en profite pour lui mettre un léger coup de poing dans le ventre.

– Salut, dit-il.

Ce tout petit mot résonne comme un coup de tonnerre, et je hoche la tête, momentanément muette.

Il fait un pas en arrière pour me laisser passer.

– Entre, je t'en prie.

Feignant un courage que je suis loin de ressentir, je redresse la tête et entre dans le club. Je suis Storm dans un couloir le long duquel s'empilent des caisses de bouteilles et des fûts de bière. L'odeur de bière et d'alcool fait jaillir de sombres souvenirs. Des souvenirs de boîtes de nuit et de verres de tequila bus sur les abdos de mecs inconnus, ainsi que de lignes de poudre blanche sur les tables dans les coins sombres. J'enfouis vite ces souvenirs là où ils méritent d'être, c'est-à-dire dans le passé.

– Ici, c'est les vestiaires des danseuses…, dit Storm en pointant du doigt deux portes fermées. Je n'y mettrais pas les pieds si j'étais toi, à moins que t'aies envie de voir plein de «foufounes», ajoute-t-elle avec un rire moqueur.

On passe devant un grand blond aux épaules larges, qui porte un t-shirt et un pantalon noirs, moulants tous les deux. C'est probablement un autre videur, étant donné sa tenue, mais il n'est pas aussi inquiétant que Nate. Il est plutôt mignon, si tant est qu'on aime le genre «je viens du Wisconsin et je suis quart-arrière». Il me fait penser à Billy…

– Kacey, je te présente Ben, dit Storm.

– Salut Kacey, répond-il en souriant, puis il penche la tête sur le côté comme s'il me reconnaissait. Hé, mais t'étais pas à Breaking Point l'autre jour?

Je le regarde de nouveau. Je ne me souviens pas de lui. Cela dit, je ne fais pas attention aux mecs là-bas.

— Peut-être, je viens de m'inscrire.

Il hoche lentement la tête.

— Si, je suis sûr que c'était toi, dit-il en me matant de la tête aux pieds, sans gêne. T'étais impressionnante. Tu fais de la compète ?

Je balaie le compliment.

— Non, c'est juste pour le fun.

En vérité, j'adorerais faire des compétitions, mais c'est trop dangereux pour moi à cause de mes blessures. Un seul coup au mauvais endroit pourrait faire de gros dégâts et venir gâcher tout le travail qu'ont fait les chirurgiens pour me recoller. Mais je ne dis rien de tout ça à Ben.

— C'est ton premier soir chez Penny's ? demande-t-il en appuyant un coude contre l'encadrement de la porte.

— Ouais.

Un regard lubrique m'inspecte de nouveau de la tête aux pieds.

— Mais je travaille *seulement* derrière le bar, j'ajoute en croisant les bras.

Son regard revient sur mon visage et il sourit.

— Ouais, c'est ce qu'elles disent toutes.

— Et je te le répéterai chaque fois que tu me poseras la question, dis-je froidement.

Quelle arrogance ! Il mérite un bon coup de poing dans la tronche pour lui enlever son sourire en coin. Peut-être que je lui demanderai de s'entraîner avec moi la prochaine fois à la salle de sport.

Storm me pousse légèrement pour passer devant le mec, chantonnant « À plus tard, Ben » par-dessus son épaule. Elle frappe à une porte sur laquelle est accroché un petit panneau avec l'inscription *Bossman*. Punaisés à la porte se trouvent également une caricature d'une femme à poil allongée avec les jambes écartées ainsi qu'un string en dentelle noire. *Subtil.*

– Et voici le bureau de Cain. T'en fais pas. Tu t'intégreras bien ici, murmure-t-elle en me poussant à avancer.

Je fronce les sourcils tandis qu'elle passe devant moi. Elle croit me *connaître*. Elle croit que je vais bien m'intégrer dans un endroit rempli de silicone, d'alcool, de piercings au nombril et je ne sais où encore. Je commence à douter de son intelligence.

– Entrez! dit une voix sévère, et les muscles de mon dos se tendent instantanément.

La porte s'ouvre sur un bureau dont les quatre murs sont entièrement recouverts d'étagères remplies de cartons d'alcool. Des litres et des litres d'alcool. Sur le mur du fond se trouve un mécanisme tout droit sorti d'un laboratoire de chimie: des bouteilles d'alcool à l'envers y sont alignées, des tuyaux emmêlés sortent des goulots et disparaissent dans le sol. Je détecte une vague odeur de fumée de cigare, de cèdre et de whisky.

– Ça, c'est le moulin du bar, me chuchote Storm à l'oreille. Tout l'alcool de base se trouve là. Ça permet de contrôler la quantité d'alcool qui sort. T'appuies sur un bouton derrière le bar et ça te donne 30 millilitres. Si t'appuies deux fois, ça t'en donne 60. Pas très compliqué.

– Ça veut dire que je peux pas rejouer mes scènes préférées de *Cocktail*? je murmure alors que je m'imagine en train de faire tournoyer des bouteilles comme une pro.

Storm rigole.

– Tu peux, mais ce sera avec les bouteilles sur l'étagère, et celles-là, elles coûtent cher, surtout quand tu les casses.

Un homme avec des cheveux noirs gominés et une chemise bleu marine est assis dos à nous, derrière un énorme bureau en acajou massif. Cain, je présume. Il est au téléphone avec ce qui semble être le livreur de bière. Vu sa façon d'aboyer ses « oui » et ses « non », je dirais qu'il n'est pas content. Il raccroche violemment et se tourne vers nous. Je me prépare à une conversation désagréable.

Cependant, quand ses yeux couleur café se posent sur Storm, son regard s'illumine chaleureusement. Il est plutôt jeune, la trentaine, avec des traits fins et un bon style. Je suppose que la plupart des femmes le trouvent beau. Pour moi, cet homme est le patron d'une boîte de strip-tease, ce qui lui attribue automatiquement la mention « pervers », selon mes critères.

— Salut, mon ange, dit-il d'une voix traînante en regardant Storm de la tête au pied.

J'en ai la chair de poule. Je ne vais pas aimer ce mec. Pas du tout.

Storm ne remarque pas son regard lubrique. Ou peut-être qu'elle aime ça ? Franchement, je n'en ai aucune idée. Je ne la connais pas suffisamment.

— Salut Cain, c'est mon amie Kacey. Pour bosser au bar, tu te souviens ?

Mon ventre se contracte quand ses yeux se posent sur moi pour m'inspecter. Mais ça ne dure qu'une demi-seconde, car il bondit de sa chaise, fait le tour du bureau et me tend la main d'un air professionnel.

— Salut, Kacey. Je suis Cain, le patron du Penny's. Ravi de te rencontrer.

Et voici le moment où ma petite phobie me rend la vie impossible. Je ne peux pas éviter de serrer la main de mon patron. À moins de partir d'ici en courant, mais si je fais ça, je n'aurai plus de boulot. Certes, je ne suis pas certaine de vouloir ce boulot, mais c'est un boulot quand même. Ma seule option est de serrer les dents et de prier pour ne pas m'évanouir lorsqu'il me prendra la main. En général, je suis prise d'une crise d'angoisse et je retourne immédiatement dans ce trou sans fond dont j'essaie désespérément de sortir.

Je le regarde, je regarde sa main et je regarde Storm. Mais, surtout, j'entends la voix de Livie. *Essaie.*

Je tends la main...

Des taches apparaissent devant mes yeux alors que ses os et ses muscles enveloppent ma main et la serrent. Mon autre main cherche à tâtons quelque chose sur quoi s'appuyer et finit par entrer en contact avec le coude de Storm. Je m'y agrippe. Je vais m'évanouir. Je vais m'écrouler sur le sol et me mettre à convulser comme une abrutie. Nate le géant va devoir me traîner dehors pendant que Cain criera « Merci mais, sans façon... espèce de folle ! », et je me retrouverai au Starbucks de nouveau, et Livie et moi devrons nous nourrir de pâtée pour chat, et...

— Storm m'a beaucoup parlé de toi.

Je sursaute légèrement en réalisant que Cain a lâché ma main. Mes poumons se dégonflent enfin.

— Ah oui ? dis-je d'une voix tremblante, jetant un œil à Storm.

Cain sourit chaleureusement.

— Oui. Elle m'a dit que tu l'avais beaucoup aidée. Que tu es intelligente et que tu as besoin d'un boulot. Que tu es magnifique. Sur ce point, je ne peux qu'être d'accord.

Je m'étouffe alors que ma langue disparaît au fond de ma gorge.

— T'as déjà travaillé dans un club pour adultes ?

— Euh... non... monsieur, je réponds en priant pour que Storm ne lui ait pas dit l'inverse.

Je ne sais pas pourquoi, mais j'ai soudainement *envie* d'impressionner Cain. Il dégage un air d'autorité, comme s'il était beaucoup plus vieux et plus sage qu'il n'en a l'air. Comme s'il était un homme sensible et non le patron sans scrupules d'un club de strip-tease.

Ma réponse n'a pas l'air de le déranger.

— Une de mes barmaids est enceinte. Elle et moi sommes d'accord pour dire qu'un club comme celui-ci n'est pas le meilleur endroit pour elle, alors… tu peux travailler combien de soirs par semaine?

Je regarde Storm.

— Tous?

Cain marque un temps puis rit d'un rire naturel et chaleureux, révélant un tatouage derrière son oreille gauche. «Penny». Ce doit être quelqu'un de spécial s'il a appelé son club comme elle et qu'il s'est fait tatouer son nom.

— N'envoie pas valser ta vie, mon cœur. Cinq ou six soirs par semaine suffiront.

Ses yeux inspectent désormais mes bras, survolant la cicatrice qui serpente le long de mon épaule, et je m'en veux de ne pas avoir mis un t-shirt à manches longues. Ils sont probablement contre les femmes défigurées dans les clubs de strip-tease.

— T'as un corps de boxeuse, dit-il, me prenant par surprise.

— Oui, mais pas de combats, juste des entraînements.

Il hoche lentement la tête. Je crois que ça l'impressionne.

— C'est bien. Une femme qui sait prendre soin d'elle-même.

Il se rassied derrière son bureau et lève la tête.

— Tu vas former Kacey, d'accord Storm?

Storm sourit jusqu'aux oreilles.

— Oui, Cain.

Je l'observe attentivement et comprends enfin ce qui se cache dans son regard. De l'adoration, pas de la bestialité lubrique. Comme s'il la vénérait. Je me demande s'ils ont couché ensemble. Je me demande s'il couche avec toutes ses employées. Je suis sûre qu'il le pourrait s'il en avait envie. Est-ce qu'il va essayer de coucher avec moi? Mais je n'ai plus le temps de penser à tout ça car Storm me guide vers la porte alors que je rêvasse encore.

– Allez viens. On ouvre bientôt. Il faut que tu prennes tes marques.

* * *

La nuit se déroule dans une sorte de brouillard. Storm et moi servons derrière le bar. Storm s'occupe des cocktails plus complexes, moi je sers les bières et les shots pendant qu'elle m'apprend les bases. La boîte ne ressemble pas du tout à ce à quoi je m'attendais. C'est gigantesque : il y a trois étages au centre avec un plafond bas sur les côtés et des alcôves pour les bars, des tables aux surfaces noires brillantes et un couloir menant aux pièces VIP. Apparemment, Cain est très strict sur ce qui s'y passe. Il ne permet aux filles rien d'illégal.

– Moi j'y vais jamais, me dit Storm, me lançant un regard très sérieux qui signifie « N'y va jamais non plus, Kacey ».

Les filles dansent sur une scène surélevée, au centre. Il y a trois danseuses en permanence ; chacune a sa petite scène reliée à la scène centrale afin de se rapprocher de la foule des hommes libidineux. Une lumière bleue illumine le lieu, créant une ambiance mystérieuse. Le reste de la boîte est sombre et l'air est lourd d'alcool, de testostérone et de désir. La musique fait vibrer mon corps et le rythme guide chaque mouvement des danseuses sur scène.

Storm et moi plaisantons et bavardons tout en servant les clients, et je ne peux m'empêcher de me détendre à ses côtés. Il y a du monde, mais les gens ne se marchent pas dessus pour commander comme j'ai pu le voir dans certaines boîtes de nuit. Elle me présente à trois filles que, selon elle, je vais apprécier. Ginger, Layla et Pénélope. Elles sont toutes ca-non, marrantes et aimables. D'ailleurs, tout le monde ici est

canon, marrant et aimable, et je me demande pour la centième fois pourquoi Storm pense que je vais bien m'intégrer
ici. Mais je ne dis rien, je hoche simplement la tête et je
m'assure que mes deux mains sont occupées à tout moment
afin d'éviter tout contact. Personne ne semble remarquer
quoi que ce soit.

Les clients habitués ne se retiennent pas de commenter
« la nouvelle », mais je les ignore. Je baisse la tête et je travaille dur pour que Cain n'ait aucune raison de revoir la
description de mon poste en y incluant les danses contact
et le service client VIP. Je prends les commandes, je les prépare et je récupère l'argent sans toucher la main de personne. Dans cet ordre. Cependant, je sens les regards sur
moi, malgré la douzaine de filles qui sont payées pour être
regardées. Connards.

Le bar est ma forteresse. Je suis en sécurité derrière cette
moitié de mur.

* * *

– Alors, t'en penses quoi pour le moment ? me demande
Storm lorsqu'il y a un petit creux plus tard dans la nuit. Tu
crois que tu vas pouvoir supporter d'être barmaid dans un
club de strip-tease six soirs par semaine ?

Je hausse les épaules.

– Ouais, aucun problème. Il y a juste beaucoup de seins et
de fesses, et j'évite de regarder la scène pour ne pas voir…

Mon regard se tourne vers la scène où une fille asiatique ne
portant rien d'autre qu'un fil à paillettes argenté s'apprête à
passer ses jambes autour de son cou.

– … ça ! dis-je en hochant la tête dans sa direction.
Comment elle arrive à faire ça ?

– Ça, c'est Cherry. Elle fait beaucoup de yoga.

— Mais non, je veux pas dire comment, je veux dire *comment?* dis-je en levant les yeux au ciel.

— Tu serais surprise de ce qu'on est capable de faire lorsqu'on a établi son prix, répond simplement Storm en servant une autre tournée de whisky.

— Ouais, je suppose.

Je me demande si Storm a également défini son prix.

— Bon. Donc, maintenant que tu t'es familiarisée avec le bar, Kacey, tu peux commencer à sourire quand tu veux. T'as conscience que si tu souris aux clients, t'as plus de chances d'avoir de gros pourboires, non?

— Pourquoi le fait que *moi* je leur fasse un sourire leur donnerait envie de me filer plus d'argent alors qu'ils peuvent le filer à la personne qui se frotte à leur jambe? Ils sont débiles ou quoi?

— Kacey, fais-moi confiance.

Elle part s'occuper d'un client, mais elle continue par-dessus son épaule :

— T'es leur nouveau joujou tout frais aux cheveux flamboyants et tu les obliges à faire travailler leur imagination.

— Super. C'est tout ce dont j'avais envie. Être le fantasme de ces mecs.

Pour prouver à Storm qu'elle a tort, j'offre aux trois clients suivants mon plus beau et plus grand sourire. Je fais même un clin d'œil à l'un d'entre eux. Et, à ma grande surprise, mes pourboires sont multipliés par deux. *Hmmm. Peut-être Storm a-t-elle capté quelque chose?* Si seulement le fait de sourire ne m'était pas aussi difficile !

Un cow-boy grisonnant, au chapeau démesurément grand, se penche en avant sur le bar, tordant sa bouche comme s'il mâchait un brin d'herbe invisible.

— Qu'est-ce que t'es jolie toi, dis donc, toute musclée et naturelle, dit-il en regardant un peu trop longtemps mon décolleté.

Je ne sais absolument pas pourquoi. Comparée à n'importe qu'elle autre femme du club, j'ai l'air d'un garçon de dix ans. Lorsqu'il sourit, je vois que ses dents sont tachées et jaunies par des années de tabagisme.

Je ravale mon dégoût et me force à sourire.

– Qu'est-ce que je vous sers, monsieur?

– Je prendrai un Tom Collins et une petite danse privée.

– Un Tom Collins, tout de suite. Pour la danse privée, pas ce soir, désolée.

Je me force à sourire alors que mon niveau d'agacement ne cesse de croître, et je fais aussi vite que possible afin de me débarrasser de ce mec. Quand je glisse le verre sur le comptoir et que je tends la main pour prendre son billet de vingt, sa main attrape mon avant-bras, me serrant de ses doigts rêches et dégoûtants. Il se penche vers moi et je sens le tabac froid et l'alcool dans son haleine.

– Et si tu prenais ta pause maintenant pour me montrer ton joli p'tit cul, hein?

Je me force à répondre alors que ma mâchoire s'est serrée et que mon corps est passé en mode défensif:

– Monsieur, je ne fais que servir des verres ici. Il y a plein de filles qui seraient ravies de vous donner ce que vous voulez.

Et je n'exagère pas. Partout où je regarde, je vois des fesses et des tétons, et parfois pire. J'ai fait beaucoup de sport au collège, donc j'ai vu mon lot de filles à poil dans les douches après les matchs. J'avais surnommé Jenny «l'Exhibo de Grand Rapids» parce qu'elle n'avait aucun mal à se déshabiller devant moi. Mais cet endroit est différent. Elles déambulent, exhibant leur marchandise. Elles *vendent* leur corps.

– J'ai le fric! Donne-moi ton tarif.

– T'as pas assez, crois-moi, dis-je d'un ton sec.

Mais je ne sais pas s'il m'écoute, son autre main a disparu sous le bar, comme s'il ajustait son érection grandissante. J'ai envie de vomir. J'imagine qu'il sera violent lorsqu'il trouvera enfin une femme qui voudra bien de lui. Une femme qui ne pourra être qu'aveugle, selon moi.

– Je lâcherais si j'étais vous… monsieur.

J'aperçois du coin de l'œil les silhouettes gigantesques de Nate et de Ben s'approcher du bar. Et ça me gêne, sans que je sache vraiment pourquoi. Je n'ai pas besoin d'eux pour me protéger.

Je n'ai besoin de personne.

Et j'ai envie de faire mal à ce type.

Je fais un petit saut pour poser mon torse sur le bar et m'approcher de lui, et je le saisis par la nuque. Je lui plaque violemment la tête sur le comptoir alors qu'il pousse un petit gémissement. Je lui tiens la tête ainsi, mes doigts exerçant une pression sur sa colonne vertébrale. Mon cœur bat la chamade et mes oreilles bourdonnent. Je me sens bien. Je me sens vivante.

– Mon p'tit cul te plaît toujours autant, là?

La main de Nate s'écrase sur son épaule. Malgré la musique, j'entends un léger brouhaha parmi la foule alors qu'il empoigne le cow-boy. Sa lèvre saigne un peu.

– C'est l'heure de partir, monsieur.

Le type a aussi une grosse trace rouge sur le front. Il aura un joli petit bleu demain matin. Cependant il ne résiste pas. Je crois que même Hulk ne résisterait pas à Nate.

Ben reste un peu pour me demander:

– Ça va?

– Ça va très bien, lui dis-je au moment où Storm vient à mes côtés, l'air inquiète.

Je suis Nate du regard et croise celui de Cain, assis à une table sur le côté. Et soudain, je me sens coupable. Il a dû voir toute la scène. Et je réalise qu'il ne veut probablement pas que la tête de ses clients soit plaquée sur le bar comme je viens de le faire. Je viens peut-être de me faire virer.

Cain lève sa main, le pouce levé, et je respire profondément, soulagée.

— Je t'avais dit de sourire, pas de provoquer une bagarre, dit Storm en riant, me mettant un petit coup de coude dans les côtes.

— Il voulait un show privé, dis-je tandis que l'adrénaline circule encore dans mes veines. Je lui ai donné un show public à la place.

Ben se penche en avant, les coudes appuyés sur le bar, un sourire impressionné sur les lèvres.

— Au moins, tu sais te débrouiller toute seule.

— J'ai été élevée parmi les loups. J'ai dû me battre pour survivre.

Un rire chaleureux lui échappe.

— Désolé si j'ai été con tout à l'heure. C'est que je suis habitué à voir des jolies filles arriver ici tout innocentes et repartir abattues et blasées. Je ne supporte plus.

— Eh bien, c'est ton jour de chance, parce que moi je suis déjà blasée. Et peut-être que tu ne devrais pas travailler dans un club de strip-tease…

— Ouais, c'est ce que tout le monde me dit. Mais c'est bien payé, ça me permet de financer moi-même mes études de droit alors… Ah, tu t'attendais pas à ça hein ? ajoute-t-il en me voyant écarquiller les yeux.

— T'as pas l'air du genre fac de droit.

Ben se tourne et appuie ses coudes sur le bar pour observer la salle tout en me parlant.

— On me dit que tu viens d'arriver à Miami ?

— Ouaip, je réponds en essuyant le bar et en empilant des verres propres.

— Dis donc, t'es super bavarde, toi.

— Désolée mais comme moi je ne suis pas à poil, je dois travailler un peu plus dur pour gagner de l'argent, j'ai pas le temps de parler.

Il recule pour me regarder.

– Soit. Écoute, la prochaine fois que tu vas à la salle de sport et que j'y suis, viens me chercher. On pourra faire quelques rounds.

Et il s'en va tranquillement, sans attendre ma réponse.

Oh! T'en fais pas, on fera quelques rounds, mais probablement pas le genre auquel pense ton esprit tordu. Je le regarde partir et je suis sur le point de crier « Ça marche, Monsieur l'Avocat! », mais les mots ne sortent pas.

Car Trent est assis à une des tables du club.

Et il ne regarde pas la scène où une des danseuses est sur le point d'enlever le bas de son maillot à paillettes. Il me regarde, moi.

Effacez ça. Il me dévisage.

Trent est là, et il ne me quitte pas des yeux.

– C'est quoi ce bordel…, dis-je en me parlant à moi-même, la tête baissée sur le verre que je suis en train d'essuyer.

Je ne peux pas me soucier de sa présence et de ce qu'il me fait. Pas ici. Pas ce soir. Merde!

Je sens une forme s'approcher du bar et je lève précautionneusement les yeux. C'est Nate, Dieu merci. Il est de retour après avoir mis le cow-boy à la porte.

– Ce mec t'emmerde, Kacey?

Je déglutis douloureusement.

– Non, t'inquiète.

En fait si, mais pas pour les raisons que tu t'imagines.

– T'es sûre?

Il fait faire un demi-tour à son corps immense et regarde la table. Trent y est toujours, bien calé sur sa chaise, sirotant son verre à la paille. Mais son attention est désormais portée sur Cherry.

– Ça fait trente minutes qu'il est là. Et qu'il te regarde.

– C'est vrai? dis-je d'un ton surexcité, que je corrige avant de poursuivre. C'est mon voisin, y a pas de souci.

Le regard sombre de Nate inspecte la pièce, probablement à la recherche d'autres mecs aux mains baladeuses qu'il pourrait mettre à la porte.

— Promets-moi de me le dire s'il pose problème, d'accord, Kacey ?

Comme je ne réponds pas, il me regarde de nouveau et répète d'une voix plus douce :

— D'accord ?

Je hoche la tête.

— Ouaip, ça marche, Nate.

Il me salue brièvement d'un mouvement de tête et retourne à son poste de sentinelle. Une sentinelle capable de vous broyer la main s'il la serrait un peu trop fort.

— C'était quoi tout ça ? demande Storm qui s'est approchée de moi sans que je la voie.

— Oh rien.

Ma voix tremble encore et ma langue refuse de fonctionner correctement. Je jette un coup d'œil vers Trent. Ses coudes sont appuyés sur la table, il joue avec sa paille, pendant que Barbie Méditerranée (je crois qu'elle se fait appeler Bella) frotte son corps quasi nu contre sa cuisse. Je l'observe alors qu'elle gesticule en direction d'une des salles VIP, caressant affectueusement sa nuque.

— T'es sûre que ça va ? On dirait que tu as envie d'étrangler quelqu'un.

Je réalise alors qu'elle a raison, car mes mains tordent le torchon à vaisselle comme si c'était le cou de quelqu'un. Et c'est bel et bien le cou de quelqu'un. Celui de Bella…

— Ouais, ça va super.

Je jette le torchon et lance un dernier coup d'œil discret à Trent au moment même où ses magnifiques yeux bleus rencontrent les miens. Je sursaute. Il me sourit de son sourire aguicheur qui anéantit instantanément mes défenses, me laissant aussi nue que les danseuses sur scène. Comment peut-il m'affecter autant? C'est tellement perturbant!

– Euh, ça c'est pas «rien», Kacey. C'est le mec là-bas que tu regardes? C'est qui?

Elle s'approche et se penche par-dessus mon épaule pour suivre mon regard.

– Mais attends, c'est pas…

Je la repousse doucement de la main.

– Tourne-toi! Maintenant, il sait qu'on parle de lui!

Storm éclate de rire.

– Kacey est amoureuse, chantonne-t-elle. Notre voisin te déshabille du regard. Va lui parler.

– Non! dis-je d'un ton glacial en lui faisant mon regard le plus froid.

Elle baisse la tête et s'occupe de débarrasser les verres vides du bar. Je vois que le ton de ma voix l'a vexée. Une boule de culpabilité se forme immédiatement dans ma poitrine. *Et merde, Storm!*

Je fais de mon mieux pour ignorer la table de Trent, mais je ne peux pas m'empêcher de la regarder. Lorsque le service touche à sa fin, je suis épuisée et agacée par les vagues de jalousie qui me submergent alors que les strip-teaseuses défilent à sa table les unes après les autres, en le touchant et en riant. L'une d'entre elles s'assied même sur ses genoux pour parler. Ma seule consolation provient du fait que Trent décline poliment chacune de leurs propositions.

* * *

Plongeant la main dans la boîte à gants entre nos deux sièges, Storm jette une enveloppe épaisse sur mes genoux.

Je l'ouvre sans réfléchir et passe les billets en revue.

– Merde! Mais il doit y avoir au moins…

– Je te l'avais dit! dit Storm en me faisant un clin d'œil. Imagine un peu combien tu gagnerais si tu montais sur scène.

Il doit y avoir au moins cinq cents dollars dans cette enveloppe! Facile!

– T'as dit que ça faisait quatre ans que tu travailles chez Penny's? Pourquoi t'habites toujours à Jackson Drive? T'aurais pu t'acheter une maison!

Storm soupire.

– J'étais mariée au père de Mia pendant un an. J'ai dû me déclarer en faillite quand je l'ai quitté parce qu'il avait accumulé une dette énorme. Aucune banque ne m'accordera un prêt désormais.

– Ça a l'air d'être une vraie pourriture…, dis-je en remuant dans mon siège, inconfortable.

Storm me parle de sa vie privée, ce qui met automatiquement mes défenses en marche. Lorsque les gens s'ouvrent à vous, ils s'attendent à ce que ce soit réciproque.

– T'en sais même pas la moitié, murmure-t-elle. C'était pas si mal au début. J'avais seize ans quand j'ai rencontré Damon. Je suis tombée enceinte et lui, il est tombé dans la drogue. On avait désespérément besoin d'argent, alors j'ai commencé à travailler chez Cain après la naissance de Mia. Damon a dit que je devais me faire refaire les seins si je voulais vraiment gagner de l'argent. Bien évidemment, j'ai été assez stupide pour accepter. (Il y a une note amère dans sa voix, que je n'ai jamais entendue auparavant.) Ça fait super mal. C'est la seule raison pour laquelle je les ai pas fait enlever. Je te jure, ce qu'on est capable de faire quand on est aveuglément amoureuse…

– Alors, quand est-ce que t'as décidé de le quitter? dis-je sans réfléchir.

– La deuxième fois qu'il m'a cassé la gueule.

Elle le dit d'un ton tellement neutre que je suis persuadée d'avoir mal entendu.

– Oh… Je suis désolée, Storm.

Et je le suis. L'idée que quelqu'un frappe Storm me met hors de moi.

– La première fois, j'ai menti à tout le monde. J'ai dit que je m'étais cognée contre un mur. Personne ne m'a crue, mais ils ont accepté mon petit scénario. Mais la seconde fois… je suis arrivée au boulot avec la lèvre enflée et le nez ensanglanté. Cain et Nate m'ont reconduite chez moi et m'ont aidée pendant que je faisais nos valises. Damon est revenu au moment où je passais la porte. Nate l'a secoué un peu. Il a prévenu Damon que s'il s'approchait de moi ou de Mia, il s'assurerait qu'il finisse sa vie en fauteuil roulant. Et t'as vu Nate, tu sais qu'il en est capable, dit-elle en écarquillant les yeux. (Elle gare la Jeep dans le parking de l'immeuble et coupe le moteur.) Cain m'a installée dans cet appart et je n'en ai plus bougé. Je mets tout mon argent de côté pour pouvoir acheter une maison cash. Si tout va bien, dans deux ou trois ans, je pourrai quitter le monde de la nuit pour de bon. Et mes parents n'auront plus à avoir honte de moi, ajoute-t-elle à voix basse. Sans rire.

– Mes parents se retourneraient dans leur tombe s'ils savaient où je travaille…, dis-je en baissant la voix car je m'en veux d'en avoir parlé.

– Dis, Kacey?

Revoilà le ton prudent et nerveux de Storm, et mes épaules se contractent. Je sais exactement ce qu'elle va dire :

– Écoute, j'ai mis bout à bout certaines choses : tes parents sont décédés, je crois que ça a quelque chose à voir avec l'alcool… Tu as beaucoup de cicatrices. Tu n'aimes pas toucher les mains de, gens…

Je ne la laisse pas finir. J'ouvre la porte et pars en courant.

J'en conclus que Storm est brillante. Un vrai génie, putain.

CHAPITRE 5

— De la cliiim! je supplie, repoussant les draps de mon corps en sueur.

Il nous faut des vrais rideaux, bordel, me dis-je en regardant les voilages légers pendus devant la fenêtre. Ils ne servent strictement à rien pour empêcher le soleil de pénétrer dans la chambre. On n'a pas connu la clim depuis que mes parents sont morts. Tante Darla refusait de payer pour de l'air frais alors que des enfants meurent dans le monde. Ou alors que son mari était accro au jeu. Maintenant qu'on vit à Miami, je ne comprends pas que la clim ne soit pas imposée par la loi.

Livie et Mia sont dans la cuisine, elles fredonnent «Une souris verte» tout en vidant des sacs de courses.

— Bon après-midi! chantonne Livie lorsqu'elle me voit.

— Bon après-midi! répète Mia.

Je regarde l'horloge. Il est presque 13 h. Elles ont raison. C'est bien l'après-midi. Ça fait des siècles que je n'ai pas dormi aussi tard.

— J'ai fait les courses. Il y a de l'argent sur le comptoir.

Livie pointe le menton en direction d'un petit tas de billets:

— J'ai dû négocier avec Storm pour qu'elle me paie la moitié de ce qu'elle voulait.

Je souris. Storm jure qu'elle a trouvé ses anges gardiens. Je suis certaine qu'on a trouvé le nôtre. C'est à ce moment-là que je décide d'arrêter d'être bizarre avec elle. Je ne sais pas comment, mais il le faut. Allant chercher l'argent dans mon sac, je dépose l'enveloppe sur la table.

– Bam! Prends ça!

– Oh mer…, commence Livie.

Son regard passe de la pile de billets au visage curieux de Mia.

– … credi! T'as seulement servi des verres… vraiment?

Donc Livie a capté le truc toute seule. Je penche la tête et plisse les yeux, feignant de réfléchir.

– Ça dépend, qu'est-ce que t'appelles servir des verres? dis-je en riant.

Je prends le jus d'orange du frigo et le bois à la bouteille, sentant son regard sur mon dos:

– Je plaisante! Oui, seulement des verres. Et un coup de pied au cul pour un chanceux aux mains baladeuses.

Mia hausse les sourcils et je grimace, articulant «pardon» devant la tête scandalisée de Livie. Cependant, tout est vite oublié lorsqu'elle examine de plus près la liasse de billets.

– Nom de nom!

– Je sais, c'est dingue!

J'ai conscience de sourire bêtement, mais je m'en fiche. Ça va peut-être marcher finalement. On va peut-être réussir à survivre. Peut-être ne serons-nous pas forcées de manger de la pâtée pour chat.

Livie lève les yeux avec un sourire mystérieux.

– Quoi?

Elle marque un arrêt.

– Rien, c'est juste que… t'es joyeuse. (Elle croque une mini-carotte.) Ça fait plaisir.

Mia l'imite, fronçant son nez comme un lapin en mâchant sa carotte.

– Ça fait plaisir, répète-t-elle.

Je plonge la main dans le sac et en extirpe une carotte, plante un énorme baiser sur la joue de Livie, puis sautille vers la salle de bains.

– Je vais me doucher pendant que tu comptes notre fortune. Et rappelle-moi d'appeler Starbucks pour leur dire que je démissionne, d'accord ?

Il est hors de question que je retourne travailler au salaire minimun. Aucune chance.

* * *

Je me moque qu'il n'y ait aucune pression. Je me moque que l'eau ait une odeur de chlore. Je ferme simplement les yeux et me masse la tête avec une bonne dose de shampoing, inhalant son parfum de rose. Pour la première fois depuis qu'on s'est enfuies avec Livie, je crois que je vais y arriver. Je suis capable de prendre soin de nous. Je suis assez âgée, assez forte, assez intelligente. Mes problèmes ne vont pas nous empêcher de réussir. Tout va bien se passer. On va sortir du tunnel encore plus fortes et…

Un cliquetis étrange m'extirpe de ma rêverie. Entrouvrant un œil, je détecte des rayures rouges, noires et blanches enroulées autour du tuyau au-dessus du pommeau de douche. Deux yeux globuleux sont rivés sur moi.

Il me faut au moins une seconde pour me mettre à hurler. Une fois que j'ai commencé, je ne m'arrête plus. Je panique et m'écrase contre le mur derrière moi, parvenant cependant à rester debout. Le serpent ne bouge pas. Il reste au même endroit, secouant sa queue, et me fixe. Comme s'il étudiait la meilleure manière de m'avaler toute crue. Je continue de hurler alors que j'entends la voix paniquée de Livie derrière la porte, mais rien ne me fait réagir. Ses coups contre la porte non plus.

Je ne réagis plus à rien.

Tout à coup, il y a un bruit de bois qui se brise.

— Kacey!

Livie hurle pendant que des bras musclés m'enveloppent et me sortent de la douche. Une serviette atterrit sur moi et je suis portée hors de la salle de bains jusque dans ma chambre.

— Je hais les serpents. Je hais les serpents. Merde! Je hais les serpents!

Je répète ces mots en boucle. Une main caresse mes cheveux. Je n'arrive à me concentrer et à comprendre où je suis que lorsque les battements de mon cœur ralentissent et que je cesse de trembler comme une feuille.

Je vois enfin les sourcils froncés de Trent et les éclats bleu turquoise de ses yeux.

Je suis dans ses bras.

Je suis à poil sur ses genoux, dans ses bras.

Les battements de mon cœur accélèrent de nouveau, et mon cerveau étudie cette nouvelle situation. Sa chemise est trempée et couverte de shampoing. Je sens la chaleur de ses bras sur mon dos nu et sous mes genoux tandis qu'il me serre contre lui. Toutes les parties cruciales de mon corps sont couvertes par la serviette, mais je peux difficilement être plus à poil que je ne le suis en ce moment.

Livie entre dans la chambre comme une folle furieuse.

— Tu te prends pour qui à rentrer comme ça ici? hurle-t-elle, les joues aussi rouges que mes cheveux. Elle semble prête à arracher les yeux de Trent.

— Trent. C'est Trent, je réponds. Ça va, Livie. Il y a… il y a un serpent à sonnette dans la douche. (Je ne parviens pas à retenir le frisson qui parcourt mon corps.) Sors Mia d'ici avant qu'il la mange. Et appelle Tanner. Maintenant, Livie!

Le regard de Livie passe de moi à Trent, puis à moi de nouveau, puis à mon lit. Elle ne veut pas me laisser, je le vois.

Mais elle semble conclure quelque chose et elle hoche la tête. Elle ferme la porte derrière elle.

Trent me serre tellement fort contre lui que je sens les muscles de son torse contre mon bras.

– Ça va ? murmure-t-il, sa bouche si près de mon oreille que sa lèvre en effleure le lobe.

Je frissonne de nouveau.

– Ça va super, je murmure à mon tour. Si on oublie que j'ai failli mourir.

– Je t'ai entendue hurler depuis chez moi. J'ai cru que quelqu'un te tuait.

– Pas quelqu'un ! Quelque *chose* ! Tu l'as vu ?

Je lève un bras en direction de la salle de bains pendant que l'autre fait de son mieux pour garder la serviette sur mes seins.

– J'étais à deux doigts d'être mangée toute crue !

Trent se met à rire, un son magnifique et doux qui résonne à travers mon corps et me réchauffe jusqu'à la moelle.

– Je crois que c'était Lenny. Le serpent de compagnie du 2 B. J'ai vu un petit homme chauve fouillant dans les buissons ce matin, il appelait son nom.

Je me redresse brusquement et m'écrie :

– De compagnie ? Ce serpent mangeur d'homme est l'animal de compagnie de quelqu'un ? C'est pas illégal d'avoir un serpent à sonnette ?

Les yeux bleus de Trent scannent mon visage et il sourit, son regard se pose sur mes lèvres.

– C'est une couleuvre. A priori, la seule chose qu'elle risque de manger, c'est une souris.

Il est désormais si près de moi que je sens son souffle sur ma joue. Avec mon corps pressé contre lui, je sens son cœur battre la chamade contre mon épaule, presque aussi affolé que le mien. Il ressent la même chose. Ce n'est pas que moi. Il lève la main et me prend le menton.

– Personne ne te fera de mal, Kacey.

Je ne sais pas si ça vient du stress de cette situation, ou de cette flamme qui jaillit dans mon ventre chaque fois que Trent est dans les environs, ou bien si c'est à cause d'une bête sauvage restée enfermée en moi depuis trop longtemps, mais toute cette situation, totalement terrifiante, est devenue super excitante en l'espace d'une seconde.

Je ne peux pas m'en empêcher.

Je fonce sur la bouche de Trent, ma main agrippe sa chemise, déchire sans effort quelques boutons tandis que je me plaque contre lui. Il résiste un instant, un instant pendant lequel sa bouche ne répond pas, puis c'est fini. Son bras sort de sous mes genoux pour attraper mon bassin, brûlant ma peau nue. C'est lui qui approfondit le baiser, glissant sa langue dans ma bouche, pendant que sa main plonge dans mes cheveux couverts de shampoing et en agrippe une poignée. Il penche ma tête en arrière et sa langue rencontre la mienne. Sa bouche est sucrée et fraîche. Il est fort, je le sens. Si je le voulais, je ne crois pas que je pourrais le forcer à arrêter. Mais je ne le veux pas. Absolument pas.

Sans rompre le baiser, Trent me déplace lentement jusqu'à ce que je sois allongée sur mon lit, nos poitrines l'une contre l'autre, mes cuisses serrant ses hanches, le poids de son corps sur ses avant-bras. Je ne comprends pas ce qui se passe, ni ce que je fais, ni ce qui m'empêche de penser de façon rationnelle, mais je sais que je ne veux pas que ça cesse. Chaque cellule de mon corps en a envie.

Envie de Trent.

J'ai l'impression d'inspirer pour la première fois après avoir été sous l'eau pendant des années.

Malheureusement, ça s'arrête. Brutalement. Il rompt le baiser et recule, haletant, tout en baissant les yeux vers moi d'un air incrédule. Ses yeux ne quittent jamais les miens, pas même une seconde. Si c'était le cas, ils verraient que la serviette est tombée et que je suis complètement nue sous lui. Nue, corps et âme.

— C'est pas pour ça que je t'ai sortie de la douche, murmure-t-il.

Je déglutis avec difficulté, cherchant ma voix. Celle que je trouve est sèche.

— Non, mais au final tu t'en sors pas mal, non?

Sa bouche esquisse ce sourire en coin qui me fait fondre. Mais son regard froid inspecte mon visage.

— Tu ne trouves pas ça épuisant?

Il caresse doucement mon cou avec son pouce.

— Quoi?

— De ne laisser personne t'approcher?

— C'est pas le cas, je réponds rapidement, mais ma voix tremblante trahit mes mots alors que les siens me font l'effet d'une douche froide.

Comment parvient-il à voir ce que je ne souhaite pas qu'il voie, ce que j'essaie tant de cacher? Il a trouvé un moyen de m'approcher, voilà tout. Comme un intrus. Il a envahi mon espace, déjoué toutes les alarmes et pris ce que je ne lui ai pas offert.

La flamme qu'il a fait jaillir en moi avec tant d'aisance brûle encore, cependant je ressens désormais le besoin de lutter.

— Je ne veux pas de ça. Je ne te veux pas.

Ces paroles ont un goût amer car je sais que je ne le pense pas vraiment. *Je veux ça. Je te veux toi, Trent.*

Trent m'embrasse fougueusement, et mon corps me trahit de nouveau en lui cédant et en révélant mon mensonge. Cette fois-ci, il garde ses mains de chaque côté de ma tête, agrippant l'oreiller comme s'il essayait de se contrôler. Pour ma part, je me rends compte que j'ai perdu tout contrôle au moment où mes mains glissent sous sa chemise pour griffer son dos et mes jambes enveloppent sa taille.

— Tu ne veux pas ça, Kacey ? grogne-t-il dans mon oreille, pressant son érection contre moi.

— Non…, je murmure, alors que ma bouche trace une ligne sur son cou.

Puis je commence à rire de moi-même et de mon entêtement. Je dois avoir l'air ridicule de dire ça alors que mon corps cherche désespérément le sien. Ce petit rire est ma bouée de sauvetage. Je la saisis et me bats pour rester à la surface. Je lutte pour arracher ma bouche de son cou, et grogne à mon tour :

— Sors d'ici.

Il pose trois autres baisers légers le long de ma mâchoire, puis caresse ma joue.

— D'accord, Kacey.

Il se relève et se tient debout à côté du lit. Je prends une profonde inspiration alors que ses yeux me regardent de la tête aux pieds, l'air affamés et sombres. Ça ne dure qu'une seconde, mais c'est suffisant pour réveiller une envie dans mon bas-ventre. Il se tourne et se dirige vers la porte.

— Je vais dire à Tanner que je suis responsable des portes.

— *Des* portes ? *Au pluriel* ?

Il ne s'est toujours pas retourné.

— Ouais. Ta porte d'entrée et celle de la salle de bains. S'il doit foutre quelqu'un dehors, ça doit être moi.

Puis il s'en va.

Fait chier ! Ce mec est la définition même de ce qu'est une contradiction. Il passe du mec sympa au *bad boy* avec une telle aisance, je ne parviens jamais à détecter la transition. Ce serait plus simple s'il était un don Juan pur et dur. Mais le voilà à défoncer des portes pour me sauver d'un serpent. Alors que moi, je passe de l'allumeuse à la nympho en trois battements de cils, et sa seule réaction est de me sourire. Peut-être ne suis-je guère mieux pour ce qui est des contradictions.

Lorsque j'émerge enfin de ma chambre quinze minutes plus tard, notre appartement semble avoir été envahi. Livie est dans la cuisine à côté d'une Storm débraillée mais non moins sexy, tenant dans ses bras Mia qui pleure à chaudes larmes. Mes cris ont visiblement extirpé Storm d'un sommeil de plomb car elle ne porte qu'une camisole et un string.

Un officier de police prend les déclarations d'un petit homme chauve qui tient le criminel enroulé autour du bras. Je frissonne. Lenny, je présume. Trent a raison. Maintenant que je vois la chose, elle est bien plus petite qu'elle ne m'avait semblé. Cependant mes épaules se tendent lorsque ses petits yeux globuleux se rivent sur moi.

Tanner se tient près de la porte brisée, se grattant l'arrière de la tête, l'air perdu, comme s'il était face à un jeu d'échecs. Je dois admettre que je suis assez impressionnée. Trent est baraqué, mais je n'aurais pas imaginé qu'il pouvait défoncer non pas une mais deux portes pour me sauver. Cette pensée ne fait qu'accroître mon sentiment de culpabilité de l'avoir mis dehors.

Trent se tient à côté de Tanner, silencieux, les mains dans les poches arrière de son jean, observant les débris. Sa chemise est à moitié défaite là où j'ai arraché ses boutons, trempée et plaquée contre son torse musclé. Malgré le monde qui m'entoure, ma bouche se dessèche à la vue de ses pectoraux.

Storm est la première à courir vers moi après avoir tendu Mia à Livie. Elle passe ses bras autour de mon cou. J'ai toujours un mouvement de recul, mais pas aussi violent que la première fois qu'elle a fait ça.

— Est-ce que ça va?

Si elle est encore agacée que je l'aie laissée en plan dans la voiture hier soir, elle ne le montre pas.

Derrière son épaule, je vois les yeux écarquillés de l'officier et du petit chauve, fixés sur les fesses de Storm. L'officier de police, au moins, a la décence de rougir et de détourner son regard sur un bout de prélart abîmé. L'homme chauve, dont le sourire s'étend, n'a cependant pas la même discrétion.

– Ça ira mieux quand j'aurai cassé le nez de ce mec, dis-je d'une voix suffisamment forte pour qu'il m'entende.

Il détourne immédiatement le regard.

– Ça, c'est Pete le Pervers, chuchote Storm, grimaçant et essayant de tirer le bas de son t-shirt pour couvrir ses fesses. Mais c'est inutile. Le t-shirt est trop court et son string bien trop révélateur.

– Je reviens, dit-elle, et elle part en courant.

Tanner lève les yeux du tas de bois.

– Oh, salut, Kerry.

Kerry? Je fronce sévèrement les sourcils.

– Salut… Larry! Ça gaze?

Livie essaie de ne pas rire mais échoue, pouffant de rire dans sa main. Tanner a d'abord l'air perdu, puis un sourire s'étire d'une oreille à l'autre.

– Kacey, se corrige-t-il. Pardon… Kacey.

L'officier prend patiemment des notes dans son carnet alors qu'on raconte tout l'incident, non sans prendre quelques pauses pour jeter des regards furtifs à Storm maintenant qu'elle est habillée. Lorsqu'il a terminé, il donne un autocollant de shérif à Mia qui sourit jusqu'aux oreilles. Pete le Pervers se confond en excuses et ramène Lenny à sa cage, jurant à Tanner qu'il vérifiera dorénavant par deux fois que sa cage est bien fermée. L'officier me demande si je veux porter plainte contre Trent, mais je crois que j'ai l'air tellement choquée par sa question qu'il n'attend pas ma réponse.

Lorsqu'il part, non sans avoir souri longuement à Storm, Tanner et Trent sont toujours debout devant les deux portes défoncées.

– Je comprends que c'était une urgence, mais… euh… je dois faire réparer ça et ça va prendre un moment au Perv… (Tanner se racle la gorge) à Pete pour trouver l'argent. Je doute que ces jeunes filles soient assurées… (Tanner extirpe son portefeuille de la poche arrière de son jean.) J'ai… euh… je peux mettre cent dollars.

Je suis abasourdie. *Quoi ?* Je m'attendais à me faire engueuler et mettre à la porte et voilà que Tanner propose de payer pour faire remplacer notre porte ? Livie, Storm et moi nous regardons, ébahies. Cependant, avant que j'aie pu dire quoi que ce soit, Trent tend à Tanner un tas de billets.

– Tenez. Ça devrait couvrir le reste.

Tanner prend l'argent en hochant la tête, puis s'en va sans dire un mot, nous laissant sans voix. Trent s'avance vers Livie et lui tend la main.

– Salut, je suis Trent. On ne s'est pas officiellement présentés.

Si Livie était furieuse il y a vingt minutes, sa colère a disparu et elle se tient devant lui, rougissant comme une gamine de douze ans tout émoustillée. Elle lui serre la main avant de vite la retirer, comme si elle risquait de tomber enceinte rien qu'en la touchant. Ses yeux évitent sa chemise à moitié ouverte, qui révèle son corps magnifique. Je souris intérieurement. Ma chaste petite Livie.

Trent se présente ensuite à Storm. Elle rougit légèrement et une vague de jalousie m'envahit. Lorsqu'il passe à Mia, cachée derrière les jambes de sa mère, Storm me fait un clin d'œil d'approbation. Je lève les yeux au ciel.

– Et toi, tu dois être Princesse Mia ? J'ai beaucoup entendu parler de toi.

Elle pince les lèvres puis sort sa tête de sa cachette.

– C'est vrai ?

Il hoche la tête.

– Eh oui, j'ai entendu parler d'une Princesse Mia qui aime la glace. Ça doit être toi, non ?

Elle hoche la tête lentement puis murmure :

– T'as entendu, maman ? Les gens savent que je suis une princesse !

Tout le monde rit. Tout le monde, sauf moi. Je suis trop occupée par la bataille qui se déroule dans ma tête et qui me dit que je dois résister à son charme. Que tout ça n'est qu'une façade. Qu'il ne m'apportera rien de bon.

En vérité, ce n'est pas ça du tout, mais je déteste l'avouer.

Le problème, c'est que je sais qu'il est trop bien pour moi.

Trent se relève pour me faire face.

– Ça va aller ?

Il se préoccupe toujours de moi. Je hoche la tête et croise les bras. Je baisse la tête pour regarder mes pieds, gigote, son regard me met mal à l'aise comme toujours, il me rappelle la sensation de son corps contre le mien. Et aussi le fait qu'il m'a extirpée de la douche, nue.

Je suis humiliée de mille façons différentes.

Je ne sais pas si Trent ressent ma gêne, mais il fait quelques pas en arrière et passe sa main dans ses cheveux.

– Bon, eh bien, à bientôt. (Il me fait un clin d'œil.) Faut que j'aille rincer tout ce savon. J'espère que ma douche sera moins mouvementée.

– Ouais…, je bafouille.

Je me sens idiote parce que je suis encore en train de le mater. Il faudrait que je mette quelque chose dans sa douche afin de me donner une raison de défoncer sa porte pour le sauver. *Pas un serpent. Il n'a pas l'air d'en avoir peur. Peut-être un alligator. Ouais, y a plein d'alligators en Floride. Un petit tour dans les marécages des Everglades, j'en trouve un, je l'attrape, je le ramène.*

– Kacey ?

La voix de Storm me ramène à la réalité. Elle fronce les sourcils en me regardant, un sourire en coin. Apparemment j'ai raté une question.

— Quoi?

— Je suis sûre que Trent aimerait souper avec nous en guise de remerciement.

Je vois ses yeux pétiller de malice. Elle joue l'entremetteuse. Je n'aime pas ça.

Trent n'a pas besoin de tout mon bordel.

— Fais ce que tu veux, je vais à la salle de sport, dis-je sur un ton glacial, mettant fin à la joie qui planait dans la pièce.

Je fais demi-tour et retourne dans ma chambre avant que quelqu'un puisse dire quoi que ce soit.

Et je me déteste d'avoir réagi ainsi.

* * *

La salle de sport est plus calme que d'habitude, mais ça me convient parfaitement. Je suis toujours pleine d'excitation après cet après-midi mouvementé. Et Trent! Il me faut ma petite routine pour me calmer. Je m'étire rapidement et me prépare à faire quelques rounds contre le sac de frappe.

J'entends la voix de Ben derrière moi :

— Hé, Red[2]!

Fait chier. Je me retourne au moment où ses yeux quittent mes fesses.

— Ben.

Il vient vers moi et attrape le sac.

— Il te faut un pareur?

— Eh ben, j'ai l'impression que j'en ai un, que je le veuille ou non. J'ai tort?

---

2. Rousse.

Je râle, mais pour une raison que j'ignore, son sourire arrogant me fait rire et la tension dans mon corps disparaît.

– Tu sais ce que tu fais, au moins ?

Il hausse les épaules.

– Je suis sûr que tu peux m'apprendre. (Il sourit de nouveau.) D'habitude je préfère avoir le contrôle, mais pour toi je peux...

Ben continue à déblatérer des tonnes de sous-entendus, que je cesse d'écouter. Pour lui donner une leçon, je le prends par surprise avec un coup de pied circulaire. Il grogne alors que le sac s'écrase contre sa hanche.

– Ce sera ta première leçon. Tais-toi. Ne me parle pas pendant que je m'entraîne.

Pendant les quinze minutes suivantes, je mets coup après coup et Ben s'en sort plutôt bien. S'il parle, je ne l'entends pas. Je suis concentrée sur mon enchaînement, frappant encore et encore, évacuant toute ma colère avec chaque coup.

Trois abrutis bourrés.

Trois meurtriers qui m'enlèvent ma vie.

Un. Deux. Trois.

Enfin épuisée, je pose mes mains sur mes genoux en me penchant en avant pour reprendre mon souffle.

– Waouh ! Kace. (Je lève les yeux sur le regard impressionné de Ben.) J'ai jamais vu quelqu'un d'aussi concentré pendant un entraînement. T'étais comme Ivan Drago. C'est le Russe qui...

Je lui coupe la parole, récitant la réplique de *Rocky IV* avec un faux accent russe.

– S'il meurt, il meurt.

C'était un autre des films préférés de mon père.

Ben hoche la tête, les sourcils levés, surpris.

– Tu connais ?

– Qui ne connaît pas ça ?

Je ne peux pas m'empêcher de rire de nouveau.

On est bientôt en train de rire tous les deux et je me dis que Ben n'est peut-être pas aussi arrogant que je le pensais.

Et c'est à ce moment-là qu'une silhouette passe à côté de nous et brise mon armure en mille morceaux.

Trent.

Mon rire s'éteint. J'attrape ma bouteille d'eau, essayant de cacher ma réaction à Ben en prenant une longue gorgée, tout en regardant Trent poser ses affaires à côté d'un ballon de vitesse et enlever son chandail en attrapant le col par-derrière. *Mais qu'est-ce qu'il fout ici, putain ? Dans ma salle de sport ? C'est ma... Merde...* Un filet d'eau coule sur mon menton et je l'essuie avec mon bras, essayant de ne pas baver en regardant le corps musclé qui apparaît, recouvert d'une simple camisole. Il me tourne le dos et ne regarde pas dans ma direction, frappant le ballon de vitesse avec une précision qui me surprend. Comme s'il était bien entraîné. Je le regarde un moment, ébahie, mais aussi un peu déçue qu'il ne m'ait pas remarquée, même si je ne mérite pas son attention.

Peut-être qu'il ne sait pas que je suis là.

J'en doute.

Des boucles d'encre noire sont gravées sur son dos. Quel que soit le tatouage, il fait la largeur de ses épaules. J'adorerais lui enlever son t-shirt et examiner son tatouage pendant qu'il serait étendu sur mon lit.

– Je crois que j'ai vu ce mec chez Penny's, dit Ben.

Donc il m'a vue regarder Trent. Super. Je choisis de me moquer de lui :

– T'as craqué sur lui ?

– Non, mais on m'a dit que quelqu'un d'autre oui.

Je ne peux pas rater son sous-entendu.

Putain, Storm.

– C'est mon voisin, c'est tout.

– T'es sûre?

– Ouaip. Je n'ai craqué sur personne. Pas plus sur toi.

Je frappe le sac et il sourit mystérieusement.

– Et… tu vas pas aller dire bonjour à ton voisin, alors?

Je réponds par un coup de pied circulaire. Ben laisse tomber et retourne à son poste de pareur. Et il ne mentionne plus Trent.

Je fais de mon mieux pour faire un second round, mais je n'ai plus la tête à ça, à cause du mec canon de l'autre côté de la pièce qui se défoule contre son sac. J'ai beau essayer de ne pas le faire, je me surprends à le regarder fréquemment.

La dernière fois que j'ai jeté un œil dans sa direction, Trent essuyait la sueur de son front avec le bas de son t-shirt, révélant des abdos parfaits. J'oublie de respirer, temporairement paralysée, mon cœur battant la chamade, fixant…

Quelque chose fouette mes fesses.

– Aïe!

Je crie en me tournant vers Ben qui tient une serviette à la main, un sourire diabolique sur le visage.

– Tu viens de me fouetter le cul avec ta serviette?

Ma colère ne semble pas le perturber. Mais mon coup de poing dans les côtes, si. Il se penche en avant en gémissant.

– J'espère que ça en valait la peine, connard.

Je me baisse pour prendre mes affaires. Lorsque je me relève, je croise le regard de Trent, rivé sur moi. Son visage n'exprime rien, mais ses yeux… Même à cette distance, j'y vois un mélange de détermination, de douleur et de colère.

Il savait que j'étais là. Il savait depuis le début.

Au bout d'un long moment, Trent me tourne le dos et recommence à frapper son sac, et j'ai soudain l'impression que je suis ce sac et que quelqu'un m'accable de culpabilité. Et de douleur. Je souffre pour Trent.

J'en ai assez.

Je fonce dans les vestiaires des femmes d'un pas décidé sans adresser la parole à Ben. Pendant une demi-heure, je reste assise sur le banc, dans ce vestiaire minuscule et sombre, à peine assez grand pour contenir deux cabines de douche, et je me débats pour enfouir toutes ces émotions qui cherchent à refaire surface. Pourquoi est-il là ? Pourquoi dans cette salle de sport ? Est-ce qu'il me suit ? Pour être honnête, je sais très bien que c'est la seule salle de sport spécialisée de ce côté-ci de la ville. Donc, si c'est un amateur de boxe, il est logique qu'il soit ici. Mais tout de même…

J'ai l'habitude d'avoir le contrôle. Je fais de mon mieux pour ne rien ressentir. C'est ainsi que je parviens à survivre, et ça a bien fonctionné. Jusqu'ici. Désormais, Trent s'est immiscé dans ma vie et je ne parviens plus à me concentrer. Mon corps fait n'importe quoi. Je suis tiraillée entre l'envie de le repousser et de le garder près de moi. Je pense à lui bien trop souvent. La moindre pensée réveille en moi un désir que je n'ai pas ressenti depuis mon dernier coup d'un soir, et c'était il y a plus de deux ans. Or aujourd'hui, ce désir est un million de fois plus fort. Je me balance d'avant en arrière, mon front dans les mains. *Je ne veux pas de tout ça. Je ne veux pas de tout ça. Je ne veux pas de tout ça…*

Quelqu'un frappe doucement à la porte. Je suis prise d'une vague d'espoir et je comprends que c'est parce que j'espère que Trent est de l'autre côté de la porte. Je ne peux pas m'en empêcher. Je *veux* tout ça. Je le veux *lui. Pourvu que ce soit lui…*

Mais il s'agit de Ben, l'air mal à l'aise et désolé.

– Est-ce que ça va ? Je suis désolé. Je t'ai probablement frappé plus fort que prévu, mais t'étais sur une autre planète.

Je ne réponds pas car une poussée d'adrénaline parcourt mon corps, et mon cœur bat à cent à l'heure. Un sentiment de frustration prend le dessus. Je lève les yeux et regarde le visage doux de ce garçon sincère. Un garçon qui est soudainement devenu attirant. Que ce soit une erreur ou non, que ce soit destructeur ou non, mes deux mains attrapent le col de son t-shirt et je le tire dans le vestiaire. Il ne résiste pas, même si ses mouvements lents me laissent penser qu'il ne comprend pas ce qui est en train de lui arriver. Je le pousse dans une des cabines de douche et ferme le verrou derrière moi.

– Déshabille-toi. Ne touche pas mes mains.

– Euh…

Je sais que ce n'est pas ce à quoi Ben s'attendait. Merde. Moi non plus je ne m'y attendais pas. Mais j'ai besoin d'oublier Trent, et un bon moyen d'y parvenir est de se taper quelqu'un d'autre, sans réfléchir.

Comme Ben ne réagit pas, j'attrape son t-shirt pour abaisser sa tête vers la mienne. Il comprend enfin. Ses mains passent dans mon dos et il m'attire vers lui, sa langue glisse dans ma bouche. Son baiser est doux, mais ça n'a rien à voir avec… *Non, arrête Kacey. Tu fais ça pour oublier Trent.*

Son nom suffit à électriser mon corps.

– Kacey, gémit Ben.

Ses mains caressent mes bras, mes épaules, mes seins sur lesquels elles s'arrêtent. Il rompt le baiser, le temps d'enlever ma camisole, et replonge sa bouche sur la mienne tout de suite après. L'endroit est petit mais il s'en sort bien, me soulevant sur le banc afin que je le domine.

– Je pensais pas que je te plaisais.

– Tais-toi, ne dis rien, dis-je d'un ton sec tout en baissant mon short et ma culotte.

Il pose tout de suite sa main sur l'intérieur de ma cuisse et la remonte doucement. Jusqu'à ce qu'elle soit là où je la désire tant.

Je me penche en arrière et ferme les yeux.

Et j'imagine qu'il s'agit de la main de Trent.

Ben ne perd pas de temps, se mettant à genoux pour prendre le relais avec sa bouche.

– Putain, ce que t'es sucrée, gémit-il.

J'imagine brièvement que je lui mets une muselière pour l'empêcher de parler. Mais il ne me serait plus d'aucune utilité. Et à cet instant précis, il m'est *vraiment* utile. Que ce soit bien ou pas, ça fait tellement longtemps que je ne me suis pas autorisé ce genre de chose, ou que je ne me suis pas permis de le vouloir… Je m'appuie contre le mur et me détend, laissant Ben me donner ce dont j'ai besoin.

Tout se déroule à merveille.

Jusqu'à ce que Ben foute tout en l'air. Il fait exactement ce que je lui ai dit de ne pas faire. Il glisse sa main dans la mienne.

Son geste me fait l'effet d'un seau d'eau glacée sur la tête. Toute sensation de plaisir s'évanouit. Sa bouche et son toucher me dégoûtent et je repousse son visage.

– Et merde, Ben. Va-t'en ! Tout de suite.

– Quoi ?

Il lève les yeux vers moi, aussi perdu que si je venais d'avouer que j'étais responsable d'un triple meurtre.

– T'as touché mes mains, je t'avais dit de ne pas le faire. Va-t'en !

Il ne bouge pas et un sourire incrédule se dessine sur ses lèvres.

– Attends, t'es sérieuse ?

Je me penche en avant, lève le verrou de la porte et pousse Ben hors de la cabine, son short révélant une des plus grosses érections que j'aie vues depuis un bon bout de temps. Une fois seule, je verrouille de nouveau la cabine et m'écroule sur le sol, serrant mes genoux contre moi.

Finalement, ça ne m'a pas du tout aidée.

Les choses me semblent être quinze fois pires.

Un sentiment de nausée m'envahit. Comment ai-je pu être aussi égoïste ? Ben va me détester désormais. Qui plus est, maintenant que toute trace de désir a disparu, j'ai honte de lui avoir fait ça. Je ne me suis *jamais* sentie coupable de mes exploits. Et… quelle horreur. *Et si Trent entendait parler de ça? Oh, mon Dieu.* Ma tête s'abat sur mes genoux.

Ça m'affecte. Ce que pense Trent m'affecte. Ça m'affecterait que Trent sache ce que je viens de faire et que ça le gêne. Ça… ça m'affecte, tout simplement. Et quoi que je fasse, je ne vais pas pouvoir me débarrasser de ce sentiment. Ni les coups d'un soir, ni être une garce, ni aucune des méthodes horribles dont je me suis servie pour le repousser ne marcheront. D'une façon ou d'une autre, il a réussi à passer un doigt dans mon armure en titane alors que personne n'y était jamais parvenu.

CHAPITRE 6

Ce soir, les shots sont à moitié prix chez Penny's, alors le club est bondé. Storm et moi sommes tellement occupées que je suis en nage. Cain a trouvé le double de Nate, une autre brute gargantuesque, pour garder le bar, prêt à mettre dehors le premier client aux mains baladeuses. En fait, ce soir, il y a presque autant de videurs que de danseuses. Ben y compris. Il ne m'a pas adressé la parole depuis ce fameux après-midi à la salle de sport, et cela me convient parfaitement. Je préfère baisser la tête, car j'ai déjà suffisamment honte de ce que j'ai fait sans qu'on me le rappelle constamment.

Cain approche du bar alors que je sers dix shots de vodka.

– Alors Kacey, comment tu trouves Penny's pour le moment, ça te plaît? demande-t-il par-dessus la musique.

Je hoche la tête et lui souris.

– C'est super, Cain. Et le salaire est génial.

– Super. Tu mets l'argent de côté pour tes études, j'espère?

– Ouaip!

Mais probablement pas les miennes.

– Et quel domaine t'intéresse?

Je ne réponds pas tout de suite, je réfléchis. Je choisis d'être honnête plutôt que de répondre par une blague. Après tout, Cain est mon patron.

– Je suis pas sûre.

Je ne sais pas dans quelle voie me lancer pour le moment. Je ne sais pourquoi, la question de Cain ne me dérange pas. Je n'ai pas l'impression qu'il s'immisce dans ma vie.

— Pour l'instant, la priorité est que ma sœur soit prise en fac de médecine.

— Ah oui, le fameux ange gardien dont Storm m'a fait l'éloge. (Cain plisse les yeux, concentré.) Tu travailles dur et tu es la bienvenue ici tant que tu as besoin de bosser. Mais trouve vite ta voie. Tu peux faire mieux que de servir des cocktails. Tu fais du bon boulot, continue comme ça.

Il tapote le bar de la paume de la main puis tourne les talons.

Je le regarde partir, puis demande à Storm :

— C'est quoi son histoire à lui ?

— Comment ça ?

— Je crois que c'est la personne la plus intrigante que j'aie jamais rencontrée. Un paradoxe, même. C'est un patron de club de strip-tease, mais je ne l'ai jamais vu mettre la main aux fesses d'une des danseuses. Il prend le temps de dire bonjour. Et maintenant, il m'encourage à ne plus travailler ici parce que je peux faire mieux.

Storm sourit.

— Oui, c'est vrai qu'il est spécial. Il n'a pas eu une enfance facile. Il a connu le monde de la nuit très tôt, et les femmes de son entourage étaient presque toutes battues.

Elle attrape la bouteille de Jack Daniel's devant moi :

— En parlant de Trent...

Quoi ? Elle change de sujet si abruptement que je suis complètement décontenancée. Un sourire joueur sur les lèvres, Storm hoche la tête en direction d'une table près du bar. Effectivement, Trent est là. C'est le troisième soir d'affilée qu'il vient au club, seul, à 11 h pétantes. Il ne m'approche pas. Il commande simplement à boire et s'assied à une distance raisonnable du bar. Cependant, je sais qu'il m'observe. Ma peau picote dès que ses yeux se posent sur moi. Et ça commence sérieusement à m'agacer.

– Kace.

Storm s'approche de moi :

– Je peux te demander quelque chose ?

– Non.

J'attrape un couteau et coupe un citron vert en huit.

Elle marque une pause.

– Pourquoi tu l'ignores ? Il vient tous les soirs, juste pour te voir.

– Ouais. Dans un club de strip-tease. Tous les soirs. Tout seul. Chez moi, on appelle ça un « malade ».

– Il ne regarde presque pas les danseuses, Kace. Et je t'ai vue le regarder toute la soirée aussi.

– Alors là, pas du tout ! je réponds un peu trop vite et d'une voix un peu trop aiguë.

J'ai fait en sorte de ne pas le regarder. En tout cas, c'est ce que je me dis. Mais, apparemment, j'ai échoué lamentablement.

Storm ignore mon commentaire.

– Je crois que tu lui plais *vraiment*, Kacey, et je crois que c'est un mec bien. Il n'y a rien de mal à aller lui parler, tu sais. Au fond, je sais que tu n'es pas vraiment méchante.

Je tâche d'ignorer le sentiment de culpabilité qui m'envahit. *Mais je le suis, Storm. Je suis méchante et je le fais exprès. C'est moins risqué comme ça. Pour tout le monde.*

– Il ne m'intéresse pas.

Je serre la mâchoire et poursuis lentement mon découpage de citron vert.

Elle soupire bruyamment.

– Je suis soulagée que t'aies dit ça. Dans ce cas, je peux lui proposer un rancard avec moi, parce que moi, je le trouve *vraiment* beau gosse.

Je plonge mon regard dans le sien, je suis sûre que mes yeux lui transmettent mon envie de meurtre. Comment peut-elle me trahir ainsi ? Elle qui se dit mon amie !

– Ha ! Je t'ai bien eue !

Storm lève son index :

– Je le savais. Avoue-le. Avoue que tu meurs d'envie d'aller lui parler.

Elle s'éloigne, souriant jusqu'aux oreilles, en chantonnant « Kacey est amoureuse… »

– Tais-toi !

Mes joues sont bouillantes. Je fais de mon mieux pour ignorer Storm, Trent et le regard insistant de Nate tandis qu'un client s'approche du bar.

– Deux Whiskey Sour, tout de suite ! dit-il en posant deux verres sur le bar.

Je n'ai aucune idée des ingrédients qui vont dans un Whiskey Sour et je doute que ce mec ait envie de servir de cobaye à mes expérimentations. Je lève lentement le regard vers Storm. Elle répond en croisant les bras.

– Seulement si tu vas lui parler.

Mes lèvres se pincent.

– D'accord, je siffle. Après. Mais là, est-ce que tu veux bien m'aider à servir ce gentil monsieur avant que je ne l'empoisonne ?

Un sourire satisfait sur les lèvres, Storm prépare les cocktails en vingt secondes.

– Cet air naïf et innocent, ce n'est qu'une feinte, c'est ça ?

Elle laisse tomber son sourire satisfait et fait la moue.

– Je ne vois vraiment pas de quoi tu parles, répond-elle, s'éventant avec le torchon à verres.

Je ne sais pas si c'est son air moqueur ou bien sa bonne humeur qui déteint sur moi, mais un sourire gigantesque se dessine sur mon visage.

– Alléluia! Regardez ça! Mademoiselle Kacey sourit de nouveau!

Elle plaque le revers de sa main sur son front, d'un air théâtral :

– N'est-ce pas la plus belle chose que vous ayez jamais vue?

Elle grimace tandis qu'un bout de citron vert atterrit sur sa cuisse. Puis je lui fais la révérence.

– M'apprendre tu dois. Grandiose je deviendrai.

Storm me pousse gentiment et part servir le client suivant. Tout à coup, je suis incroyablement nerveuse. *Mon Dieu, mais qu'est-ce que je viens d'accepter?* Je pose ma main sur mon ventre. *Un... Deux... Trois...* J'essaie de me concentrer sur ma respiration. Cette sensation est nouvelle pour moi. C'est stressant et horrible et, si je veux bien l'admettre, exaltant. Je me baisse pour remettre le couteau en lieu sûr dans son tiroir et me redresse pour me diriger vers la sortie du bar.

Je me retrouve nez à nez avec ses fossettes.

– Il semblerait que je ne puisse pas commander un verre sans me faire draguer, murmure Trent, un sourire en coin, tout en s'appuyant sur le bar. Je ne sais absolument pas pourquoi.

Je prends une longue respiration. *Kacey, pour une fois, reste cool!*

– Eh bien, certaines personnes te trouvent plutôt... draguable, je réponds alors que mon estomac fait un saut périlleux. *Quelle horreur! Même mes tétons pointent!* Pire encore, ma robe noire est en soie très fine et si Trent baisse les yeux, il va les voir!

– C'est un mot ça?

Son regard pétille et je dois me concentrer sur ma respiration car je sens mon cœur battre dans ma poitrine. Maintenant que j'ai accepté que ce type ne me laisse pas indifférente, il m'excite encore plus qu'avant. *Respire, Kace.*

– Alors, plus d'accident de serpent ? demande-t-il.

J'ai beau avoir été cruelle envers lui l'autre jour, soit il s'en est remis, soit il ne l'a même pas remarqué. Dans tous les cas, je suis un peu soulagée.

– Non, Super-Tanner s'en charge.

En réalité, Tanner est devenu mon mini-héros. Pendant que je me douchais chez Storm et allais ensuite à la salle de sport ce jour-là, il a surveillé notre appart comme un chien de garde (enrobé, certes), ne quittant son poste qu'une fois les portes verrouillées. Ensuite, Storm a entendu dire que Tanner avait été chez Pete le Pervers et lui avait hurlé dessus, le menaçant de transformer ses couilles en nœud papillon si jamais un nouvel incident se produisait. Tanner s'avère être un vrai chou.

Trent pose son verre sur le comptoir.

– Alors, est-ce que tu veux bien me drag… euh… me servir un verre ?

Mon regard se pose sur les citrons verts devant moi et je fais de mon mieux pour retrouver mon calme. Il flirte avec moi. Je ne sais plus comment on fait pour flirter. Je ne sais si c'est toute cette chair exposée, la musique ou si, comme Storm, je trouve Trent *vraiment* beau gosse, mais j'ai bien envie d'essayer.

– Ça dépend, t'as une pièce d'identité ?

Il s'appuie sur ses coudes pour s'avancer sur le bar, fronçant les sourcils d'un air enjoué.

– Pour un Schweppes ?

Ça, je ne m'y attendais pas. Il a passé la soirée dans un club de strip-tease à boire du *Schweppes ?* J'efface la surprise de mon visage et hausse les épaules.

– Comme tu veux.

J'attrape le couteau et un citron vert, le détaillant lentement, m'assurant de ne pas me couper les doigts vu la façon dont je tremble en sa présence.

Alors qu'il fait glisser sa carte d'identité sur le bar, je l'entends marmonner :

– Têtue !

Un sourire curieux sur les lèvres, je la prends. Je n'y vois pas très bien avec les lumières tamisées du club, mais j'exagère la difficulté, fermant un œil comme si j'avais vraiment du mal à lire.

– Trent Emerson, un mètre quatre-vingt-dix.

Mes yeux font des va-et-vient sur son torse musclé :

– Ça me semble être à peu près ça. Yeux bleus.

Je n'ai pas besoin de les regarder pour savoir qu'ils le sont, mais je le fais quand même, plongeant mon regard dans le sien jusqu'à ce que je sente mes joues rougir.

– Ouaip. Né le trente et un décembre ?

Deux semaines après moi.

Il sourit.

– Un des derniers bébés de l'année.

– 1987. Donc t'as presque vingt-cinq ans ?

Cinq ans de plus que moi. *Pas trop vieux*. Cela dit, il aurait pu être né en 1887, avec cette petite gueule, je ne crois pas que ça m'aurait gênée.

– Je crois que j'ai l'âge de boire un Schweppes, dit-il en souriant et en tendant la main.

Mais je ne lui rends pas sa carte tout de suite. Pas avant de prendre note de son adresse à Rochester.

– T'es un peu loin de ton État de New York, dis-je en lui rendant sa carte.

Je la fais glisser le long du bar.

– J'avais besoin de changement.

– Si tu le dis.

Je remplis son verre. Du coin de l'œil, je vois son regard se poser sur mon épaule et je me tourne légèrement pour cacher mes cicatrices. Je suis sûre que s'il les voyait toutes, il serait dégoûté. Pourtant, il en a déjà vu quelques-unes. En fait, il les a déjà *toutes* vues. Ce mec m'a vue à poil. Plein de mecs m'ont vue à poil et je m'en fichais. Mais à l'idée que Trent m'ait vue à poil… mes mains se mettent à trembler.

— Tu te sens mieux ce soir, Kace?

Sa voix me fait sursauter et je sens que je pâlis tandis que Ben s'appuie contre le bar à côté de moi, un sourire enjoué sur les lèvres. Il tend la main à Trent.

— Salut, moi c'est Ben. Je t'ai vu à la salle de sport l'autre jour quand je m'entraînais avec Kacey.

Sa façon de dire « m'entraînais » me fait paniquer.

— Trent, répond-il d'un ton cordial.

Il se redresse de toute sa hauteur, les coins de sa bouche retombent légèrement. Il est grand. Plus grand que Ben, même. Mais pas aussi baraqué.

— Alors, t'es venu voir qui ce soir, Trent? Et hier soir? Et le soir d'avant? Ça ne peut pas être les danseuses puisque tu passes ton temps à regarder Kacey.

— Ben!

Je lui aboie dessus et j'imagine en même temps des fléchettes empoisonnées sortir de mes pupilles et se planter dans sa langue. Mais il m'ignore complètement.

— Ouais, Kacey parle de toi sans arrêt. Elle n'en a que pour toi. Ça devient même assez chiant.

Je pose le verre sur le comptoir, d'une main tremblante, tout en imaginant que j'arrache la langue de Ben pour la lui fourrer où je pense.

— J'en doute fortement, dit Trent en riant doucement, prenant son verre et me regardant avec un sourire étrange sur le visage. Je te laisse travailler. Merci pour le verre.

Aussitôt qu'il a le dos tourné, ma main agrippe le bras de Ben pour le pincer.

Il pousse un cri et fait un bond en arrière. Cependant, deux secondes plus tard, il sourit déjà, frottant son bras là où je l'ai pincé.

– À quoi tu joues, Ben ?

Il approche son visage du mien.

– La vie est trop courte pour jouer à ton jeu débile, Kace. Vous vous plaisez mutuellement, faut arrêter de faire n'importe quoi maintenant.

– Occupe-toi de tes affaires !

Il s'approche encore, jusqu'à ce que son visage soit à quelques centimètres du mien.

– C'est ce que j'avais l'intention de faire, jusqu'à ce que tu me mêles à ton histoire. *Littéralement.* Pour, après, me dégager comme un malpropre. *Littéralement.*

Il marque une pause :

– Est-ce qu'il t'a fait du mal ?

Je secoue la tête car je sais à quoi il pense.

– Alors, trouve-toi de l'aide pour régler tes problèmes et passe à autre chose. (Un sourire machiavélique se dessine sur ses lèvres.) Et puis, je te devais bien ça. À cause de toi, espèce d'allumeuse, j'ai eu mal aux boules toute la journée. Ça pourrait être ton nom de scène, d'ailleurs. (Un regard lubrique plonge dans mon décolleté puis remonte vers mes yeux.) Mais je dois avouer que ça en valait la peine. Maintenant, j'ai plein d'images pour m'occuper quand je suis seul.

Je lui jette un torchon à la tête et il s'en va en éclatant de rire. *Si seulement c'était aussi simple que ça, Ben.*

* * *

À minuit, Trent est encore là, sirotant ses sodas, et Storm me harcèle comme un vautour qui a trouvé une carcasse.

– Retourne lui parler.

– Non.

– Pourquoi tu fais ta difficile, Kacey ?

– Parce que je *suis* difficile, dis-je en nettoyant le comptoir et en murmurant : Il ne peut rien se passer de toute façon.

– Et pourquoi pas ?

Je secoue la tête et fronce les sourcils.

– Parce que lui, il ne mérite pas de se faire virer d'une cabine de douche.

– Quoi ? s'exclame Storm, mais je n'écoute pas.

Je n'ai pas besoin des encouragements de Storm et de Ben. Mes propres pulsions se chargent de faire fléchir ma volonté. J'ai très envie d'aller parler à Trent. D'être à ses côtés. De l'embrasser… Quelle que soit l'astuce sur laquelle j'ai pu compter ces dernières années pour bloquer toute envie et me simplifier la vie, elle semble vouée à l'échec lorsqu'il s'agit de lui, ouvrant la voie à une vague d'émotions et de désirs dont je ne sais que faire.

– Il est trop… bien. Trop gentil.

– Mais toi aussi, t'es gentille. Quand t'arrêtes de faire ta garce.

J'ai l'impression qu'elle n'avait pas prévu de dire la dernière partie à voix haute, car je la surprends en train d'écarquiller les yeux.

– Sympa, Storm, lui dis-je doucement.

Elle me tire la langue.

– Il a passé la soirée assis dans un club de strip-tease, pour toi.

– Mon Dieu, le pauvre, dis-je en pointant du doigt la scène, où Skyla et Candy se frottent l'une contre l'autre.

– Vous parlez de qui ? demande une déesse grecque venant chercher ses commandes, équipée de seins assez gros pour faire de l'ombre à Storm.

– Table trente-deux, dit Storm.

Elle lève les yeux au ciel et rétorque :

– Ce mec est gay.

– Alors, qu'est-ce qu'il vient faire chez Penny's, Pepper? demande Storm d'une voix suave.

Pepper. Pffff. Quel nom débile!

Pepper hausse lentement les épaules.

– China fait tout pour lui vendre une danse privée à moitié prix, mais il refuse. En revanche, il regarde souvent Ben.

Je me mords la langue avant de rétorquer qu'il refuse parce que les fesses d'une salope ne l'intéressent pas. Je ne sais pas qui est cette China, mais j'ai envie de l'étriper. Je ne suis pas fan de Pepper non plus. *Je devrais aller là-bas et pisser autour de sa table pour marquer mon territoire. Attends… quoi? Non mais, Kacey!*

– Il économise pour la danse privée de Kacey plus tard, dit Storm avant de s'éloigner.

Je sens le regard de Pepper sur moi. Elle se demande probablement si je suis une rivale. Je ne sais pas ce qui se passe dans sa tête. D'ailleurs, je doute qu'il y ait grand-chose. Mais je la dévisage quand même en retour.

– Tiens.

Storm me donne un verre:

– Va lui parler. C'est l'heure de ta pause de toute façon.

– D'accord. Mais quand je reviens, il faut qu'on parle de mon nom de scène. Peut-être Sel ou Pamplemousse, ou encore Chupa Chups.

– On m'a dit qu'Allumeuse t'irait bien, dit Storm en me faisant un clin d'œil.

J'ouvre la bouche et écarquille les yeux, surprise. Puis je scanne la foule à la recherche de Ben, prête à lui arracher la langue.

– T'en fais pas, il voulait juste s'assurer que t'allais bien, murmure-t-elle alors que tout signe de plaisanterie a disparu de sa voix. Je ne te juge pas. Ton secret est en sécurité avec moi, espèce de diablesse.

Je me dirige vers la sortie lorsque Storm s'écrie :

– Hé! Pourquoi pas Diablesse, pour ton nom de scène?

J'ignore son commentaire. Je prends une profonde inspiration, soulève le comptoir et sors de derrière le bar. J'essaie de ne pas trop tirer sur ma robe, mais je le fais quand même. *Mince, admets-le Kacey. Trent t'intimide.* Rien que de le regarder sur sa chaise, appuyé sur la table, j'ai des papillons dans le ventre. Lorsqu'il devient évident que je me dirige vers lui, je le vois se redresser, comme s'il était nerveux lui aussi. Ça me soulage quelque peu.

Je pose le verre sur sa table en lui souriant timidement.

– Qui aurait cru que tu serais encore là?

– Qui l'aurait cru, en effet? répond-il en me souriant à son tour.

– Un mec emménage dans une nouvelle ville et passe chacune de ses soirées dans un club de strip-tease, tout seul.

Trent n'en manque pas une.

– Et découvre que deux de ses voisines sont derrière le bar.

Je ramasse son verre vide.

– Storm m'a convaincue que cette expérience allait changer ma vie.

Son regard se dirige vers la scène et j'y détecte une once de désapprobation.

– Je suppose que ça dépend de ce que tu fais ici.

– Non, je réponds d'un ton sec. Mes vêtements restent sur moi à tout moment. C'est une obligation.

Je me mords la lèvre. *Je crois que j'ai été un peu trop vite dans ma réponse.*

Trent étudie mon visage un instant, puis il hoche la tête.

– Tant mieux.

Je ne peux pas empêcher mes yeux de se poser sur ses lèvres lorsqu'il dit ça. La façon dont sa bouche ne se referme pas complètement, son air si doux…

– Euh…

Je secoue la tête, essayant de retrouver mes esprits.

– … alors tu te lâches ce soir, hein? Fais gaffe à pas trop boire quand même.

Il regarde longuement son verre de Schweppes. Puis il sourit de nouveau.

– Ouais, tu devrais faire gaffe. Je deviens un peu fou quand je bois.

Je pouffe de rire. *Je pouffe de rire!*

– Qu'est-ce que tu bois quand t'enchaînes pas les «cul sec» de Schweppes?

– Du lait, de l'eau. Un Coca, parfois.

– Pas de bière, de Jack Daniel's? De tequila? dis-je en fronçant les sourcils.

Il secoue la tête en prenant la paille dans sa bouche, un air sérieux efface son sourire.

– Plus maintenant.

Son regard rencontre le mien et ne le quitte pas :

– J'aime être pleinement conscient de tout ce qui se passe.

Pleinement conscient. Vraiment, Trent? Tu veux savoir si mon string est trempé en ce moment même? Je me lèche les lèvres sans même y penser, attirant son attention sur ma bouche. Une bouffée de chaleur parcourt mon corps, remontant le long de mon cou, de mon dos et de mes cuisses.

– Je… euh…

Heureusement, il rompt le malaise.

– Alors, qu'est-ce qui t'amène à Miami?

– Besoin de voir autre chose, dis-je simplement.

Je prie pour qu'il ne me pose pas trop de questions, car je serais capable de tout lui dire. Je ferais tout pour qu'il continue à me parler. Mais heureusement, il s'arrête là.

– T'as changé d'avis, mon cœur? dit une voix traînante derrière moi, interrompant notre conversation.

Je me tourne et vois une fausse rousse s'approcher de nous. Elle est juste assez grande pour pouvoir poser sa poitrine voluptueuse sur la table devant Trent. Je regarde une griffe rouge parcourir l'avant-bras musclé de Trent. Ce doit être la fameuse China.

Une partie de moi a envie de faire un demi-tour pour lui mettre mon talon dans la tronche. En kick-boxing, on appelle ça un balayage retourné. Ici, ça s'appelle «comment se faire virer en trois minutes parce qu'on est jalouse». Je ne crois pas que Cain lèverait le pouce pour me féliciter si je défigurais une de ses danseuses.

Cependant, je suis curieuse de voir comment Trent va gérer cette drague. Après le défilé auquel il a eu droit le premier soir où il est venu, les choses se sont pas mal calmées. Je me demande si c'est parce que, comme Pepper, toutes les danseuses pensent qu'il attend que Ben change de bord.

À ma grande (et heureuse) surprise, Trent retire son bras et bouge un peu afin d'être tourné vers moi.

– Non merci, ça va très bien.

Faisant la moue, elle ronronne :

– T'es sûr? Tu vas le regretter. Je suis plutôt divertissante.

Ses yeux sont rivés sur mon visage et il ne fait rien pour masquer le désir qu'ils communiquent.

– Pas autant que je regretterais d'avoir quitté cette charmante personne. Je crois qu'elle pourrait me divertir pendant toute une vie.

Mon cœur cesse de battre et mes poumons de fonctionner. Je n'ai pas toujours été sûre de plaire à Trent. Mais ce regard, ces paroles ont balayé toute incertitude. Je ne vois pas la grimace de China qui envisage probablement de me scalper vivante. Je ne la vois pas partir. Je ne vois plus rien autour de moi. Trent et moi sommes soudainement seuls dans le bar, et cette pulsion qui a pris le contrôle de moi le jour où il m'a sauvée du serpent m'envahit de nouveau.

Je ferme les poings et les maintiens plaqués contre moi. Ici, je dois me contrôler. Je n'ai pas le choix. Je ne peux pas me jeter sur lui comme une nympho bourrée d'hormones, ce qui est précisément ce que je suis. Je me racle la gorge, essayant de me la jouer cool.

– T'es sûr ? Parce que les seules choses que tu vas obtenir de moi, ce sont des sodas.

– Ça me va parfaitement. Pour l'instant, murmure-t-il.

Il se mord la lèvre inférieure, et la température de la pièce augmente de vingt degrés. Penny's s'est transformé en un putain de sauna, et mon cerveau ne se rappelle même pas comment me faire tenir debout.

Je parviens cependant à ne pas tomber et je fixe Trent tandis qu'une voix rugueuse annonce : « Messieurs… » La prochaine danseuse est sur le point d'entrer en scène. J'ai appris à faire abstraction de cette voix, et je n'ai aucun mal à le faire alors que je me perds dans le regard de Trent.

Jusqu'à ce que j'entende :

« … Un spectacle spécial pour ce soir… Voici… Storm ! »

Non, putain, tu déconnes !

Je me retourne vers le bar derrière lequel Ginger et Pénélope s'occupent des clients. L'attention de la salle tout entière est fixée sur la scène, désormais baignée d'une lumière verte mystérieuse, comme si tous se préparaient pour un événement qui changerait leur vie et non pour une énième fille à poil. *Mon amie à poil.*

Quelle horreur. Ça va être horriblement gênant. Elle ne m'a même pas prévenue.

Je me rends compte que je suis en train de reculer au moment où je me cogne contre la cuisse de Trent, assis les jambes écartées.

– T'es pas obligée de regarder, tu sais, murmure-t-il dans mon oreille.

Le rythme lent de la musique emplit le club, et un des projecteurs illumine le dessus de la scène, révélant un corps de femme très peu habillé, assis dans un anneau argenté suspendu au-dessus de la scène. Je n'arrive plus à détourner la tête, que j'en aie envie ou non.

C'est Storm, dans un bikini à paillettes qui ne laisse aucune place à l'imagination, flottant dans les airs. Lorsque la musique accélère, elle se penche en arrière, chaque muscle de son corps tendu alors qu'elle se balance, maintenue par un seul bras. L'air de rien, elle replie ses jambes par-dessus l'anneau, passant son corps dedans, atterrissant dans une nouvelle pose impressionnante. Le rythme accélère de nouveau et elle tend les jambes hors du cerceau, prenant de la vitesse jusqu'à ce que le tout se balance comme un pendule. Soudain, elle n'est tenue que par ses bras, elle va toujours plus vite, ses cheveux volent dans les airs, son corps se contorsionne dans des positions toujours plus difficiles et plus gracieuses. Elle est comme une de ces acrobates du Cirque du Soleil : elle est magnifique et sereine alors qu'elle fait des choses que je croyais humainement impossibles.

– Waouh, je murmure, captivée.

Storm est une acrobate.

Le minuscule bout de tissu qui recouvrait ses seins s'envole.

Storm est une acrobate strip-teaseuse.

Quelque chose effleure mes doigts et je vacille. Je baisse la tête et vois la main de Trent qui repose sur son genou. Ses doigts sont à quelques millimètres des miens. Si près. Trop près. Mais je n'éloigne pas ma main pour autant. Quelque chose en moi me pousse en avant. Je me demande s'il y a la moindre chance que… *et si*… Prenant une profonde inspiration, je lève les yeux vers lui et vois un océan de calme et de possibilités. Pour la première fois en quatre ans, l'idée qu'une main recouvre la mienne ne me projette pas dans un puits sans fond.

Je me rends compte que je veux que Trent me touche.

Cependant, il ne bouge pas. Il me fixe du regard, mais il ne bouge pas. Comme s'il savait que j'étais sur le point de franchir un pont que je n'avais jamais réussi à traverser. Comment peut-il le savoir? Storm a dû le lui dire. Sans quitter des yeux son regard bleu magnifique, j'oblige ma main à parcourir la distance jusqu'à la sienne. Mes doigts tremblent, et cette voix me hurle de m'arrêter. Elle crie que c'est une erreur, que les vagues sont prêtes à s'abattre sur moi et à m'engloutir.

Mais je parviens à faire taire cette voix.

Lentement, légèrement, le bout de mon doigt effleure son index.

Il ne bouge toujours pas sa main. Il reste paralysé, comme s'il attendait que je fasse le mouvement suivant.

Je déglutis avec difficulté tandis que je laisse ma main survoler la sienne. Je l'entends prendre une profonde inspiration et sa mâchoire se serre. Ses yeux sont plongés dans les miens et son regard est indescriptible. Enfin, sa main bouge et recouvre la mienne, ses doigts se glissent doucement entre les miens. Sans forcer, tout doucement.

Le public se manifeste bruyamment, mais je l'entends à peine car mes oreilles bourdonnent déjà. *Un… Deux… Trois…*

Je commence à prendre ces dix petites inspirations.

Je ne parviens pas à contenir l'euphorie qui m'envahit.

Le contact de la main de Trent est plein de vie.

Je suis certaine d'entendre un bruit de verre brisé quelque part, mais je suis trop ébahie pour enregistrer quoi que ce soit.

– Est-ce que ça va? murmure-t-il, les sourcils froncés.

Avant que j'aie pu analyser sa question, la main de Trent m'est arrachée alors que d'autres mains, géantes, atterrissent sur ses épaules, arrachant en même temps la chaleur et la vie qu'elle véhiculait.

– Il faut partir maintenant, monsieur. Il ne faut pas toucher les dames, mugit la voix de Nate.

Mes yeux regardent enfin à mes pieds, où un garçon balaie les débris du verre de Trent. Je suppose que j'ai dû le lâcher.

– Est-ce que ça va ? redemande Trent, comme s'il savait que le fait de toucher ma main pouvait être un problème.

Comme si c'était une peur normale. Comme si je n'étais pas complètement folle.

J'ai beau essayer, je ne parviens pas à ouvrir la bouche ni à faire bouger ma langue. Soudain, je suis comme une statue. Pétrifiée.

– Kacey !

Nate tire Trent vers la porte et je le regarde simplement partir, son regard intense et implorant planté en moi jusqu'à ce qu'il disparaisse.

Tout semble vaciller tandis que je retourne au bar, la tête dans un nuage. Les murs, les gens, les danseuses, mes jambes. Je marmonne des excuses auprès de Ginger pour avoir pris plus de quinze minutes de pause. D'un geste de la main, elle indique que ce n'est rien et sert un verre à quelqu'un. Engourdie, je me retourne et remarque qu'une Amérindienne aux courbes généreuses a pris place sur scène et fait une sorte de danse de la pluie, vêtue de quelques plumes. Pas de trace de Storm.

La Terre continue de tourner, ignorant complètement le changement énorme qui a eu lieu dans mon propre petit univers.

QUATRIÈME ÉTAPE

ACCEPTER

CHAPITRE 7

— Alors, t'en as pensé quoi ? dit Storm, rompant le silence tandis que nous rentrons chez nous en voiture.

Je la fixe, ne comprenant pas sa question. Je ne pense à rien d'autre qu'à Trent et à la sensation de sa main sur la mienne, alors que j'étais plantée à côté de lui comme une idiote, incapable de dire quoi que ce soit. Je suis tellement préoccupée par Trent et par ce moment crucial que je viens de vivre que, pour une fois, je ne me sens pas claustrophobe dans la Jeep. Il m'a tenu la main. Trent m'a tenu la main et je ne me suis pas noyée.

Je constate que les mains de Storm agrippent le volant et qu'elle regarde partout, sauf dans ma direction. Elle est nerveuse.

— J'ai pensé quoi de quoi ? je demande lentement.

— Ben, mon spectacle ! T'as trouvé comment ?

Ah ! Mince, oui !

— Je ne comprends pas comment tes seins ne te font pas perdre l'équilibre.

Elle éclate de rire.

— J'ai mis longtemps à m'habituer, crois-moi.

— Sérieusement, c'était le truc le plus fou que j'aie jamais vu. Mais qu'est-ce que tu fais dans un club de strip-tease ? Tu pourrais faire partie du Cirque du Soleil ou un truc du genre !

– Je ne peux plus avoir ce style de vie, dit-elle, une pointe de tristesse dans la voix. Il faut s'entraîner toute la journée et enchaîner les spectacles le soir. Je ne peux pas faire ça avec Mia.

– Pourquoi c'est la première fois que je te vois sur scène?

– Je ne peux pas le faire tous les soirs. J'ai déjà assez de mal à rester éveillée et à faire un peu d'exercice dans la journée.

Ah? Storm fait du sport? Je n'en avais aucune idée.

– Pourquoi tu me l'as pas dit?

Elle hausse les épaules.

– On a toutes nos secrets.

Je regarde par la vitre.

– En tout cas, c'est un moyen spectaculaire de révéler son secret.

Elle rigole, hochant la tête. Puis elle marque une pause.

– Comment s'est passée ta petite conversation avec Trent?

– Oh, ça m'a changé la vie.

Je sens encore la chaleur de ses doigts sur les miens, et je n'arrive pas à oublier le ton suppliant de sa voix. Je me sens tellement honteuse. J'aurais dû lui répondre. Au lieu de ça, j'ai laissé Nate le mettre dehors comme s'il avait été un de ces clients bourrés.

Je me déteste tellement.

Quelques minutes s'écoulent sans que l'on parle. Puis Storm rompt le silence avec une attaque frontale.

– Kace, qu'est-ce qui t'est arrivé?

Ma mâchoire se crispe instantanément car je ne m'y attendais absolument pas. Mais Storm continue:

– Je ne te connais toujours pas. En revanche, tu sais tout sur moi. Je t'ai tout dit. J'espérais que tu me ferais confiance en retour.

– Tu veux que je fasse un strip-tease, suspendue à un cerceau moi aussi? dis-je pour détendre l'atmosphère.

– J'ai demandé à Livie et elle n'a pas voulu me le dire. Elle a dit qu'il fallait que ça vienne de toi.

Elle dit cela d'une voix basse et légère, comme si elle savait qu'elle n'aurait pas dû demander à Livie.

– Livie sait très bien qu'il vaut mieux ne pas révéler mes secrets… ni rien d'autre.

– Il va falloir que tu te décides à parler à quelqu'un, Kacey. C'est le seul moyen d'aller mieux.

– Mais je ne peux pas aller mieux, Storm. Je suis au maximum de ce que je peux faire.

On ne revient pas des morts. Je fais de mon mieux pour que ma voix ne soit pas trop froide, mais j'ai du mal à m'en empêcher.

– Je suis ton amie, Kacey. Que tu le veuilles ou non. Je ne te connais que depuis quelques semaines, mais je te fais confiance. J'ai confié ma fille à ta petite sœur, je t'ai invitée chez moi et je t'ai trouvé un travail. Sans parler du fait que t'as plié mes sous-vêtements et que tu m'as vue à poil.

– Et tout ça sans t'avoir donné mon numéro ! Les mecs de la salle de sport seraient super fiers de moi.

On se gare dans le parking de notre immeuble et j'ouvre la porte d'une main tremblante, me sentant soudain mal à l'aise dans ce qui est devenu un confessionnal.

– Ce que j'essaie de dire, c'est que je ne suis pas bête. Je ne fais pas ça avec tout le monde. Mais t'as quelque chose de spécial. Je l'ai vu dès le premier jour. C'est comme si tu luttais pour ne pas montrer qui tu es vraiment. Chaque fois que tu te livres un peu, tu te renfermes immédiatement.

Sa voix est douce et, pourtant, je transpire de panique.

Qui je suis vraiment… Mais je ne sais pas qui je suis ! Tout ce que je sais, c'est que depuis que nous sommes arrivées à Miami, les défenses que j'ai construites ont été assaillies de tous côtés. Même Mia, et son trou entre les dents, a réussi à se faufiler dans les fissures de mon armure. J'ai beau me dire que je suis insensible, je sens que lorsque je ris, mon cœur bat un peu plus vite et mes épaules sont un peu moins voûtées.

– Tu n'es pas obligée de tout me dire, Kace. Pas d'un coup. Tu pourrais peut-être me dire une chose par jour?

Je me frotte le front en cherchant un moyen de m'en sortir. Après la dernière fois que je l'ai envoyée promener, je pensais qu'elle aurait lâché l'affaire. En fait, elle attendait le moment propice. Et si je m'enfuyais à nouveau de la voiture? Peut-être est-ce un tournant dans notre amitié. Peut-être qu'elle lâcherait vraiment l'affaire si je refaisais un truc pareil. Mais j'ai comme l'impression que ça me gênerait. Et que ça gênerait Livie. Ça la détruirait, et je ne peux pas lui faire ça. J'entends la voix de Livie dans ma tête. *Essaie.* Je sais que je dois essayer. Pour Livie.

– Il y a quatre ans, mes parents, mon copain et ma meilleure amie sont morts dans un accident de voiture causé par un chauffard ivre.

Il y a un long silence. Je n'ai même pas besoin de la regarder pour savoir que Storm pleure. Mais je suis habituée à cette réaction. Ça fait longtemps que cela ne m'affecte plus.

– Je suis vraiment désolée, Kacey.

Je hoche la tête. Tout le monde s'excuse toujours et je ne sais pas pourquoi. Ce n'étaient pas eux les connards dans l'autre voiture.

– Est-ce que tu t'en souviens?

– Non.

Je mens, car Storm n'a pas besoin de savoir que je me souviens de chaque seconde enfermée dans cette voiture. Elle n'a pas besoin que je lui raconte comment j'ai entendu le râle qui était le dernier souffle de ma mère, un son qui me hante chaque nuit. Elle n'a pas non plus besoin de savoir que le corps brisé de Jenny s'était encastré dans la paroi de la voiture, ni que ma main tenait celle de mon copain et que j'ai senti la chaleur quitter son corps peu à peu. Que j'ai dû rester dans cette voiture, paralysée, entourée des corps de ceux que j'aimais, les secours mettant des heures à me faire sortir. Je n'aurais pas dû survivre.

Je ne sais pas qui m'a laissée survivre.

La voix de Storm me tire de mes pensées.

– C'est toi qui conduisais ?

Je tourne la tête et la dévisage.

– Tu crois que je serais assise ici si j'avais été au volant ?

Elle grimace.

– Pardon. Qu'est-il arrivé au conducteur ivre ?

Je hausse les épaules, regardant fixement devant moi.

– Il est mort. Il avait deux amis dans sa voiture. L'un est mort, l'autre s'en est sorti. Ce mec est quelque part, vivant sa vie, tranquillement, dis-je d'une voix pleine d'amertume.

– Tu l'as déjà rencontré ?

– Jamais.

En vérité, j'ai tout fait pour ne rien savoir de lui. Ni des deux autres. Je voulais qu'ils n'existent pas. Hélas, j'ai vu leurs noms sur les papiers d'assurance qu'on m'a fait signer. Ces noms les ont rendus bien réels et sont gravés dans ma mémoire pour que je ne puisse jamais les oublier. Ces trois personnes étaient bien réelles. Des personnes réelles qui ont assassiné ma famille.

– Mon Dieu, Kacey, dit-elle en reniflant. T'as suivi une thérapie ?

– Attends, c'est un interrogatoire ou quoi ? dis-je sèchement.

– Je... Je suis désolée.

La voiture est emplie des sanglots de Storm. Elle essaie de les retenir, d'être forte. Je l'entends à sa façon de respirer.

Ma colère se transforme en culpabilité, et je me mords la lèvre. Fort. Je sens le goût du sang dans ma bouche. Storm a été adorable avec moi et je ne fais qu'être une garce avec elle.

– Je suis désolée, Storm, je parviens à dire.

J'ai beau le penser, j'ai quand même du mal à l'exprimer.

Elle est sur le point de me prendre la main puis, se souvenant de mon problème, elle la pose sur mon bras.

Ce petit geste suffit à faire fondre mes défenses et, soudain, je lui raconte tout.

– J'ai été à l'hôpital puis en rééducation pendant presque un an. Des tas de médecins sont venus me voir. Après ça, pas grand-chose. Apparemment, il me suffirait de prendre des médocs qui feront de moi un zombie, et tous mes problèmes disparaîtront. Lorsque je suis sortie de l'hôpital, ma tante a insisté pour que je parle à un des conseillers de son Église. Ils ont suggéré de me mettre dans un programme de réhabilitation parce que je suis une jeune femme brisée, pleine de rage et de rancœur, qui pourrait être amenée à se blesser et à blesser les autres si elle est lâchée dans la nature. Cette dernière phrase est, presque mot pour mot, ce qu'ils ont dit. La réponse de ma tante a été de laisser une Bible sur ma table de nuit. Selon elle, lire la Bible est la réponse à tout.

– Elle est où, ta tante, maintenant?

– Dans le Michigan, avec son mari dégoûtant qui a essayé de violer Livie. C'est ça que tu voulais entendre, Storm? Que ta voisine est un cas social?

Elle se tourne vers moi, essuyant ses larmes avec la paume de sa main.

– T'es pas un cas social, Kacey. T'as besoin d'aide. Merci de m'avoir parlé. Je suis touchée. Un jour, ça deviendra moins dur. Un jour, ta colère ne te définira plus. Tu seras libre. Tu pourras pardonner.

Je remarque vaguement que je hoche la tête. Je ne la crois pas. Pas du tout.

Ça fait un moment que l'air dans la Jeep est devenu irrespirable. Je me suis plus ouverte à Storm qu'avec quiconque, et ça m'a épuisée.

– Qui l'aurait cru ? Storm, acrobate strip-teaseuse dans la soirée et thérapeute… la nuit.

Storm ricane.

– Je préfère simplement « acrobate ». C'est juste que parfois mes vêtements tombent, sans raison. (Elle me pousse du coude.) Allez viens, assez parlé pour ce soir.

J'ai survécu à la conversation avec Storm, et mes pensées se tournent désormais vers Trent avec un sentiment nouveau, un besoin de sentir cette vie qui est plus forte que tout. Je ne lui ai pas répondu. J'aurais dû lui répondre. J'ai besoin de lui dire que je vais très bien. Qu'il se peut que j'aie besoin de lui.

Nous sommes accueillies dans les parties communes par un bruit lointain de rires. Certains des étudiants de l'immeuble font encore la fête. Je me demande comment c'est de traîner avec ses amis, de boire avec eux, d'avoir une vie normale.

J'aperçois une silhouette derrière le rideau de l'appartement 1D.

Je trébuche tandis que mon rythme cardiaque s'accélère. Puis, sans réfléchir, je vais jusqu'à sa porte et me plante devant.

J'entends Storm dire « À demain » tandis qu'elle continue vers chez elle, et je sais qu'elle sourit.

Je prends une profonde inspiration, m'armant d'autant de courage que possible. Je lève la main pour frapper, mais la porte s'ouvre avant que j'aie pu le faire. Trent se tient dans l'encadrement, torse nu, le visage sans expression, et ma bouche est soudainement très sèche. Je suis sûre qu'il va m'envoyer chier. Je suis prête à l'entendre. Mais je suis terrorisée à l'idée qu'il le fasse.

Cependant, ce n'est pas le cas. Il ne dit rien. Je réalise qu'il m'attendait. Je n'ai qu'un mot à dire : *Oui*. Tout ça pourrait régler tous mes problèmes. *Oui, Trent. Oui, ça va.* J'ouvre la bouche pour parler, mais rien n'en sort. Je ne trouve pas le moindre mot capable d'expliquer l'importance de cette situation.

Difficilement, je fais un pas en avant. Il ne recule pas. Il me regarde, me narguant avec son torse sculpté et son pantalon bas sur les hanches. Il est canon, comme toujours. Je pourrais m'enfermer pendant des jours avec ce corps. Et j'espère que ça va arriver.

Mais ce n'est pas ce dont j'ai besoin dans l'immédiat.

Je tends la main, les muscles de mon ventre sont contractés, je suis terrorisée à l'idée que ce que j'ai ressenti tout à l'heure pourrait être temporaire, que je l'ai peut-être perdu de nouveau. Cette peur disparaît lorsque mes doigts effleurent les siens et qu'une vague de chaleur m'envahit.

Sa chaleur. Sa vie.

Je ferme les yeux et glisse ma main dans la sienne, mes doigts passent entre les siens, je m'agrippe à sa main. Mes lèvres s'entrouvrent et un minuscule cri m'échappe lorsqu'il resserre sa main autour de la mienne. Il ne tente rien, ne dit rien. On reste dans cette position, debout dans l'entrée, nos mains entrelacées, pendant ce qui semble être une éternité.

– Oui, je murmure finalement, à bout de souffle.

– Oui ?

Je crois que je hoche la tête. Ce que je ressens est tellement énorme que le reste n'a pas d'importance. Je le laisse me tirer à l'intérieur. J'entends la porte se fermer derrière moi et il m'entraîne dans son appartement en pressant sa main contre mes reins. Il me guide le long du couloir, jusqu'à son lit où ses draps sont frais et sentent l'adoucissant. Je ne le vois pas, mais je sens son corps se glisser dans le lit contre mon dos, plaqué contre moi des orteils aux épaules, sans jamais lâcher ma main. Pas une seule fois. Je me niche contre lui, me délectant de sa chaleur.

Dans ce bout de paradis, je m'endors.

* * *

Un sifflement…
Des lumières vives…
Du sang…
Je halète.

Un souffle lent et régulier m'aide à réguler mon propre rythme cardiaque tandis que j'émerge de mon cauchemar. Je suppose tout d'abord qu'il s'agit de Livie. Puis, je sens ma main entrelacée dans une autre main, plus large, chaude. Ce n'est pas celle de Livie.

Je tourne la tête et vois la forme parfaite de Trent : les creux de son torse, son visage détendu et enfantin. Je pourrais rester à le regarder toute ma vie. Je ne veux plus jamais le lâcher. Plus jamais.

C'est pour ça que je le dois.

Je retire doucement ma main et quitte le confort de son lit, fermant silencieusement la porte derrière moi en quittant son appartement.

* * *

Livie m'attend dans la cuisine. Elle prépare le petit déjeuner avant d'aller à l'école, et son regard est anxieux.

– T'as passé la nuit chez Trent ?

Son ton est à la fois accusateur et étonné.

– Il ne s'est rien passé, Livie.

– Rien ? demande-t-elle en me dévisageant.

Il y a une chose que Livie fait très bien : dévisager les gens lorsqu'ils ont menti.

– Je lui ai tenu la main, je finis par chuchoter.

Aux yeux de quelqu'un qui ne nous connaît pas, on aurait l'air de gamines de neuf ans. Mais pour Livie, qui comprend la signification de ce que je lui dis, c'est énorme.

Elle reste sans voix quelques instants. Elle bafouille.

– Est-ce que… ça veut dire qu'il pourrait y avoir plus ? demande-t-elle finalement.

Je hausse les épaules, mais je rougis, trahissant mon excitation.

– Tu rougis !

Je ramasse un Chocapic et lui jette dessus.

Elle l'évite et me retourne un sourire.

– Je crois que le moment est venu. Trent va peut-être me ramener ma Kacey.

Je me demande si elle a raison. Mais je viens de partir de chez lui sans rien dire. Il ne va peut-être pas apprécier. Même si ça m'angoisse un peu, je choisis de l'ignorer. Je n'avais pas le choix. Si j'étais restée, je sais exactement ce qui serait en train de se passer, et ce ne serait pas sérieux. J'ai besoin de temps pour accepter cette nouvelle réalité. L'excitation de Livie est contagieuse. Pendant trois ans, ma petite sœur m'a suppliée de dire adieu à Billy et de tourner la page. Cependant, le problème n'était pas de tourner la page et d'oublier ce que je ressentais pour Billy. Bien sûr, je tenais à lui. Était-il l'homme de ma vie ? Je ne le saurai jamais. À seize ans, tous les mecs étaient l'homme de ma vie.

Non. Mon problème, c'était qu'à cause de ces derniers moments avec Billy, l'idée que les doigts de quelqu'un serrent les miens me terrifiait. Tellement que mon cœur s'arrêtait de battre, que mon estomac se retournait, que j'y voyais flou, que mes muscles se contractaient et que je me retrouvais en nage, tout ça en l'espace d'une seconde, rien qu'à cette idée.

Jusqu'à maintenant.

Tout est différent. Comme si tout était… normal.

CHAPITRE 8

— T'es magnifique ! lance Mia d'une voix traînante, imitant sa mère, ce qui nous fait éclater de rire.

Storm nous prépare un veau au parmesan pendant que je leur montre mes achats. J'ai déjà porté tout ce que contient le placard de Storm et il était temps que je fasse ma propre garde-robe, alors Storm et moi avons passé l'après-midi au centre commercial pour acheter de nouvelles tenues. J'ai laissé à Storm le dernier mot car je n'ai pas la moindre idée du code vestimentaire idéal pour un club de strip-tease, même si j'y travaille depuis plusieurs semaines. Et, de toute façon, ça m'a permis de ne pas trop penser à Trent.

— Je crois que je vais mettre ça ce soir, dis-je, arborant une tunique vert émeraude qui tombe sur une épaule, avec des talons beiges.

— Un très bon choix ! Tu peux mettre la table, Kace ? demande Storm tandis qu'elle se baisse pour surveiller le four.

— Tu penses pas qu'un jour il va falloir que tu me laisses cuisiner ?

Cela fait plusieurs semaines que nous mangeons chez Storm tous les soirs.

— J'aime faire à manger.

— Peut-être que moi aussi j'aime faire à manger, je réponds en posant les assiettes sur la table, immédiatement décrédibilisée par le rire de Livie.

— Il te manque une assiette, dit Storm en jetant un œil à la table.

— Euh, non. Quatre convives, quatre assiettes.

— Il nous en faut cinq, dit-elle en évitant soigneusement de croiser mon regard.

— Storm ?

— Quelqu'un frappe à la porte.

Storm ?

Mia se lève pour courir à la porte et l'ouvre en faisant une petite révérence.

Je m'efforce de penser à respirer au moment où Trent entre, mais je ne parviens pas à ne pas le dévisager. Il porte un jean bleu foncé et une chemise blanche sur son jean. Je réussis à le quitter des yeux assez longtemps pour jeter un regard noir à Storm afin qu'elle sache qu'elle me le paiera plus tard, puis je dirige de nouveau mon attention sur lui. J'éprouve tout à coup un mélange d'angoisse, d'excitation et de culpabilité, mais je ne sais pas pourquoi. Trent et moi nous sommes tenu la main tandis que mon amie, presque à poil, dansait au-dessus de nous. Trent m'a secourue dans le fameux incident du serpent, puis je lui ai sauté dessus. J'ai également passé la nuit avec lui, dans son lit. Souper avec lui, ma sœur et mes voisines ne mérite pas que j'aie des papillons dans le ventre. Cependant, me voici sur le point de m'évanouir.

Mia fait de nouveau une révérence.

— Je vous souhaite la bienvenue, mon bon monsieur. Princesse Mia vous attendait.

Même Mia était au courant ! Petite crapule !

Trent présente à Mia le bouquet de roses qu'il cachait derrière son dos. Il s'agenouille pour le lui donner. Un soupir collectif émis par les femmes de la pièce, moi y compris, se fait entendre.

– Merci pour votre invitation, Princesse.

Mia tient fermement le bouquet qui vient de lui être offert et fixe Trent d'un regard plein d'étoiles, qui dure une éternité. Ses joues rougissent peu à peu, et je comprends que c'est à ce moment-là qu'elle tombe amoureuse. Ce grand inconnu est désormais son prince charmant.

Mia se tourne enfin vers sa mère et s'écrie :

– Maman ! Maman ! Regarde ce que le monsieur m'a donné !

Trent me fait un clin d'œil et ferme la porte, se rapprochant de moi.

– T'as disparu ce matin, murmure-t-il.

C'est terriblement gênant. Merci, Storm.

– Je… Je sais… Je suis…

Je suis sur le point de dire que je suis désolée, mais un nouveau clin d'œil m'interrompt.

– T'en fais pas. Je me suis dit que ça faisait beaucoup de choses à digérer en peu de temps.

Mes jambes se transforment en guimauve tandis que son doigt crochète un des miens.

Je crois bien que je vais tomber amoureuse moi aussi.

Trent inspecte ma tenue et je vois un désir torride surgir dans son regard. Le même désir se lit probablement dans mon regard chaque fois que je le pose sur lui.

– T'es… jolie.

Nous sommes toujours plantés là, à nous regarder bêtement, lorsque Livie se racle la gorge.

– C'est prêt !

Le minuscule appartement de Storm est empli d'éclats de voix et de rires tandis que nous dévorons son repas. Je ne sais comment, mais le fiasco du serpent revient sur la table et je deviens la cible de toutes les blagues. Même Mia s'y met, se levant de table pour me mordiller l'épaule comme un monstre. Et, tout au long du repas, lorsque je regarde en direction de Trent, je découvre que ses yeux sont déjà sur moi.

À la fin du souper, lorsque nous nous disons au revoir pour aller travailler, je suis envahie par un désir pour Trent que je n'ai plus la moindre envie de cacher.

* * *

— C'est qui Penny ? C'est apparemment quelqu'un d'important, dis-je lorsqu'on arrive au club, montrant du doigt l'enseigne lumineuse.

Storm tapote le volant et son sourire s'efface.

— Penny était une fille géniale qui a rencontré un mec horrible. Il y a cinq ans, Cain tenait un club de l'autre côté de la ville. Comparé à ici, c'était vraiment miteux. Penny était son attraction phare. On m'a dit que certains venaient la voir de toute la Floride, et même de l'Alabama. Un jour, elle a rencontré un type et c'est vite devenu sérieux. Lorsqu'il l'a demandée en mariage, tout le monde était ravi pour elle. Il venait la voir danser parfois ; il lui faisait des bisous et des câlins toute la nuit. Bien sûr, il disait qu'une fois qu'ils seraient mariés, il faudrait qu'elle démissionne, ce qui convenait parfaitement à Penny.

Une nuit, tout a basculé, mais personne ne sait pourquoi exactement. Le mec s'est mis à la traîner par la gorge en direction d'une salle à l'arrière, alors que deux minutes avant il avait tranquillement son bras autour d'elle. Nate n'est pas arrivé à temps. Il l'a trouvée par terre avec le crâne fracturé.

Ma main se pose sur ma gorge.

— Je sais. C'est horrible. Après ça, Cain a fermé la boîte et la police a mené une enquête pour meurtre. Cain a ensuite acheté cet endroit et l'a nommé ainsi en son honneur. (Nous sortons de la voiture et nous dirigeons vers l'entrée des loges.) C'est pour ça que les videurs ne plaisantent pas au sujet des clients qui touchent les filles. Même si le type est ton mari. S'il te touche, il sort. S'il recommence, il est radié à vie.

– Aah…

Je repense à hier soir, lorsque Nate a mis Trent dehors parce qu'il me tenait la main. Je pensais que Nate faisait le macho, mais maintenant que je connais cette histoire, j'ai envie de le prendre dans mes bras. Ou de prendre *un* de ses bras, car il me faudrait une échelle et des bras extensibles pour lui faire un vrai câlin.

Avant de frapper à la porte, Storm se tourne vers moi et me sourit, comme si elle avait lu dans mes pensées.

– Ce sont des mecs vraiment bien, Kacey. Je sais que c'est dur à croire, mais c'est vrai. Cain a été incroyable avec moi. Il me laisse servir au bar et, de temps en temps, il prépare la scène pour mon petit spectacle. Rien de plus. Je ne fais ni danse contact ni danse privée. Les videurs récoltent les pourboires de mon spectacle pour que je n'aie pas à me mettre à quatre pattes pour le faire. Ils prennent soin de toi ici, tu verras.

* * *

Lorsque Trent débarque à 23 h 30 et s'assied au bar, mes capacités cérébrales s'évanouissent. Je pensais qu'après avoir dormi avec lui hier soir et mangé avec lui ce soir, je serais plus détendue en sa présence. J'avais tort. Je crois même que c'est pire. *Un… Deux… Trois… Argh!* Comme toujours, les conseils de ma mère ne me servent à rien.

J'avance vers lui, m'efforçant de calmer mon cœur, tout en admirant ses traits fins. Il est vraiment magnifique. Il pourrait être en couverture d'un magazine. Et cette bouche… Je me mords la lèvre, essayant de ne pas perdre mes moyens.

– Un triple whisky avec des glaçons?

Il me sourit et ses fossettes se creusent.

– Remplace le whisky par du soda et ce sera parfait.

Je ne peux m'empêcher de sourire en préparant son verre. Nos doigts se touchent lorsque je le lui donne. Ça ne dure qu'un millième de seconde, mais je jette un œil quand même en direction de Nate. Il regarde ailleurs. *Ouf.*

– T'en fais pas, je connais les règles dans ce genre d'endroit.

– Ah? T'es un habitué alors, dis-je sèchement.

Il secoue la tête, un sourire moqueur sur le visage.

– C'est un protocole standard. Certains endroits sont plus stricts que d'autres, mais globalement ils sont tous pareils. Je n'ai aucune envie de me faire mettre dehors de nouveau. Une fois m'a suffi.

Je me sens coupable car c'est de ma faute s'il a été mis dehors. Mais le clin d'œil de Trent fait disparaître la tension. J'adorerais rester lui parler, mais j'ai beaucoup de clients à servir. Je suis obligée de le laisser, je hausse les épaules en signe de déception. Je passe les heures suivantes à servir les clients, tandis que ma peau picote sous le regard intense de Trent.

– C'est pénible qu'il y ait autant de monde, dit-il lorsque je reviens de son côté du bar.

– Ouais, certains d'entre nous doivent travailler pour vivre!

C'est là que je me rends compte que je n'ai pas la moindre idée de ce qu'il fait. En fait, je ne sais rien de lui.

– Et c'est quand ton prochain jour de congé? demande-t-il, l'air de rien, jouant avec un dessous de verre.

– Lundi.

Trent se lève et pose un billet de vingt sur le comptoir.

– Donc t'es libre lundi soir, disons vers 5 h?

Peut-être.

– Super, dit-il en souriant jusqu'aux oreilles.

Il me fait un dernier clin d'œil et tourne les talons. Je le regarde partir, frustrée.

Storm approche.

– C'était quoi tout ça ?

Je hausse les épaules, sentant encore le regard de Trent sur ma peau.

– Je ne suis pas sûre. Je crois qu'il vient de me proposer un rancard.

Une poussée d'adrénaline me parcourt tout le corps. J'espère que c'est bien ce qu'il me proposait, sinon je vais devenir folle.

Storm me serre affectueusement l'épaule et je ne grimace pas, je lui souris. Je souris également au mec qui attend que je le serve. Je souris même à Nate. Et, je ne peux pas en être sûre, mais je crois avoir vu le coin de sa bouche se soulever une seconde.

* * *

Lorsque j'ouvre les yeux le lundi matin, j'ai l'impression d'avoir été frappée par la foudre. Mais ce n'est pas à cause d'un énième cauchemar.

Car je n'en ai pas eu.

Or ça n'arrive jamais. En quatre ans, ce n'est *jamais* arrivé. Je ne sais pas quoi en penser, mais je me sens… libre.

C'est alors que je me souviens de mon rancard avec Trent ce soir-là. Et tout le reste est oublié.

* * *

– Tu t'es fait poser du vernis sur les ongles ? dit Livie en écarquillant les yeux, à peine a-t-elle passé la porte, laissant tomber son sac sur le canapé. (Je tends la main devant moi, admirant le vernis noir.) T'as fait ça où ?

Sa voix est légèrement plus aiguë que d'habitude car elle fait de son mieux pour avoir un ton normal.

Sauf que ça n'a rien de normal.

Aujourd'hui, j'ai laissé une inconnue toucher mes mains. Et ça ne m'a rien fait.

C'est comme si Trent avait rompu un mauvais sort.

— Dans un salon en bas de la rue. D'ailleurs, ils ont une promo le jeudi ; une manucure offerte pour une manucure achetée. On devrait y aller ensemble la prochaine fois.

— OK… Et c'est en quel honneur, tout ça ?

Livie marche nonchalamment vers l'armoire de cuisine et en sort un verre, mesurant ses pas comme une demoiselle d'honneur qui a peur de trébucher. J'ai envie de rire. Elle fait de son mieux pour ne pas exploser de joie.

— Oh, rien.

J'attends qu'elle soit en train de se verser de l'eau.

— Je sors avec Trent ce soir.

Sa tête se relève d'un coup et elle rate son verre, versant de l'eau sur le sol.

— Tu veux dire… un rancard ?

Je remets une mèche derrière mon oreille.

— Peut-être. Ouais… je suppose que tu peux dire…

Les yeux de Livie brillent d'enthousiasme.

— Vous allez où ?

Je hausse les épaules.

— Probablement à la plage. C'est pas ça que font les gens pour leur premier rendez-vous ?

J'en ai aucune idée. Cela fait tellement longtemps que je n'ai pas eu droit à une invitation…

Nous gardons le silence tandis que Livie réfléchit, essayant probablement d'appréhender cette nouvelle Kacey qui a des rancards et se fait faire des manucures. Qui ressent des choses.

— On ne sait pas grand-chose au sujet de Trent, si ?

Elle penche la tête sur le côté, curieuse :

– Il fait quoi comme boulot ?

Je hausse les épaules.

– Aucune idée.

Une ombre passe sur le beau visage de Livie, mais je la laisse méditer et attends qu'elle ait fini de se mordre la lèvre. Elle finit par s'écrier :

– Et si c'est un psychopathe qui met des chatons dans des micro-ondes ?

– Un psychopathe oui, mais un psychopathe beau gosse, je la corrige tandis qu'elle me jette un regard noir. Allez, Livie, ne sois pas ridicule. J'ai peur de ne pas t'avoir arrachée aux griffes de tante Darla assez vite.

– Peut-être que tu devrais attendre d'en savoir davantage avant de dire oui à un rendez-vous.

– J'ai pas dit oui, en fait.

– Quoi ? Mais alors…

Je lui coupe la parole.

– On ne sait rien l'un de l'autre. Mais, ce qui est encore plus important, c'est qu'il ne sait rien de moi. Et c'est ce qui me plaît. (Livie pince fort ses lèvres.) Livie, tu veux bien arrêter d'être l'adulte, pour une fois ?

– Il faut bien que quelqu'un le soit, non ?

Elle se baisse pour essuyer l'eau qu'elle a renversée.

– Je vais manger chez Storm ce soir. Est-ce qu'*au moins* tu peux l'appeler plus tard pour qu'on sache qu'il ne t'a pas mise, *toi*, dans un micro-ondes ? D'ailleurs, il va nous falloir des téléphones portables si t'as l'intention de sortir avec des mecs bizarres.

Je ris et hoche la tête.

Elle s'arrête et me regarde en souriant timidement.

– C'est agréable de te voir comme ça… de nouveau. Tu penses rentrer vers quelle heure ?

Je lui fais un clin d'œil.

— Kacey…, murmure-t-elle, jetant le torchon dans l'évier.

* * *

Lorsqu'il est enfin 17 h, ça fait trente minutes que je fais les cent pas dans le salon comme un lion en cage. Je compte jusqu'à dix à voix basse. Puis je recompte et compte encore. Des vagues d'excitation, de nervosité et de peur font faire des sauts périlleux à mon estomac, et je suis sûre que je vais finir par vomir mon dîner sur la moquette.

À 17 h pétantes, quelqu'un frappe doucement à la porte. J'ouvre et Trent est là. Il porte un jean bleu, une chemise blanche à carreaux rouges, des lunettes de soleil d'aviateur sur le nez. Il est appuyé nonchalamment dans l'encadrement de la porte. La seconde qui suit, je commence à transpirer.

— T'as une belle porte, tu sais, dit-il en enlevant ses lunettes de soleil.

Je mets un certain temps à lui répondre, déjà perdue dans ses magnifiques yeux bleus.

Il est d'humeur joueuse. J'aime ça.

— Merci. Elle est toute neuve. On a dû la remplacer parce qu'un taré l'a défoncée.

Je souris, fière d'avoir réussi à articuler autant de mots en sa présence.

Il rit et tend la main pour crocheter mon index avec le sien. Ce simple contact déclenche un courant électrique qui me parcourt de la tête aux pieds. Il me tire contre lui, de façon à me surplomber et que je doive pencher la tête pour le regarder.

— J'en ai entendu parler. Un terrible incident. Est-ce qu'ils ont fini par mettre la main sur le coupable ? murmure-t-il en souriant.

Je prends le temps de le respirer. Son parfum est un mélange d'océan et de cèdre. Et de désir.

– Aux dernières nouvelles, il avait été aperçu dans un de ces établissements pour adultes. Il a clairement de graves problèmes, ce type. Mais je crois qu'ils vont bientôt l'arrêter, dis-je à bout de souffle. Je crois même qu'ils vont l'arrêter ce soir.

Trent éclate de rire.

– Peut-être bien.

Il passe son bras autour de mes épaules et m'entraîne vers le parking.

– Cette couleur te va super bien, dit-il en regardant mon t-shirt vert émeraude. C'est fou comme ça fait ressortir la couleur de tes cheveux.

– Merci.

Je souris, me félicitant de l'avoir acheté aujourd'hui, car je sais que cette couleur va très bien avec mes cheveux auburn et ma peau claire. Les gens pensent souvent que je me teins les cheveux pour obtenir cette couleur riche et sombre, mais ce n'est pas le cas. Je suppose que c'est un des points sur lesquels je suis chanceuse. Trent me guide vers une Harley rouge et orange.

– T'es déjà montée sur une Harley ?

Il me tend un casque. *Donc Trent est un mec à motos.* Je l'inspecte, ne sachant pas quoi en penser. Il vient de passer de beau gosse à *bad boy*, et ça ne me déplaît pas.

Je secoue la tête, regardant la moto, hésitante.

– Il n'y a pas beaucoup de protection entre moi et trois tonnes de métal en mouvement…

Mais de quoi je parle ? Je ne suis pas plus en sécurité lorsque je suis *dans* trois tonnes de métal. Ça, je l'ai appris à mes dépens.

Son index lève doucement mon menton jusqu'à ce que mes yeux rencontrent les siens.

– T'es en sécurité avec moi, Kacey. Tiens-toi à moi. Fort.

Je le laisse me mettre le casque et l'attacher ; ses doigts habiles caressent ma peau et je frissonne. Un sourire timide apparaît brièvement sur ses lèvres.

— Ou peut-être que t'as trop peur ?

Maintenant, il me met au défi. Comme s'il savait que ça me ferait réagir. Et je ne peux pas m'empêcher de réagir. Moi, je suis comme ces débiles dans les films, qui appuient à fond sur la pédale, pensant pouvoir traverser un canyon de 50 mètres, tout ça parce que quelqu'un les a traités de poule mouillée. Mon père s'est beaucoup amusé de mon incapacité à refuser un défi.

— Je n'ai peur de rien !

Je monte derrière Trent et m'avance sur le siège jusqu'à ce que mes cuisses soient plaquées contre ses hanches. Une boule de chaleur explose entre mes jambes et je fais de mon mieux pour l'ignorer, passant mes bras autour de son torse.

— De rien du tout ? Tu n'es même pas un peu nerveuse ? dit-il en haussant un sourcil, me regardant par-dessus son épaule. Ça va, tu peux le dire. La plupart des filles ont peur de faire de la moto.

Un éclair de jalousie jaillit en moi à l'idée qu'il ait connu d'autres filles. Mais je l'écrase vite.

— Est-ce que j'ai l'air d'être comme la plupart des filles ?

Mes mains glissent sur son torse et parcourent ses muscles, puis mes doigts se faufilent sous sa chemise. J'en rajoute une couche en me serrant encore plus contre lui et en lui mordillant l'épaule.

Je sens Trent prendre une profonde inspiration, puis ses mains enlèvent les miennes pour les repasser sur sa chemise.

— C'est bon, tu as gagné. Mais ne fais pas ça pendant que je conduis, sinon on va finir dans un fossé.

Il me regarde de nouveau en se retournant, ajoutant d'une voix douce et sage :

– Je suis sérieux, Kacey. Je ne pourrais pas me concentrer.

À nouveau je sens le feu entre mes cuisses, mais je prends sa mise en garde au sérieux, entrelaçant simplement mes doigts sur son torse.

– On va où ?

Le rugissement de la moto de Trent est la seule réponse à laquelle j'ai droit, puis nous nous mettons en route.

Instinctivement, je me serre fort à lui pendant qu'on sillonne entre les voitures. Trent s'avère être un conducteur très prudent. Il laisse plein d'espace entre nous et les autres, et il respecte toutes les interdictions. Ça me plaît. Je me sens en sécurité avec lui, ce qui, en revanche, me terrorise. J'ai envie de me jeter sur le bas-côté, de courir jusqu'à chez moi et de me cacher sous la couette parce qu'il est simplement trop parfait. Mais je ne le peux pas, alors je me serre plus fort contre lui.

Je réalise que nous n'allons pas à la plage lorsque Trent emprunte l'autoroute vers le sud. Il m'emmène loin.

Cependant, d'une certaine façon, avec lui j'étais déjà loin.

* * *

– Tu sais que ma sœur pense que tu es du genre à mettre des chatons dans les micro-ondes ? dis-je tandis que Trent coupe le moteur. (Nous sommes dans un parking du parc national des Everglades.) Tu sais, comme le mec d'*American Psycho*.

Il fronce les sourcils.

– Vraiment ? Je pensais qu'elle m'aimait bien.

– C'est le cas, dis-je en m'assurant que ma voix est normale tandis que je descends de la moto et enlève mon casque. Mais ça ne veut pas dire que tu n'es pas taré.

– Quel âge elle a déjà ? demande-t-il en passant sa jambe par-dessus le siège.

– Quinze ans.

– Elle est intelligente…

Il sourit en coin en attrapant un petit sac dans un des compartiments de la moto.

– Viens avec moi. Je vais te perdre dans ces marécages sombres où personne ne t'entendra crier.

Il hoche la tête en direction de panneaux de randonnée, me jette un regard noir et me fait un énorme sourire. Les panneaux mettent en garde contre les dangers du parc. Je ne peux pas m'empêcher de penser qu'il devrait y avoir un panneau pour prévenir les idiotes comme moi qui suivent dans les marécages un mec qu'elles connaissent à peine.

Le soleil décline à l'horizon tandis que nous suivons un chemin pavé, bien entretenu et calme. On s'enfonce dans les marais et le silence se fait pesant. Je me demande ce que Trent a prévu.

– Qu'est-ce qu'on fait dans les Everglades ?

Il hausse les épaules.

– Je ne suis jamais venu, et toi ? (Je secoue la tête.) On vit à Miami, alors je me suis dit qu'il fallait absolument qu'on vienne.

– Ça me semble être une bonne raison, je marmonne tandis qu'on continue d'avancer sur le chemin bordé d'herbes hautes et d'ombres étranges à cette heure tardive.

C'est l'endroit parfait pour se débarrasser d'un corps.

– Est-ce qu'on va reproduire un épisode de *CSI : Miami* ?

Merci, Livie, de m'avoir foutu la trouille.

Trent s'arrête et se tourne vers moi ; il m'étudie, un sourire amusé aux lèvres.

– Sérieusement ? Tu es inquiète ?

Je hausse les épaules.

– Je suis sûre d'avoir déjà vu cet épisode. Un mec amène une fille dans une cabane des Everglades, il la torture pendant quelques jours, puis il jette le corps aux alligators pour qu'il n'y ait aucune preuve.

Il ouvre la bouche pour répondre, mais se ravise.

— Tu as de la chance, la torture ne durera que vingt-quatre heures. Je dois rendre un truc pour le boulot demain.

Je penche la tête sur le côté, inspectant ses mouvements.

— Allez, Kacey!

Il éclate de rire.

— Je n'ai jamais mis de chaton dans un micro-ondes et je ne le ferai jamais. De toute façon, je préfère les chiens aux chats.

Je croise les bras et fronce les sourcils.

— Tu sais que je me débrouille plutôt pas mal en combat?

Il rigole et je frissonne lorsque ses yeux brûlants parcourent mon corps.

— Oh, t'en fais pas. Je le sais. Tu pourrais probablement m'aplatir au sol en une seconde. (*Si seulement!*) Allez, viens.

Il me prend par le coude et me tire en avant, de façon à ce que l'on marche côte à côte. Sans même y penser, je prends sa main et la lève vers mes lèvres pour y poser un baiser.

Je lis de la surprise dans ses yeux et sais qu'il a apprécié. Un sourire en coin, il change de main et me tire contre lui pour passer son bras autour de mes épaules. Il soulève ma main et la tient contre son torse. On marche ainsi, en silence, et je sens les battements de son cœur contre ma main. Ils sont rapides et puissants. Pleins de vie.

— Alors, qu'est-ce que tu veux savoir?

— À quel sujet? dis-je, étonnée.

— Eh ben, t'as dit que Livie pensait que tu devrais en savoir plus sur moi. Alors, qu'est-ce que tu veux savoir?

Son ton s'adoucit, son visage s'assombrit et son regard fixe un point loin devant nous. L'ambiance change, devient légèrement tendue, comme si on abordait un sujet avec lequel, comme moi, il n'est pas à l'aise.

Moins on se raconte nos vies, mieux ce sera. Mais secrètement, je dois admettre que je veux tout savoir de lui. Jusqu'au savon qu'il utilise sous la douche.

– Eh ben… Tu sais déjà ce que je fais comme boulot. Toi, tu fais quoi ?

Ses épaules s'affaissent légèrement, comme s'il était soulagé que j'aie choisi ce sujet.

– Je suis graphiste.

– Vraiment ? Un geek ? J'aurais jamais deviné.

Sérieusement, en voyant son corps parfait, je n'aurais *jamais* deviné. Mon étonnement le fait sourire.

– Et tu travailles pour qui ?

– Je suis à mon compte. C'est génial. Je n'ai besoin d'aller nulle part et je ne dois de compte à personne, excepté mes clients. Je peux faire mes valises et partir où je veux si l'envie me prend, et c'est ce que j'ai fait. Je peux travailler à poil dans mon salon toute la journée, et personne n'en sait rien.

– Ah… C'est…

Trent me serre contre lui pour m'empêcher de tomber parce que je viens de trébucher. L'image qu'il vient de planter dans ma tête fait naître des taches de lumière devant mes yeux. *Et merde !* Son sourire me laisse penser qu'il sait très bien ce que me fait ce genre de pensée. C'est à ce moment-là que je décide que je défoncerai sa porte dans les jours qui vont suivre, alligator ou pas. Je décide également de changer de sujet de conversation avant que je ne trébuche de nouveau. Je change de sujet.

– Où est-ce que t'as appris à frapper un sac ?

Il rit de nouveau.

– Je faisais beaucoup de sport au collège. C'est un bon moyen de libérer mon stress, tout simplement.

Son pouce frotte mon épaule et je sens mon cœur se gonfler.

– Tes deux parents sont à Rochester ? je demande, me surprenant moi-même.

J'ai l'impression que maintenant que j'ai commencé, je ne peux pas m'arrêter. Pire, je pose toutes les questions auxquelles je refuserais de répondre moi-même.

– Désolée. C'est… ça me regarde pas.

Le doux rire de Trent interrompt mes excuses.

– Mon père est à Manhattan, ma mère est à Rochester. Ils sont divorcés, bien sûr.

C'est lui qui ajoute la dernière partie, mais je remarque que ses épaules se contractent, comme si ce sujet le mettait mal à l'aise.

Je me retiens de dire quoi que ce soit, et nous poursuivons notre chemin en silence.

– Qu'est-ce que tu veux savoir d'autre, Kace?

Il baisse les yeux vers moi :

– Demande-moi ce que tu veux.

– Qu'est-ce que tu veux me dire?

– Tout.

– Je suis sûre qu'il y a des choses dont tu préfères ne pas parler, dis-je en secouant la tête.

– Certains sujets sont durs à aborder, mais je t'en parlerai quand même. Je veux que tu me connaisses, ajoute-t-il en me serrant la main.

– D'accord.

Ma voix est grave et faible. J'ai l'impression de devoir jouer cartes sur table :

– Tu sais… je suis pas très douée pour parler de certaines choses.

Je l'entends soupirer.

– J'ai remarqué. Est-ce qu'au moins tu peux me dire quels sujets éviter?

– Mon passé, ma famille.

Trent serre la mâchoire, mais il finit par hocher la tête.

– Ça fait beaucoup de sujets, Kacey. Mais, OK. On n'en parlera pas tant que tu n'es pas prête.

Je lève les yeux et ne vois que de la sincérité dans ceux de Trent. Et je suis emplie de tristesse. Je ne serai jamais prête à parler de ces choses. Jamais. Mais ça, je ne lui dis pas. Je me contente de hocher la tête et de lui dire « merci ».

Il m'attire vers lui et pose un baiser tendre et intime sur mon front.

* * *

Après avoir fait le tour du marais et rencontré au passage un groupe de gardes forestiers, nous nous asseyons sur un petit mur de pierres. Trent ouvre la sacoche et me tend une bouteille d'eau. Distraite par sa présence, ce n'est qu'à ce moment-là que je réalise à quel point j'ai soif.

— J'ai vu qu'il allait faire chaud, mais je voulais vraiment voir un alligator. Après ça on mangera un bout, promis.

— C'est parfait, vraiment, Trent. Merci.

Et ça l'est. On est face aux marécages, qui sont baignés dans une lumière orange tandis que le soleil s'enfonce dans l'eau, sous un ciel strié de rose et de violet. Le clapotis de l'eau nous berce et un oiseau étrange flotte dans les airs, poussant son cri envoûtant. C'est probablement l'endroit le plus paisible que j'aie jamais vu. Évidemment, du moment que Trent est là, je serais bien n'importe où.

— Vraiment ?

Il pose sa main sur ma nuque, ses mains suivent le col de mon t-shirt, passent sous le tissu pour caresser ma peau. Il me fait frissonner.

— T'as froid ? se moque-t-il.

Je lui réponds par un sourire moqueur.

— Non, mais tu vas me faire avaler de travers.

Il hoche la tête et enlève sa main, me décevant légèrement. Cependant, ma déception est vite remplacée par l'inquiétude.

– Regarde ! Tu vois ça ?

La voix de Trent se fait plus aiguë et sa main se pose sur mon épaule tandis qu'il se rapproche de moi. Il tend l'autre main en direction d'une tête longue et étroite qui dépasse à peine de la surface de l'eau, à environ six mètres de nous.

Mon appétit disparaît d'un coup.

– Oh, mon Dieu. Il nous regarde, là ?

– Peut-être, c'est dur à dire.

– Ils sont pas censés bouger super vite, ces trucs ?

Je déglutis plusieurs fois d'affilée, assez peu rassurée. Les alligators dans un zoo c'est une chose. Ici, il n'y a pas de cage entre lui et nous.

– T'en fais pas, j'ai fait quelques recherches avant de venir. Cet endroit est réputé pour les gens qui veulent voir les alligators de près. Et les gardes forestiers ne sont pas loin, de toute façon.

– Si tu le dis.

Je chuchote alors que je me rends compte que sa bouche est à un centimètre de la mienne. Elle est tellement près qu'il me suffirait de me pencher pour…

Mes lèvres effleurent le coin de sa bouche. Il tourne la tête vers moi, surpris. Mais sa surprise ne dure qu'un instant, puis il couvre ma bouche de la sienne. Il m'embrasse tendrement ; sa main me prend sous le menton pour me tourner la tête, et il tire mes genoux pour me rapprocher de lui. J'ai le souffle momentanément coupé lorsque sa langue caresse mes lèvres puis pénètre entièrement dans ma bouche, me laissant en état de choc. Je ne peux me retenir de le toucher et mes doigts se posent sur son torse.

Il gémit doucement en rompant le baiser. Les muscles de ses bras se contractent et il me soulève pour me prendre sur ses genoux. Son visage se niche dans mon cou, il prend le lobe de mon oreille dans sa bouche et le mordille tendrement. Ma main caresse son cou, découvrant ses muscles. Alors que mon pouce glisse sur sa pomme d'Adam et que sa bouche dépose une série de baisers le long de mon cou, je ferme les yeux et laisse ma tête reposer contre la sienne, légère, flottant dans un doux brouillard, guidée par lui, par sa chaleur.

– Kace, chuchote-t-il.

Je réponds par un gémissement indescriptible.

– Tu as peur ?

Peur ? Entrouvrant un œil, je regarde en direction de l'eau pour m'assurer que notre ami n'a pas bougé.

– Il est toujours au même endroit, mais il faut que tu saches que je ne pense pas pouvoir nous ramener s'il faut t'amputer une jambe.

Trent éclate de rire et il est tellement près que je sens les vibrations jusque dans mes tétons.

– Ça ira pour ce soir. J'ai le temps de profiter de toi, la cabane est par là-bas.

Il hoche la tête en direction des arbres derrière nous.

– J'espère que tu as mis des draps propres au moins.

Riant de nouveau, Trent repose sa tête sur mon épaule et je reste assise en silence, regardant l'alligator s'éloigner en direction de ses congénères. Je me demande si Trent ressent l'emprise qu'il a sur moi. Sans effort, en quelques semaines à peine, il a anéanti mes défenses et mes peurs, occupant une place dans ma vie dont je ne peux plus me passer. C'est à ce moment-là que je comprends ce que Trent me demandait. Est-ce que j'ai peur de ça.

– Je suis terrifiée, je murmure.

Je crois d'abord qu'il ne m'a pas entendue. Puis il tourne la tête pour étudier les contours de mon visage ; ses sourcils se froncent, et je sais qu'il a entendu.

– Je… euh… je… ça fait longtemps que j'ai pas fait ça, dis-je. *Je n'ai jamais fait ça. Jamais.* Et ça…

Je lève nos mains entrelacées.

– Rien que ça, c'est énorme pour moi.

Je porte sa main à ma bouche pour l'embrasser. Trent se racle la gorge.

– Écoute, Kacey. Ce qui s'est passé dans ta chambre l'autre jour…

Ma chambre ?

– Le serpent dans ta douche.

Ah oui ! Le simple fait d'y penser me met l'eau à la bouche.

– Je… euh…

Il tend ses longues jambes devant lui mais ne desserre pas son étreinte :

– Je fais de mon mieux pour que ça ne se reproduise pas. Pour le moment.

Je pense qu'il lit de la déception sur mon visage car il ne perd pas de temps à s'expliquer.

– Ce n'est pas que je n'en aie pas envie, ou que je n'aie pas envie de toi. Crois-moi. Je suis sûr que tu sais parfaitement à quel point j'ai envie de toi en ce moment.

Je souris, me tortillant sur ses genoux.

Il rit, mon geste a détendu l'atmosphère devenue un peu trop sérieuse. Mais ça ne dure qu'un instant.

– J'ai beaucoup de mal – vraiment beaucoup de mal – à me contrôler quand je suis avec toi, Kacey. Tu es super attirante, et je suis un mec. Tu n'as pas grand-chose à faire pour anéantir ma volonté. Mais je crois qu'il faut qu'on prenne notre temps.

Son regard est lourd de sens, comme s'il en savait plus sur moi que je ne lui en ai dit.

– Je crois que c'est important, pour nous deux.

J'ouvre la bouche pour parler, mais je ne suis pas sûre de ce que je veux dire. Il a raison. C'est bien de prendre notre temps. Lentement, mais sûrement. Mais, là, tout de suite, avec son doigt sous le col de mon t-shirt, son érection contre ma cuisse, je n'ai pas envie de prendre mon temps. Je veux une orgie torride.

Je m'accorde un moment pour prendre une profonde inspiration et réguler mon cœur affolé.

— Qui a dit que je voulais quoi que ce soit avec toi ? C'est un peu présomptueux de ta part, non ?

— Peut-être bien.

Un sourire en coin sur les lèvres, sa main glisse sous mon t-shirt. Il caresse lentement mon dos, me faisant haleter légèrement.

— Ouaip, c'est ce qu'on appelle « aller lentement », je gémis.

— Est-ce que je suis toujours aussi présomptueux ?

Je secoue la tête légèrement afin qu'il sache que ses suppositions sont justes. Je prendrai tout ce que Trent veut bien me donner. Que ce soit lent ou rapide.

Ses doigts s'étalent sur ma peau, glissant sur mes côtes pour effleurer mes cicatrices, son pouce fait des va-et-vient dessus.

— J'ai remarqué que t'avais pas mal de cicatrices.

Je suis habituée aux questions qu'elles suscitent. J'ai appris à y répondre sans trop y attacher d'importance.

— Ah ouais ? Et quand est-ce que tu les as vues ?

Il me sourit comme s'il se remémorait la scène.

— Pervers !

J'essaie de mettre ma gêne de côté, mais je sens que je rougis quand même.

Son expression devient sérieuse de nouveau.

— Elles font partie du passé dont tu ne veux pas parler ?

— Une attaque de serpent mangeur d'homme dans ma douche il y a cinq ans. C'est un problème récurrent pour moi.

Il rit doucement, mais le rire n'atteint pas ses yeux. Retirant la main de mon t-shirt, il soulève ma manche pour exposer la fine ligne blanche sur mon épaule. Il se penche et l'embrasse.

– Parfois, Kace, ça aide d'en parler.

– Est-ce qu'on peut se contenter du moment présent, s'il te plaît ?

Je le supplie, perturbée par la réaction contradictoire de mon corps, à la fois rigide et détendu lorsqu'il s'en approche :

– Je ne veux pas gâcher ce moment.

– Oui, pour le moment.

Il lève la tête et me regarde, remettant une mèche de cheveux derrière mon oreille.

– Tu ne souris pas assez.

– Je souris sans arrêt ! De 20 h à 1 h du matin, du mardi au dimanche. Et tu sais quoi ? Ça double le montant de mes pourboires.

Il sourit jusqu'aux oreilles, me montrant ses fossettes craquantes.

– J'ai envie de te faire sourire. Pour de vrai. Sans arrêt. On va aller au resto, au cinéma, à la plage. On ira faire du parapente ou du saut à l'élastique ; tout ce que tu veux. Tout ce qui te fera rire et sourire davantage.

Ses mains jouent avec ma lèvre.

– Laisse-moi te faire sourire.

* * *

Cette nuit-là, il ne se passe rien entre Trent et moi. En vérité, il me traite comme une poupée en porcelaine sur le point de se briser en mille morceaux. En revanche, il parle. Sans s'arrêter. Et je l'écoute. Il parle des Everglades, il m'explique qu'un homme peut maintenir fermée la mâchoire d'un alligator juste avec ses mains, et je lui demande s'il est accro à *Man vs Wild*. Il m'explique que Tanner est un bon type et me dit qu'il trouve que notre immeuble a un air de *Melrose Place*, et ça me fait rire. Je n'ai pas le souvenir d'avoir vu un barbecue et des parterres de plantes desséchées dans la série. Il a l'air ému lorsqu'il parle de Mia et de son sourire sans dents.

Il parle et je l'écoute. J'écoute sa voix grave et séduisante et, bien que mes hormones soient sur le point de prendre le contrôle de mon cerveau pour anéantir toute pensée rationnelle, je me laisse surprendre par cette impression que la vie coule de nouveau dans mes veines.

* * *

Sur le chemin du retour, je me délecte de la sensation que procure le corps chaud et puissant de Trent contre le mien. Je n'éprouve pas le besoin de parler, souhaitant que cette nuit n'ait jamais de fin. Lorsqu'il me raccompagne jusque chez moi, je suis envahie par une vague d'émotions qui menace de me couper le souffle : un mélange de bonheur et de déception, d'excitation et de peur. Je sens aussi une gêne grandissante entre nous. Peut-être est-ce parce que je sais très bien qu'il ne m'invitera pas chez lui, mais que j'espère quand même qu'il le fera.

— Bon, merci de m'avoir montré mon premier alligator et de ne pas m'avoir découpée en morceaux dans une cabane.

Je fouille dans mon sac à la recherche de mes clés.

— Je suis soulagée d'être entière et…

Trent me coupe la parole en m'embrassant tendrement. Il m'enlace, une main en bas de mon dos et l'autre sur ma nuque. Il me serre contre lui, d'un baiser doux et retenu, comme s'il s'empêchait de faire ce qu'il veut vraiment. Cette sensation me rend fébrile : mes bras tombent le long de mon corps et mon sac et mes clés glissent au sol.

Trent rompt le baiser et se baisse pour ramasser mes affaires. Lorsqu'il se relève, il me tend le tout avec un sourire narquois.

— Tu crois que tu vas survivre ?

Je déteste qu'il puisse lire en moi aussi facilement et qu'il en joue. *Enfoiré.* Mais j'aime les défis. Je m'avance et me serre contre lui, passant ma main dans son dos pour l'attirer vers moi, suffisamment près pour le sentir à travers son jean. Il n'est pas insensible. Je lève les yeux vers son visage parfait et lui souris tendrement.

— Il n'y a rien qu'une longue douche bouillante ne puisse arranger.

Gagné. Je le sens se durcir encore.

Un sourire en coin se dessine sur ses lèvres, me montrant qu'il a compris mon jeu. Ce que je ne donnerais pas pour savoir à quoi il pense à cet instant!

— T'as un cellulaire? demande-t-il soudain.

Je fronce les sourcils, perturbée par le changement de sujet.

— Non, pourquoi?

Il fait cinq grands pas en arrière jusqu'à la porte de chez lui. Il met la clé dans la serrure.

— Parce que, parfois, j'ai l'impression de ne pas pouvoir tenir une minute en ta présence sans déraper.

Il se tourne vers moi et me regarde de la tête aux pieds:

— Les textos, c'est bien. C'est plus sûr.

— OK, je vais y penser… dis-je d'une voix suave. Tu t'en vas déjà? Tu es sûr que tout va bien?

— Oui, ça va aller, dit-il par-dessus son épaule en entrant dans son appartement, me laissant là, la bouche sèche et le corps brûlant.

CINQUIÈME ÉTAPE

LA DÉPENDANCE

CHAPITRE 9

Dès 9 h le lendemain matin, je suis au centre commercial pour acheter deux téléphones portables : un pour Livie et un pour moi. Ils sont basiques, mais je pourrai envoyer des messages, et c'est tout ce qui m'intéresse après n'avoir pas fermé l'œil de la nuit, obsédée par Trent.

À midi, je le croise sur le palier au moment où je sors de chez moi en tenue de sport. Je décide alors que j'aime vraiment vivre à côté de chez lui. Vraiment.

– Bien dormi ?

Il s'est avancé juste assez pour envahir mon espace vital. Je remarque que cela ne me gêne pas du tout. Bien au contraire : je suis ravie que Trent Emerson soit *dans* mon espace vital.

– Comme un loir, je mens, souriant jusqu'aux oreilles. Je vais à la salle de sport. Ça te dit ?

Ses yeux bleus me matent dans ma camisole noire, sans gêne.

– Oui, j'ai de l'énergie à dépenser.

Les battements de mon cœur s'accélèrent.

– Va chercher tes affaires, je t'attends, dis-je rapidement avant d'être tentée de lui proposer un autre moyen de dépenser de l'énergie.

Il me sourit et se penche pour m'embrasser sur la joue.

– Laisse-moi deux minutes.

Je l'attends dans les parties communes, un sourire idiot sur les lèvres. Lorsqu'il sort, il porte un pantalon de sport et un t-shirt blanc moulant. Son tatouage est caché, mais je vois chaque muscle de son torse. *Comment vais-je réussir à m'entraîner avec ça devant moi?*

– On y va? dit-il en me souriant, comme s'il avait lu dans mes pensées.

Je parviens à peine à hocher la tête.

* * *

– Tu veux un coup de main pour parer le sac? demande-t-il.

– OK, suis-moi!

Je me dirige vers un sac libre et pose mes affaires contre le mur. Je commence mes étirements, sentant chaque muscle s'étendre et se détendre. Chaque fois que je m'entraîne, je suis surprise des progrès que j'ai faits depuis l'accident. À une époque, mes muscles étaient quasi inexistants; j'étais sûre que je ne remarcherais jamais. Mais à cette époque, je m'en fichais pas mal.

Trent imite mes étirements, lève les bras au-dessus de la tête puis, un bras plié, tire l'autre vers lui pour allonger ses triceps. Son t-shirt se soulève, exposant les contours de son abdomen et la ligne de poils sombre descendant depuis son nombril.

– Nom de Dieu, je murmure, lui tournant le dos pour finir de m'étirer sans être déconcentrée par le dieu grec qui se tient devant moi.

– OK. T'es prête?

Il balance les bras d'avant en arrière, frappant dans ses mains lorsqu'elles sont devant lui.

– On va leur montrer ce qu'on a dans le ventre!

– Tu sais comment on tient un sac de frappe au moins?

– Bien sûr, dit-il en s'appuyant contre le sac, l'enlaçant avec ses bras.

Apparemment, Trent n'a jamais paré un sac de frappe.

– J'ai dit tenir, pas câliner. Tu veux que je te casse les côtes ?

Il baisse les bras et s'éloigne du sac.

– D'accord, très bien, alors montre-moi au lieu de faire la maligne.

Je souris en m'attachant les cheveux, consciente qu'une petite foule s'est formée pour nous regarder. Ben en fait partie, bien sûr, son petit sourire arrogant sur le visage. Si j'ai toujours envie de lui coller une baffe pour le lui faire perdre, je commence quand même à vraiment l'apprécier.

– OK, alors ce que tu dois faire, c'est…

Je me place devant lui et prends ses mains dans les miennes. Je commence à lui expliquer comment répartir son poids et où placer ses mains sur le sac, tout en étant encore surprise de pouvoir lui tenir les mains sans que cela me gêne. D'ailleurs, je voudrais lui tenir la main au cinéma, sur la plage et chaque fois que possible. La main et toute autre partie de son corps. J'ai envie d'être en contact rapproché avec Trent pour le reste de ma vie.

– Tu mets cette jambe ici…

Mes doigts glissent le long de sa cuisse pour repositionner sa jambe et je sens son muscle se contracter. Des jambes musclées, chaudes, sexy.

– … et tu tournes ton corps comme ça…

Mes mains sont désormais sur sa taille, lui tenant les hanches pour le faire tourner légèrement. Je réalise que ma respiration s'accélère. *Merde. Comment je vais m'entraîner s'il est là ?*

– … mais surtout, ce qui compte c'est ton équilibre, OK ?

Je le lâche et passe de mon côté du sac, à contrecœur, pour me préparer à frapper.

– Sérieusement ? T'as jamais fait ça pour un ami ?

Trent hausse les épaules. Il parvient à rester sérieux pendant encore trois secondes avant de laisser un sourire narquois naître sur ses lèvres.

— Si, des centaines de fois. Mais je voulais te laisser me tripoter.

Le groupe qui nous regarde éclate de rire. Ils avaient tous compris ce qu'il faisait. Mais comment n'ai-je pas saisi son jeu ? *Probablement parce que j'étais trop occupée à baver pour remarquer à quel point il maîtrisait ses gestes.* Sentant que je me suis fait avoir, je mets un petit coup de pied dans le sac. D'accord, peut-être pas si petit. Le sac s'écrase contre Trent, qui pousse un grognement et titube en arrière en se pliant en deux, les mains sur les genoux.

— Je croyais que tu savais tenir un sac ? je murmure en m'avançant vers lui.

Il ne répond pas. Hésitant légèrement, je pose ma main sur mon dos en me mordant la lèvre.

— Ça va ?

— Kace ! T'as vraiment une dent contre les boules, hein ! crie Ben, assez fort pour que toute la salle entende.

Je rougis, jette un regard noir à Ben et m'excuse auprès de Trent :

— Merde, je suis désolée. Je pensais que je frapperais juste ton épaule.

Il penche la tête en arrière pour me regarder, mais ne se redresse pas.

— Si je te plais tant que ça, il suffit de me le dire. Pas besoin de ruiner mes chances auprès de toutes les autres femmes.

— Les actions comptent plus que les mots, tu sais.

Je suis soulagée qu'il en rigole, mais je suis quand même très gênée. Je m'accroupis à côté de lui et baisse la voix :

— Mais sérieusement, ça va ?

— Ouais, je survivrai. Et par « survivre », je veux dire que je vais passer la soirée allongé en position fœtale sur mon canapé, avec un sac de glace sur les boules.

— Je tiendrai la glace, dis-je en chuchotant.

Lorsqu'il tourne la tête, je vois le désir dans son regard, et je ne peux m'empêcher de sourire devant sa frustration, qui doit être aussi grande que la mienne. Son sourire est suivi d'une grimace.

— Accorde-moi une minute. Je vais m'asseoir là-bas, le temps de me remettre.

Trent s'appuie contre le mur, les mains entre les jambes, et me regarde tandis que je fais une série de petits coups de pied et de poing. Mais je ne suis pas à fond. Lorsque je suis sur le point de finir, je le sens approcher derrière moi. Je crie de surprise quand ses mains me prennent par la taille, me tirant contre lui.

— Quand t'as dit que tu tiendrais la glace…

— Je te croyais sur ton lit de mort là-bas, dis-je, à bout de souffle. Mais si je me base sur ce que je sens contre ma cuisse, c'était loin d'être fatal.

— Je l'étais, mais t'es incroyablement sexy quand c'est un sac que tu frappes plutôt que moi.

Il me tire fort contre lui et je crie de nouveau.

— C'est pas toi qui as dit que tu voulais qu'on prenne notre temps?

Il a un rire sombre.

— Ouais, et j'ai aussi dit que j'avais du mal à m'y tenir quand t'étais dans les parages.

Il baisse la tête et me murmure à l'oreille:

— Alors, qu'est-ce que t'en dis? Je suis prêt à faire quelques rounds avec toi.

Je ne parviens à émettre qu'un bruit guttural. Je ne sais d'où vient cette facette joueuse de Trent. C'est probablement toute la testostérone dans l'air. Ou peut-être est-ce le vrai Trent qu'il a simplement réussi à contenir jusqu'à maintenant. Ou peut-être est-ce sa façon de marquer son territoire face au troupeau de mecs qui ne me quittent pas des yeux,

Ben y compris. Quelle qu'en soit la raison, j'offrirais volontiers mon corps à ce Trent pour qu'il en fasse ce que bon lui semble.

Je déglutis, faisant de mon mieux pour me concentrer sur le sac de sable qui me nargue tandis que toute la colère enfouie en moi s'efface pour laisser place à une nouvelle émotion. Du désir. Un désir brut et sans inhibition. Je suis à deux doigts de le traîner dans le vestiaire des femmes pour lui arracher son t-shirt. *Pfff. Je suis même prête à le faire ici, en plein milieu de la salle.*

Il lâche mes hanches mais en profite pour me mettre une main aux fesses, puis il va à son poste de l'autre côté du sac. Son regard sombre ne me déstabilise pas.

— OK, cette fois-ci, je suis prêt.

* * *

Trent me rend mon téléphone après y avoir enregistré son numéro. Nous sommes de retour devant chez nous, sous un soleil de plomb. Si la tension entre nous deux était palpable lorsque nous étions à la salle de sport, le coup de fil qu'il a reçu lorsqu'on la quittait y a mis fin brutalement. Le Trent amusant et sûr de lui a disparu. Le Trent qui me fait face est anxieux et perturbé. J'apprends bientôt pourquoi.

— Je dois partir ce soir, Kace. Je dois régler des problèmes avec mon boulot et avec ma mère. Je n'ai pas le choix. Si je n'y vais pas, elle saura que je suis pas à New York.

Sa voix s'efface et je détecte une trace de surprise dans son regard. *Pourquoi serait-ce si grave que ça ?* Il poursuit :

— Je reviens vendredi, mais je te donnerai des nouvelles, d'accord ?

Je hoche la tête, espérant avoir droit à un de ses baisers torrides. Ou bien qu'il m'emporte par-dessus son épaule comme un homme de Cro-Magnon pour me jeter dans son lit. L'un ou l'autre m'irait parfaitement. Mais au lieu de cela, j'ai droit à un bisou sur le front. Il me fait un signe de la main peu enthousiaste, tourne les talons et disparaît dans son appartement.

CHAPITRE 10

Servir.

Sourire.

Encaisser.

Je répète les mêmes gestes toute la soirée. Le club est aussi bondé et chaud que d'habitude, mais ce soir, sans Trent, il me semble vide et ennuyeux.

Ce n'est que lorsque je rentre chez moi, à 3 h du matin, que mon téléphone vibre dans ma poche. Enfin. Je suis impatiente : seules deux personnes sont susceptible de me contacter, et l'une d'entre elles ronfle dans la pièce d'à côté.

Trent : *Suis à New York, entouré de gratte-ciel. Tu me manques. Et toi, ta soirée ?*

Mon cœur bat la chamade tandis que je réponds.

Moi : *Des corps nus et des propositions indécentes à la pelle.*

Je n'arrive pas à écrire la suite. Qu'il me manque terriblement. Que je n'en reviens pas d'avoir passé des semaines à le repousser.

Une minute plus tard.

Trent : *Est-ce qu'un des corps nus était le tien ?*

Moi : *Pas encore.*

Je me faufile sous la couette, le téléphone posé sur ma poitrine, en attente de sa réponse. Elle met un moment à arriver.

Trent : *Une douche froide s'impose. Fais de beaux rêves. Bonne nuit. Bisous.*

J'éclate de rire mais je plaque aussitôt ma main sur ma bouche, de peur de réveiller Livie ou Mia qui dort chez nous ce soir. Je pose le téléphone sur ma table de nuit et mets un moment à m'endormir.

* * *

Je ne pensais pas que passer trois jours sans Trent serait aussi dur. On s'écrit un peu, tard le soir. Il doit être sacrément pris par le boulot et sa famille durant la journée, car il ne me contacte jamais avant minuit. Lorsque enfin je sens mon téléphone vibrer dans ma poche, je suis comme une gamine la veille de Noël.

Les messages sont plutôt innocents : « *Salut, comment tu vas ?* » ou « *Tu me manques* » ou encore « *T'as blessé quelques mecs à la muscu ces derniers temps ?* » Je me surprends plusieurs fois à écrire des messages provocateurs, mais je les supprime avant d'appuyer sur « Envoyer ». Quelque chose me dit qu'il est trop tôt pour des sextos, d'autant plus qu'on n'a pas encore passé l'étape des préliminaires dans la vraie vie.

Mon Dieu, j'ai hâte qu'on l'ait passée, l'étape des préliminaires.

* * *

C'est aujourd'hui que Trent revient. Voilà la première chose qui me traverse l'esprit lorsque j'ouvre les yeux le vendredi matin. Pas de scène de carnage ni de sang. Pour une fois, la première chose à laquelle je pense est le futur et ce qu'il me réserve.

Quelle façon merveilleuse de commencer la journée !

Je n'ai aucune idée de l'heure à laquelle Trent rentre à Miami. Je lui ai envoyé plusieurs messages pour le lui demander, mais il ne m'a pas répondu. Et cela m'inquiète. Des images d'avions en feu accaparent mon esprit toute la journée jusqu'à ce qu'il soit l'heure d'aller chez Penny's.

C'est pour cela que lorsque Nate vient me chercher pour m'emmener dans le bureau de Cain où un coup de fil m'attend, mon estomac fait un triple salto arrière.

– C'est urgent, me dit Cain, les sourcils froncés.

Pendant un long moment, je reste plantée au milieu de la pièce, incapable de bouger, les yeux rivés sur Cain et sur le combiné noir dans sa main. Ce n'est que lorsque j'entends les pleurs d'un enfant au bout du fil que je sors de mon brouillard et que j'attrape le combiné.

– Allô? dis-je d'une voix tremblante.

– Kacey! J'ai essayé sur ton portable mais tu ne répondais pas!

Je comprends à peine ce que dit Livie entre ses sanglots et les hurlements de Mia.

– Viens vite, s'il te plaît! Un taré essaie d'enfoncer la porte! Il appelle Mia! Je crois qu'il est drogué! J'ai appelé la police!

C'est tout ce que je parviens à comprendre. Et c'est tout ce dont j'ai besoin.

– Enfermez-vous dans la salle de bains. J'arrive, Livie. Ne bougez pas!

Je raccroche. Mes phrases sont brèves et sèches et ma voix ne me ressemble pas. Je regarde Cain.

– C'est urgent. C'est Mia. La Mia de Storm. Et ma sœur.

Cain a déjà ses clés de voiture et sa veste dans la main.

– Nate, va chercher Storm. Maintenant. Dis à Georgia et Lily de s'occuper du bar.

Il passe son bras autour de moi et me tire doucement contre lui.

– On va aller voir ce qui se passe, d'accord, Kacey?

J'ai l'impression d'avoir été frappée dans le ventre. Je hoche la tête tandis que ma tête est remplie de sanglots et de hurlements. Trente secondes plus tard, Storm et moi sommes dans le 4 x 4 de Cain. Le corps gigantesque de Nate est sur le siège passager. Storm, en tenue de scène, c'est-à-dire en bikini argenté, me repose sans cesse les mêmes questions et tout ce que je parviens à faire, c'est hocher la tête. *Respire,* me dit la voix de ma mère. *Dix petites inspirations.* Ce mantra tourne en boucle dans ma tête. Mais ça n'aide pas. Putain, ça ne m'a jamais aidée, cette connerie! Je tremble comme une feuille tandis que je m'enfonce toujours plus dans le puits sans fond qu'est le mien lorsque les gens que j'aime meurent. Je n'arrive pas à en sortir. Je suis accablée par tout ce poids et je vais me noyer.

Je ne supporterais pas de perdre Livie. Ou Mia.

Storm arrête enfin de me poser ses questions. Au lieu de ça, elle me tient la main et la plaque contre sa poitrine. Et je la laisse faire, trouvant refuge dans les battements de son cœur affolé. Je sais que je ne suis pas seule dans ce cauchemar.

Des gyrophares et des ambulances sont partout devant l'immeuble. On traverse le portail ouvert en courant. On passe devant Tanner, affolé, qui parle à un officier de police. On passe devant les curieux venus voir ce qui se passait. On court jusqu'à l'appartement de Storm dont la porte est en lambeaux, brisée par le poing ou la tête de quelqu'un, ou peut-être les deux. Je ne vois pas le visage de l'homme debout dans un coin. Je vois seulement ses tatouages et ses mains menottées.

– J'habite ici, dit Storm en passant devant le mec, qu'elle ne regarde même pas.

Livie est assise sur le canapé, les yeux rouges et gonflés, et tient une petite forme roulée en boule sur ses genoux. Mia suce son pouce, s'étouffant, sanglotant. Un officier, debout à côté d'elles, relit ses notes. La lampe qui est habituellement sur la table à côté de la porte est en mille morceaux et la poêle géante de Storm est par terre, à côté de Livie.

Storm se jette à genoux devant Mia.

– Oh! mon bébé!

– Maman!

Deux petits bras potelés émergent et se jettent autour du coup de Storm. Storm la prend dans ses bras et commence à la bercer. Des larmes coulent sur ses joues tandis qu'elle lui chante une berceuse.

– Elle n'a rien, nous assure le policier, et je respire à nouveau.

Je cours vers Livie et la prends dans mes bras.

– Je suis désolée, je voulais pas vous faire paniquer. Mais j'ai eu tellement peur! dit-elle en pleurant.

J'enregistre à peine ce qu'elle dit. Je suis trop occupée à tripoter ses bras, ses jambes, son menton, à lui tourner la tête, à la recherche de la moindre blessure.

Livie rit et me prend les mains.

– Je vais bien. Je l'ai pas manqué.

– Que… qu'est-ce que tu veux dire par «tu l'as pas manqué»? dis-je en secouant la tête.

Livie hausse les épaules.

– Il a réussi à passer la tête par la porte alors je l'ai frappé avec la poêle géante de Storm. Ça l'a ralenti.

Quoi? Je regarde la poêle, par terre. Je regarde ma petite sœur de quinze ans qui ne ferait pas de mal à une mouche. Je regarde de nouveau la poêle. Et là, de soulagement, de peur ou de folie, mais probablement les trois, j'éclate de rire. Soudain, nous sommes toutes les deux pliées en deux, appuyées l'une contre l'autre, hystériques. Ça fait si longtemps que je n'ai pas autant ri que j'ai vite mal aux abdos et aux joues.

– Mais c'est qui, le taré aux menottes?

Livie cesse immédiatement de rire, écarquillant les yeux.

– C'est le père de Mia.

J'ai du mal à contenir ma surprise tandis que je regarde de nouveau la porte brisée, puis Mia et Storm. Mon imagination s'emballe. Il voulait récupérer sa fille.

– Qu'est-ce qu'il faisait là ?

Je ne parviens pas à dissimuler l'horreur dans ma voix. Une vague d'angoisse m'envahit, mettant définitivement fin à l'équilibre précaire qui m'a maintenue toutes ces années. L'idée même qu'il arrive quelque chose à Mia, ou à Storm, me rend folle.

Parce que je les aime.

Mia n'est pas simplement la petite fille dont Livie s'occupe. Storm n'est pas simplement ma voisine strip-teaseuse qui m'a trouvé du boulot. J'ai beau avoir tout fait pour ne pas me laisser approcher, Storm et Mia, tout comme Trent, ont réussi à s'immiscer dans ma vie. Leurs méthodes ont été différentes, mais les trois ont trouvé une place dans mon cœur, alors que je me pensais incapable de ressentir quoi que ce soit.

Livie croise les bras en regardant Storm et Mia, et je vois la peur dans ses yeux.

– Heureusement que Trent est arrivé au bon moment.

Mon cœur s'arrête.

– Trent ?

Je bondis et je tourne sur moi-même, cherchant partout autour de moi.

– Où ? Il est où ?

– Ici.

Je me tourne au moment où il passe la porte. Je me jette dans ses bras et il me serre contre lui comme s'il voulait me protéger. Il enfouit son visage dans mes cheveux et nous restons ainsi pendant longtemps, jusqu'à ce qu'il lève la tête et pose son front contre le mien. Ma main passe dans son dos, remontant jusqu'à ses omoplates pour le tirer contre moi de nouveau. Je sens ses muscles se contracter. La peur et l'angoisse qui ne m'ont pas lâchée de toute la journée se transforment tout à coup en une sorte de besoin animal. J'ai *besoin* de le tenir. J'ai *besoin* de Trent. Et nous restons ainsi, mon nez collé à son torse, inhalant son merveilleux parfum d'océan et de cèdre.

– Tu m'as tellement manqué, je murmure, me surprenant moi-même.

Kacey Cleary n'a jamais admis que quelqu'un lui manquait. Or, c'est comme si Trent était une chose précieuse que j'aurais perdue puis retrouvée, et que je suis bouleversée de tenir de nouveau.

Trent se penche et embrasse ma joue, près de mon oreille.

– Tu m'as manqué aussi, ma chérie, murmure-t-il, et des frissons parcourent mon corps.

– Excusez-moi, monsieur, vous êtes certain de ne pas vouloir porter plainte ? demande une voix.

– Oui, j'en suis sûr, ce n'est qu'un bleu, répond Trent sans desserrer son étreinte, comme s'il avait autant besoin de moi que j'ai besoin de lui.

– Quel bleu ?

Je me recule et lève les yeux. Sa lèvre inférieure est enflée. Je vais pour la toucher, mais il m'en empêche.

– Je vais bien. Vraiment. C'est rien. Et ça en valait cent fois la peine.

– Je vais devoir poser quelques questions à cette jeune fille. Vous êtes son responsable légal ? demande le policier.

Je suppose qu'il s'adresse à Storm et je continue à fixer Trent, incapable de détourner mon regard. Le sien ne flanche pas non plus.

– Mademoiselle ?

– Oui, elle l'est, dit Livie, me ramenant à la réalité.

Il s'adresse à moi.

– Oui, oui…

Je tourne la tête vers l'officier. C'est celui qui était venu lors de l'attaque du serpent.

Il hausse les épaules.

– Vous nous donnez pas mal de boulot tous ces jours-ci, dites donc.

Il regarde furtivement Storm, puis il baisse les yeux et sa main passe dans ses cheveux blonds et courts. Il est plutôt pas mal dans le genre poupée Ken ou fils à maman. Et il a l'air dingue de Storm. Cela dit, qui ne l'est pas ?

– C'est vrai qu'on ne peut pas nous accuser d'être ennuyeuses, dis-je en souriant. Je m'appelle Kacey. Et là-bas c'est Storm, mais je crois que vous vous souvenez d'elle, officier… ?

J'attends sa réponse et il rougit brusquement.

Il se racle la gorge.

– Officier Ryder. Dan Ryder.

Storm n'entend rien ; elle tient toujours Mia dans ses bras, se balançant les yeux fermés comme si elle était dans un rêve.

Un nouveau raclement de gorge me fait tourner vers la porte où se tient un autre policier.

– S'il n'y a rien d'autre, on devrait amener ce mec au poste.

Son regard se pose sur Storm et y reste un peu trop longtemps. Puis il semble se réveiller.

– Alors amène-le à la voiture, qu'est-ce que tu attends ? Tout de suite !

Le ton sec et le regard noir de l'officier Dan le font sursauter et il disparaît. Dan se tourne alors vers Storm et lui dit :

– Il faudrait trouver un autre endroit où passer la nuit, le temps que la porte soit réparée. Je finis dans quelques heures, je peux revenir et surveiller l'appartement jusqu'à demain matin si vous voulez.

Storm émerge de ses pensées et pose un regard plein d'étoiles sur l'officier Dan, comme si elle le remarquait pour la première fois.

– Oh, merci. Je n'ai pas grand-chose, mais je me sentirais mieux si quelqu'un était là pour surveiller.

Dan rougit pour la troisième fois et je dois dire qu'il m'épate : ses yeux ne quittent pas le visage de Storm, alors que Gandhi lui-même jetterait probablement quelques coups d'œil à son corps quasi nu.

– Je surveillerai l'appart jusqu'à ce que vous arriviez, propose Trent.

L'officier Dan inspecte Trent, me voit dans ses bras et semble décider que Trent n'est pas un rival. Il hoche la tête.

– J'apprécie, merci.

– Tu as un endroit où dormir, mon ange ? demande Cain, rentrant dans l'appartement, Nate sur les talons.

– Elle peut rester chez nous, je réponds avant que Storm puisse refuser.

Elle hoche la tête, berçant toujours Mia, dont les paupières commencent à se faire lourdes.

– Parfait. Je dois retourner au club pour la fermeture. Je mets vos salaires et vos pourboires dans le coffre de mon bureau. Vous pourrez passer les chercher demain. Et pas la peine de venir demain soir, reposez-vous, ajoute Cain en souriant.

– Merci, Cain, dis-je.

Storm a raison, ce sont vraiment des mecs sympas.

– Merci, Nate.

Il répond par un grognement. Puis il fait trois grands pas vers Storm. J'ai l'impression de voir un ours caresser la tête d'un nouveau-né. Je grimace lorsque sa main couvre la tête de Mia. Mais il est très doux.

– Fais de beau rêves, Mia, ronronne-t-il.

De petits yeux bleus tout endormis se posent sur lui. À sa place, j'aurais hurlé. Mais sa petite main se lève et se referme autour du doigt de Nate. Je crois que je suis tout près de fondre en larmes lorsque Cain et Nate s'en vont.

– Allez venez, on va mettre Mia au lit.

Livie passe son bras autour de Storm et la guide doucement vers la porte, au moment où Tanner entre.

– Pas maintenant, Tanner, murmure Livie.

Il se gratte la tête, comme à son habitude, puis s'écarte
pour les laisser passer. J'enfouis ma tête dans le cou de Trent
pour m'empêcher de rire. J'étais tellement concentrée sur
Mia et Livie lorsque je suis rentrée que je n'ai même pas remarqué que Tanner porte un pyjama Batman.

Il passe sa main de haut en bas sur l'encadrement de la
porte et je sais ce qu'il pense.

– Ce n'était pas de la faute de Storm, Tanner, je commence
à dire, de peur qu'il mette en vigueur sa règle préférée. Je crois
qu'on peut dire avec certitude que nous n'avons pas eu la paix
ce soir !

Mais il lève la main pour m'arrêter, marmonnant :

– J'ai jamais vu des gens avoir autant d'ennuis avec les
portes !

Trent s'avance vers lui et sort de son portefeuille une nouvelle liasse de billets.

– Ça devrait suffire. Vous pouvez les faire venir dès demain
matin ?

– T'as pas à faire ça, Trent, dis-je au moment où les doigts
dodus de Tanner empoignent l'argent.

Il me prend de nouveau dans ses bras, secouant la tête.

– On réglera ça demain.

Tanner lève la main dans laquelle il tient l'argent, comme
pour le remercier, puis se dirige vers la porte.

L'officier Dan l'arrête.

– Monsieur, je vous conseille de parler au propriétaire de
l'immeuble pour faire remplacer le portail d'entrée et faire
poser un meilleur système de sécurité. On l'a vu ce soir, n'importe qui peut rentrer dans l'immeuble.

Tanner regarde l'officier en plissant les yeux.

– Je suis d'accord avec vous, monsieur l'officier. Mais le propriétaire de l'immeuble est un radin dont les ficelles de la bourse sont plus tendues qu'un…

Il me regarde et baisse la tête.

– … enfin, il est radin quoi.

– Et s'il recevait un courrier officiel de la part de la police et de la mairie, l'informant qu'il encourt une amende pouvant s'élever à plusieurs millions de dollars s'il ne garantit pas la sécurité de ses locataires ?

Tanner fronce les sourcils, surpris.

– Vous pouvez faire ça ? Je veux dire…

Il se racle la gorge, et un sourire narquois se dessine sur ses lèvres :

– … Oui, je crois bien que ça ferait l'affaire, monsieur l'officier.

Dan hoche la tête et sourit timidement.

– Super. Je vais voir ce que je peux faire et je vous contacte dès demain matin.

Il se tourne ensuite vers Trent :

– Je peux finir un peu plus tôt. Est-ce que vous pouvez rester là jusqu'à 4 h ?

– Je ne bouge pas.

Sur ces mots, Dan sort de l'appartement, se baissant pour passer la porte. Tanner et son pyjama Batman le suivent, et Trent et moi nous retrouvons seuls.

Je lève les yeux vers le visage magnifique de Trent.

– J'ai l'impression que ça fait des mois que je t'ai pas vu, je murmure, me dressant sur la pointe des pieds pour poser un baiser sur le côté de sa lèvre qui n'est pas blessé.

Sa main caresse ma joue et il me sourit.

– Tu dois être épuisée. Tu devrais essayer de dormir, je vais monter la garde.

Je fais de mon mieux pour masquer ma déception. Je suis tellement bien et à l'aise avec lui, comme si j'avais trouvé ma place. Un frisson d'adrénaline et de désir m'envahit. La dernière chose que je veux faire, c'est dormir. Mais je ne veux pas non plus être collante. Je pose sur lui un regard suspicieux :

– Et qui va te surveiller toi, pour être sûr que tu voles rien ?

– Moi ? Le mec qui n'arrête pas d'acheter des portes à des filles bizarres ?

Je prends une profonde inspiration et pose mes mains sur ma poitrine, feignant d'être outrée.

– Des filles bizarres ? Ça me vexe ! Et puis, comment je suis censée savoir que t'es pas un obsédé qui va voler les talons aiguilles et les sous-vêtements de Storm !

– C'était une robe et ça n'est arrivé qu'une fois. Et je n'ai pris aucun plaisir, je le jure.

Je rigole tandis que Trent pose ses mains sur mes épaules. Il me regarde de la tête aux pieds avant de plonger son regard dans le mien.

– C'est vrai que j'aime beaucoup les sous-vêtements des femmes. Seulement, je préfère quand ce n'est pas moi qui les porte.

Je fais de mon mieux pour ravaler ma salive tandis que mon cœur s'affole, que mes oreilles bourdonnent et que mon corps entier est électrisé. Mais il rompt le charme, fait trois pas en arrière et prend une profonde inspiration. Je souris intérieurement. Au moins, je ne suis pas la seule à sentir la tension entre nous.

– Il faudrait qu'on fasse quelque chose pour la porte, le ruban de la police ne fait qu'attirer l'attention.

Une nouvelle vague de chaleur m'envahit. *Attirer l'attention sur quoi ?* Trent fouille dans les placards et finit par en extraire une vieille couverture.

– J'espère que ça ne la gênera pas.

J'aide Trent à fixer la couverture sur la porte avec un mélange de scotch, de punaises et de choses trouvées dans un tiroir de la cuisine. Il est une heure du matin lorsque nous avons enfin fini, et l'adrénaline qui me maintenait éveillée est en train de disparaître, me laissant épuisée. Je m'écroule sur le canapé.

– Je ne me suis pas assise plus de dix minutes depuis le début de la soirée.

Trent s'assied à l'autre bout du canapé. Il soulève mes pieds et les pose sur ses cuisses, enlevant mes chaussures à talons.

– Bon, ça va, je gémis. Tu peux rester.

Il sourit mais ne dit rien. Ses mains massent la plante de mes pieds, en faisant de petits cercles légers. Je gémis et appuie ma tête sur l'accoudoir, profitant que son attention soit sur moi.

– D'accord. T'as droit à cinq minutes en soutien-gorge et en string léopard. Vas-y, dis-je en levant mollement le bras en direction de la chambre de Storm. Choisis ton arme. Elle a une très belle collection.

Trent rit.

– Ça dépend, c'est toi qui vas les mettre ou moi ?

J'ouvre un œil et lis le désir dans son regard. À nouveau, un changement radical dans son attitude, il passe du Trent prudent et responsable au Trent prêt à me prendre n'importe où. Je ne sais pas quoi en penser, excepté que, dans l'immédiat, je préfère la dernière version. Ses gestes sont plus pressés, ses mains exercent davantage de pression et son souffle s'accélère. Puis ses mains remontent le long de mes mollets et attrapent mes genoux pour me tirer à lui. Glissant vers lui, ma robe dévoile mes cuisses, mais elle ne remonte pas plus. Mes jambes nues sont maintenant sur ses genoux. Une de ses mains repose à l'intérieur de ma cuisse, me faisant frissonner de désir. Son autre main caresse l'extérieur de ma cuisse avant de remonter lentement.

Mais elle s'arrête sur le tatouage couvrant ma cicatrice et en dessine les contours.

– Tu t'es fait le tatouage pour couvrir ta cicatrice ?

Je mens.

– Si c'était le cas, tout mon côté droit serait tatoué.

– Pourquoi cinq corbeaux ?

– Pourquoi pas ? je réponds, espérant qu'il en restera là.

Mais ce n'est pas le cas.

– Qu'est-ce que ça signifie ?

Je ne réponds pas, il insiste :

– Parle-moi Kacey, s'il te plaît.

– Tu m'as dit que je n'y étais pas obligée, dis-je d'une voix amère.

Les questions de Trent me font l'effet d'un seau d'eau glacée.

Il enlève sa main de ma cuisse et se frotte le front.

– Je sais. Je sais ce que j'ai dit. Je suis désolé. Je veux juste que tu me fasses confiance, Kacey.

– Ça n'a rien à voir avec la confiance.

– Ah bon ? Alors quoi ?

Je fixe le plafond.

– Le passé. Des choses dont je ne veux pas parler. Et tu m'avais promis qu'on ne serait pas obligés d'en parler.

Sa main revient sur ma cuisse et la serre légèrement.

– Je sais que je t'ai promis ça. Mais j'ai besoin de savoir que tu vas bien, Kacey.

Il y a quelque chose dans sa voix que je n'arrive pas à identifier. De l'inquiétude ? De la peur ? Quoi ?

– Pourquoi ? Tu as peur de te réveiller ligoté à ton lit avec du sparadrap sur la bouche ?

– Non, dit-il.

Je n'ai jamais entendu de colère dans sa voix. C'est la première fois. Cependant, lorsqu'il parle de nouveau, la colère a laissé place à la douceur.

– J'ai peur de te faire mal.

Il me regarde et l'atmosphère devient pesante. Son regard est plein de tristesse. Il se penche pour me caresser la joue.

Ses paroles, ou plutôt le ton de sa voix et la douleur dans son regard suscitent en moi l'envie de le réconforter et d'effacer ce qui lui fait du mal.

Je veux rendre Trent heureux.

Et je me rends compte que je veux que Trent me connaisse. Qu'il sache tout de moi.

Je déglutis, la bouche soudainement très sèche.

– J'ai survécu à un accident grave de voiture il y a quelques années. Un conducteur ivre est rentré dans la voiture de mon père. Tout le côté droit de mon corps a été écrasé. Ce sont des dizaines de barres en métal qui me font tenir. *Physiquement. Car pour tout le reste, je n'ai que dix petites inspirations pour m'aider à tenir.*

Trent expire profondément, retombant contre le dossier du canapé.

– Est-ce qu'il y a eu des morts?

– Oui, dis-je avec peine.

Tout à coup, une vague de panique paralyse ma langue et je suis incapable d'en dire plus. Mes mains se mettent à trembler. Mon cerveau me dit que ça fait trop de choses, trop tôt.

– Kacey, c'est… c'est…

Sa main caresse de nouveau ma cuisse, mais le geste est moins intime. Je sens que c'est pour me réconforter. Mais je ne veux pas qu'il me réconforte. Il ne peut rien faire pour me réconforter.

– Embrasse-moi, je lui dis en le fixant du regard.

Ses yeux s'écarquillent, incrédules.

– Quoi?

– Je t'ai donné ce que tu voulais. Maintenant, donne-moi ce que je veux.

Il ne bouge pas. Il me regarde comme si j'étais folle. J'attrape ses bras et les serre fort, me tenant à lui pour passer sur ses genoux et me mettre à cheval sur lui.

– Embrasse-moi. Maintenant, dis-je sur un ton impérieux.

Sa mâchoire se contracte et je sais que mon insistance l'agace. C'est encore plus frappant lorsqu'il ferme les yeux quelques secondes plus tard.

– Kace…

Il se penche en avant et pose sa tête sur mon épaule.

– … t'as une idée de ce que ça me coûte de ne pas perdre le contrôle ?

– Alors arrête. Arrête de te contrôler. Ce n'est pas nécessaire, je murmure.

Il gémit et retombe en arrière.

– Tu ne rends pas les choses faciles, Kacey, murmure-t-il, l'air torturé.

Je pose mes mains sur ses épaules musclées et je m'avance afin d'être complètement sur lui et de ressentir pleinement son désir. Je me penche en avant et mes lèvres effleurent son cou.

– Qu'est-ce que je ne rends pas facile, Trent ?

Ma voix est presque inaudible, mais sensuelle.

Et ça fonctionne.

La main de Trent me tire à lui et me plaque contre son torse, sa bouche prend possession de la mienne, affamée. Il me force à ouvrir la bouche et y glisse sa langue, me tenant la tête pour m'empêcher de tourner la tête.

Je suis aussi brutale que lui, mes mains s'agrippent à sa chemise, la déboutonnant rapidement pour dévoiler son torse ferme tout en cherchant à me plaquer davantage contre lui. Ses mains se glissent sous ma robe et se posent sur mes hanches. Je gémis tandis que ses mains caressent mes cuisses et se posent sur mon bassin, glissent sous l'élastique de mon string, puis descendent lentement.

Je suis convaincue que son projet d'aller «lentement» est tombé à l'eau lorsque son doigt effleure une nouvelle cicatrice et cesse de bouger. Il rompt le baiser et il me force à reculer sur ses genoux.

– Je peux pas.

– C'est trop tard, je marmonne, luttant avec ses mains pour regagner ma position.

Cependant, il est effectivement trop tard. Il penche la tête en avant et me soulève pour me remettre comme j'étais, me serrant dans ses bras dans un câlin protecteur, sa tête appuyée sur mon épaule. Plusieurs minutes s'écoulent pendant lesquelles nous ne parlons pas. Puis :

– Je ferais tout pour recoller les morceaux, tu le sais ça ?

Je ne sais pas s'il parle de mes cicatrices ou des quatre dernières années de ma vie.

– Oui, dis-je simplement.

CHAPITRE 11

Lorsque j'ouvre les yeux, je vois des rideaux argentés et le ciel pâle de l'aube. Je suis dans le lit de Storm, toujours habillée. Je me retourne, Trent dort à poings fermés sur le dos, en boxer et torse nu. Un de ses bras est sur l'oreiller au-dessus de sa tête, l'autre repose sur son torse. J'ai dû m'endormir dans ses bras hier soir et il m'a portée jusqu'ici.

Il y a juste assez de lumière pour me permettre d'inspecter son corps sans gêne, et je découvre qu'il est aussi canon que ce que j'avais imaginé. Il est grand, musclé, parfait. Un trait fin de poils bruns descend le long de son ventre sculpté. Une minuscule ligne argentée sur sa clavicule attire mon attention, tellement fine que je ne l'avais jamais remarquée. Je regarde de plus près, à la recherche des traces de points de suture pour savoir si c'est une cicatrice, mais je n'en vois pas.

– T'as vu quelque chose qui te plaisait?

La voix grave et enjouée de Trent me surprend et je sursaute. Je souris et lève les yeux vers lui, découvrant un sourire sexy et narquois. Son humeur est de nouveau joueuse.

– Non, pas vraiment, je murmure, mais mes joues rougissent.

Sa main se pose sur ma joue.

– Tu rougis beaucoup. J'aurais jamais pensé que t'étais du genre à rougir.

Après une petite pause, il poursuit:

– Vas-y, tu peux m'inspecter. Je n'ai rien à cacher.

Je lève les sourcils, surprise.

– J'ai carte blanche?

Son autre bras s'étire et se niche sous sa tête.

– Absolument.

Trent ne connaît vraiment pas la signification de «prendre son temps», mais je ne vais pas m'en plaindre.

– OK.

Une idée me vient. Ou plutôt, la curiosité:

– Tourne-toi.

Il plisse les yeux, mais il s'exécute, roulant sur le ventre pour me laisser admirer son dos, ses larges épaules et le tatouage qui s'étend d'une épaule à l'autre.

Mes doigts suivent les traces de l'encre, ce qui lui donne la chair de poule.

– Qu'est-ce que ça veut dire?

Il est sur le point de répondre, puis il se ravise, comme s'il hésitait à me le dire. Ce qui, bien sûr, me donne cent fois plus envie de connaître la réponse. J'attends en silence, dessinant chaque boucle du tatouage avec mon ongle.

– *Ignoscentia.* C'est du latin, chuchote-t-il enfin.

– Ça veut dire quoi?

– Pourquoi t'as cinq corbeaux sur la cuisse? rétorque-t-il agacé, un ton très rare chez lui.

Et merde. J'aurais dû m'y attendre. J'aurais fait pareil avec lui. Je me mords la lèvre en cherchant quoi faire. Dois-je le repousser de nouveau? Ou dois-je parler un peu de moi afin qu'il parle un peu de lui? Ma curiosité dépasse mon envie de ne rien révéler.

– Il y en a un pour chaque personne que j'ai perdue, dis-je enfin, espérant qu'il ne me demande pas de les nommer.

Je ne veux pas avoir à nommer celui qui me représente.

Je l'entends prendre une profonde inspiration.

– Pardonner.

– Quoi?

Ce mot me fait l'effet d'un coup de poing. L'entendre me donne la nausée. Combien de fois les psys m'ont-ils poussée à pardonner aux mecs qui ont tué ma famille?

– Mon tatouage, c'est ce que ça veut dire.

– Oh.

J'expire lentement, serrant les poings pour empêcher mes mains de trembler.

– Pourquoi tu t'es fait tatouer ça?

Trent se tourne sur le côté et me regarde un long moment, le visage sombre et les yeux pleins de tristesse. Lorsqu'il me répond, sa voix est rauque.

– Parce que le pardon a le pouvoir de guérir.

Si seulement c'était vrai! Je fais de mon mieux pour ne pas froncer les sourcils, consciente qu'il ne peut comprendre, s'il s'est fait tatouer « pardonner », que moi je me sois fait tatouer la raison pour laquelle je ne peux justement pas pardonner.

Un long silence s'installe de nouveau, puis le sourire enjoué de Trent réapparaît.

– L'heure tourne, tu sais…

Je mets mes pensées lugubres de côté. Je m'agenouille afin de mieux le voir, mon regard se pose d'abord sur ses lèvres, sur sa mâchoire et sa pomme d'Adam. Puis je regarde son torse et je me penche en avant, ouvrant légèrement la bouche tandis que mes lèvres approchent de son téton. J'entends sa respiration s'arrêter lorsque mon souffle effleure sa peau. Je recule légèrement mon visage, je descends le long de son torse et lève les yeux pour m'assurer qu'il me regarde. Et c'est justement le cas.

Je suis un peu nerveuse, mais si je me concentre sur ce que je ressens vraiment, je me rends compte que cette sensation est envoûtante. Je me sens vivante. Et soudain, cela ne me suffit pas ; je frôle l'élastique du boxer de Trent avec mon index. Je n'ai aucun mal à voir qu'il est excité. Je passe mon doigt sous l'élastique et…

En une seconde, je suis sur le dos, les deux bras au-dessus de ma tête, tenus par la main de Trent. Il est sur moi sans me toucher, le poids de son corps sur le bras qui me tient.

– À moi, maintenant.

– J'avais pas fini, dis-je en faisant la moue.

Il sourit.

– Je te propose un deal. Si tu tiens aussi longtemps que moi sans bouger, c'est-à-dire cinq minutes, je te laisserai finir.

Je fais semblant de rouspéter, mais en vérité je suis ravie.

– Cinq minutes. Facile.

Trent penche la tête sur le côté, un sourcil levé ; il sait très bien que, malgré mon air sûr de moi, je fonds à l'intérieur.

– Tu crois que tu vas pouvoir supporter ?

– Et toi ? je demande en faisant de mon mieux pour ne pas me trahir en souriant bêtement. Ses yeux bleus torrides pourraient suffire à me faire perdre.

– Et si je perds ?

Je réalise qu'en vérité je peux m'en tirer gagnante, quelle qu'en soit l'issue.

Son regard noircit et l'atmosphère change radicalement.

– Si tu perds, tu acceptes de parler à quelqu'un de ton accident.

Il me fait du chantage sexuel. C'est ça qu'avait prévu Trent. Il rompt son désir de *prendre notre temps* dans le but de me faire parler. Ma mâchoire se contracte. Il est hors de question que j'accepte.

– T'as vraiment un don pour plomber l'ambiance ! je rétorque, me tortillant sous lui.

Il me tient trop fort pour que je parvienne à me libérer. Il se penche en avant, ses lèvres effleurent les miennes, puis il me supplie :

– S'il te plaît, Kacey !

Je ferme les yeux, essayant de ne pas me laisser influencer par son visage magnifique. *Trop tard.*

– Mais seulement si je perds, OK ?

– OK, murmure-t-il.

Mon refus de perdre prend le dessus avant que je puisse réfléchir.

– Ça me va.

Je. Ne. Perdrai. Pas.

Son sourire s'étend d'une oreille à l'autre et mon corps entier se contracte.

– Mais tu triches pas, hein ? je lui dis nerveusement.

– Absolument. Aucune triche.

Son regard est à la fois sombre et joueur, je réalise alors que je suis en danger. Je le regarde s'accroupir sur moi, me surplombant, ses yeux quittent mon visage pour parcourir mon corps, sans se presser.

– Mais on n'est pas à égalité, murmure-t-il.

Il se penche et ses mains se posent sur ma nuque, où est nouée ma robe.

Je prends une profonde inspiration tandis qu'il défait le nœud. Le pouce de Trent suit la cicatrice sur mon épaule, puis ses mains descendent le long de mon corps, emportant ma robe au passage. Je ne porte plus que mon soutien-gorge bustier et mon string. Je retiens ma respiration pendant que Trent promène ses yeux sur chaque centimètre de mon corps, sur chaque courbe et chaque détail.

Il se penche de nouveau et glisse sa main dans mon dos.

– On n'est toujours pas à égalité.

Je sens ses doigts tripoter l'attache de mon soutien-gorge. *Il n'oserait pas.* Pourtant, je sens qu'il est en train de défaire mon soutien-gorge. Lorsqu'il enlève sa main, mes seins sont à nu.

– Là. Là, on est à égalité.

Je. Ne. Perdrai. Pas.

Je suis déterminée à ne pas bouger, bien que je sois presque nue sous le regard et le sourire diaboliques de Trent. Je suis assez têtue pour croire que je peux gagner. Mais lorsque Trent baisse la tête, que sa bouche est à quelques centimètres de mes tétons comme je le lui ai fait, je doute que je parvienne à rester immobile. Les battements de mon cœur s'accélèrent lorsque son souffle effleure ma peau, et mes tétons durcissent instantanément. Lorsqu'il lève les yeux vers moi, je dois me forcer à fermer les yeux. Je ne supporterai pas son regard ardent. Il rit à voix basse et je sens son souffle descendre le long de mon ventre.

– T'as un corps incroyable, Kacey. À en perdre la raison.

J'émets un bruit inintelligible en guise de remerciement.

– Je pourrais passer des heures à te regarder. À te toucher. Toute la journée.

Je ne sais pas si c'est à cause de sa voix, de ses gestes, de la proximité de nos corps, mais je suis envahie par une vague de désir qui anéantit ma volonté et se niche dans mon bas-ventre, prête à exploser.

Et il ne m'a même pas touchée.

J'entrouvre les yeux et vois le haut de ses épaules, ses muscles tendus, tandis qu'il continue de descendre. Il s'arrête sous mon nombril. Je parviens à regarder l'heure. *Encore trois minutes. Je peux tenir trois minutes. Je peux. J'y arriverai.* Trent passe son doigt sur le devant de mon string, comme je le lui ai fait, et je gémis, sans pouvoir m'en empêcher. Baissant les yeux de nouveau, je vois qu'il me regarde, se mordant la lèvre ; son sourire arrogant a disparu.

Ses yeux ne quittent pas les miens tandis que son doigt passe sous l'élastique de mon string et commence sa descente.

Comme une énorme vague s'écrasant sur moi, je suis finie. Des tourbillons de brouillard et de lumière recouvrent ma vue et j'ai l'impression de flotter, mes muscles sont soudainement aussi mous que de la guimauve. Je ne veux plus jamais redescendre de mon nuage.

Tandis que j'essaie de reprendre mon souffle, je sens vaguement que Trent est de nouveau sur moi, sa bouche effleure ma clavicule.

– T'as perdu, murmure-t-il dans mon oreille en riant tendrement.

La seconde qui suit, il est debout en train d'enfiler son jean.

– Tanner est dehors.

– J'ai pas perdu, je murmure, essoufflée.

C'est ça qu'il appelle perdre ?

* * *

– Ça va aller toute seule ? chuchote Trent tandis que je bois une gorgée de jus d'orange, regardant l'ouvrier en sueur qui remplace la porte.

Lorsque je fronce les sourcils, l'air étonné, il rit :

– Bien sûr, je suis bête. J'avais oublié que tu m'avais botté les fesses.

– Si je me souviens bien, c'est un sac de sable qui t'a botté les fesses. Tu vas où ?

Il passe sa main dans mon dos et m'attire à lui, murmurant à mon oreille :

– Je vais prendre une douche froide.

Des frissons parcourent mon dos et je suis prête à le traîner de nouveau dans la chambre de Storm, mais il est à la porte de l'appartement avant que je puisse lever le petit doigt.

– Qui est-ce qui a perdu, déjà ? dis-je à voix haute en souriant.

J'attends en silence pendant que l'ouvrier travaille, feuilletant un magazine, encore émoustillée de ma matinée avec

Trent. Rien ne peut altérer ma bonne humeur, pas même la raie des fesses qui dépasse du jean de l'ouvrier. Livie vient de passer la porte, à moitié endormie et en route pour le collège. Lorsque je lui propose de rester à la maison, elle me dévisage comme si j'avais suggéré qu'elle épouse monsieur-raie-des-fesses. Pour rien au monde Livie ne raterait les cours.

Je lis un article intitulé « Dix façons de s'excuser sans avoir à dire pardon » lorsque j'entends la voix de Storm.

— Est-ce que je pourrais passer, s'il vous plaît ?

Monsieur-raie-des-fesses tourne lentement la tête, voit Storm, puis laisse tomber son marteau en se poussant pour la laisser passer. Elle entre, avec un sourire aussi grand que le mien, et me tend un café Starbucks.

— Est-ce qu'il faut que je change mes draps ? me demande-t-elle en me faisant un clin d'œil.

— Mon Dieu, Storm !

Je sens mes joues rougir tandis que l'ouvrier écarquille les yeux. Parfois Storm peut être vraiment déplacée. Je change vite de sujet.

— Comment va Mia ?

Son sourire disparaît et je regrette d'avoir posé la question.

— Ça va aller. J'espère juste qu'elle oubliera. Elle n'a pas besoin de se souvenir de son père de cette manière.

— Qu'est-ce qui va lui arriver ?

— Apparemment, il a enfreint sa liberté conditionnelle. Le fait d'avoir défoncé ma porte devrait lui valoir au moins cinq ans fermes. C'est ce que pense Dan, en tout cas. J'espère que ça lui suffira pour mettre sa vie en ordre.

Elle boit une grande gorgée de café et je me rends compte que sa main tremble. Elle est encore secouée, c'est normal. Si je me force à redescendre de mon nuage post-Trent, je dois avouer que moi aussi je suis encore secouée par ce qui s'est passé hier soir.

– Sans rire, j'ai cru que Nate allait virer les flics et lui arracher les yeux, ajoute Storm, et j'acquiesce.

Il y a un court silence, puis je dis en souriant:

– Alors... avec Dan?

Storm rougit.

– Je me suis levée tôt. Je n'arrivais pas à dormir alors je lui ai apporté un café. Je voulais le remercier. Il est sympa.

– Un café? C'est tout?

– Bien sûr que c'est tout. Tu voulais que je fasse quoi? Que je lui taille une pipe devant la porte de mon appart?

Quelqu'un se racle bruyamment la gorge. Monsieur-raie-des-fesses, qui se retient de rire.

Storm rougit de nouveau et je souris, satisfaite. Apparemment elle a oublié qu'on n'était pas seules.

– Tu veux dire que tu n'es pas intéressée?

– Non, j'ai pas dit ça, mais...

Elle joue avec le couvercle de son gobelet.

– Mais quoi?

– Excusez-moi...

La voix de Dan nous interrompt, et on sursaute toutes les deux.

– En parlant du loup..., je murmure, cachant mon sourire en buvant une nouvelle gorgée de café.

Le visage de Storm est pourpre. Je sais ce qu'elle pense. Elle se demande depuis quand il écoutait et ce qu'il a entendu.

Dan enjambe ce qui reste de la porte.

– Désolé de vous déranger de nouveau.

– Mais pas du tout! je chantonne, souriant jusqu'aux oreilles.

Il hoche la tête et je crois voir ses joues rougir légèrement.

– Je voulais juste vous informer qu'on a envoyé au propriétaire le courrier sur les exigences de sécurité. Le portail devrait être changé dans les prochains jours.

Storm écarquille les yeux.

– Déjà ?

Dan sourit.

– Je connais quelqu'un qui connaît quelqu'un.

– Merci beaucoup, monsieur l'officier, pour tout, dit-elle tandis que je l'imagine soudain en train de l'appeler comme ça, en sous-vêtements, dans une chambre aux lumières tamisées.

Je passe beaucoup trop de temps au club.

Ils se regardent pendant un certain temps, l'air gêné, jusqu'à ce que Dan rougisse et se gratte la tête.

– Donc, euh, si vous n'avez besoin de rien d'autre, je vais aller me coucher.

– Ah oui, d'accord, dit Storm en hochant la tête.

Je lève les yeux au ciel. *Qu'ils sont nuls !*

Dans ma tête, je me frotte les mains comme le maître d'un jeu préparant un sale coup :

– Est-ce que vous êtes libre ce soir ?

Dan me regarde, puis regarde Storm.

– Oui, je le suis.

Storm me regarde en coin, l'air de dire « mais qu'est-ce que tu fous ? », mais je l'ignore.

– Super. Storm me disait justement qu'elle adorerait souper avec vous.

Le visage de Dan s'illumine. Souper avec Storm semble être *une des choses* que Dan adorerait faire avec elle.

– Vers 19 h ? Ça te va Storm, non ?

Elle hoche bêtement la tête, comme si elle avait avalé sa langue.

Dan la regarde, inquiet.

– Est-ce que t'es sûre, Storm ?

Il lui faut une minute pour que sa langue soit opérationnelle, puis elle parvient à répondre :

– C'est parfait.

Elle réussit même à sourire timidement.

– Très bien. Alors à ce soir.

Il sort, pressant le pas, lorsque je crie : « À ce soir ! »

Je me retourne vers Storm qui me dévisage.

– Ça t'a plu de tourmenter ce pauvre homme, pas vrai ?

– Oh ! J'ai l'impression que ça ne le gêne pas d'être tourmenté si ça lui permet d'aller souper avec toi.

– Mais je travaille ce soir.

– Bien essayé, mais Cain t'a dit de te reposer. Allez, t'as quoi d'autre de prévu ?

– C'est une mauvaise idée, Kacey, dit-elle. Ses épaules s'affaissent légèrement.

– Pourquoi ?

– Pourquoi ? Eh bien…

Storm bafouille, cherchant une excuse valable :

– T'as vu ce que ça a donné la dernière fois que j'ai ramené un mec chez moi ? dit-elle en désignant la porte.

– Storm, tu ne peux pas comparer l'officier Dan avec ton connard d'ex-mari. Ils n'ont strictement rien à voir. Je ne suis même pas sûre que le mec d'hier soir était humain. On pourrait faire un film intitulé *J'ai épousé un extraterrestre*.

– Allez, Kacey, dit-elle en levant les yeux au ciel. Ne sois pas naïve. Dan est un mec. Il sait ce que je fais comme travail. Il n'y a qu'une chose qui l'intéresse et ce ne sont pas mes petits plats.

– Ça, j'en suis pas sûre. Moi je ferais n'importe quoi avec toi pour ton veau au parmesan.

Monsieur-raie-des-fesses se met à tousser de nouveau. Storm se couvre la bouche, essayant de ne pas rire. Elle me jette un coussin à la figure et je l'évite. On éclate toutes les deux de rire en nous dirigeant vers sa chambre.

– Tu vas mettre quoi ce soir ? dis-je en imitant une de ces idiotes à la télé.

Elle soupire.

– Je sais pas, Kace. Et si la seule chose qui l'intéresse c'est…
ça? dit-elle.

Ses mains montrent son corps.

– Si c'est le cas, alors c'est le plus gros abruti du monde
parce que t'es bien plus qu'une paire de seins géants et un joli
minois.

Un minuscule sourire se dessine sur ses lèvres, et son visage
se détend.

– J'espère que t'as raison, Kacey.

– T'as aussi un cul d'enfer.

Elle me jette un second coussin.

– Non mais sans rire, Storm. J'ai vu comment il te regardait. Crois-moi, il veut plus que ton corps.

Sa bouche se pince sur le côté, comme si elle voulait me
croire mais n'y arrivait pas.

– Et si c'est tout ce qui l'intéresse, on lui fout le feu aux
couilles.

– Quoi? dit Storm, à la fois choquée et amusée.

– Qu'est-ce que tu veux, j'ai des fantasmes bizarres.

Storm éclate de rire.

– T'es folle, Kacey, mais je t'aime.

Elle jette ses bras autour de moi. Je n'ose même pas imaginer ce que doit penser monsieur-raie-des-fesses.

* * *

À midi, Trent frappe à la porte, vêtu de sa veste en cuir.

– Tu es prête?

– Pour aller où? je demande, l'esprit encore préoccupé par
ce matin, par ce qu'il est capable de faire sans même me toucher. Je me demande s'il est venu chercher ce qui lui est dû.

Il sourit, l'air coquin, et me tend un casque.

– Bien essayé.

Il me prend la main, m'obligeant à me lever de mon fauteuil.

– On a conclu un marché et tu as perdu.

Une boule d'angoisse se forme dans mon ventre tandis qu'il me guide vers la porte.

– Il y a une thérapie de groupe pas loin. Je me suis dit que je t'y emmènerais.

Une thérapie de groupe. Mes jambes refusent de faire un pas de plus. Trent se tourne et étudie mon visage. À voir sa réaction, je dois faire une sale tête.

– Tu m'as promis, Kacey, chuchote-t-il, faisant un pas vers moi pour me tenir les bras. Tu n'as pas besoin de parler. Mais écoute. S'il te plaît. Ça te fera du bien, Kace.

– Donc, t'es un geek *et* un psy ?

Je n'avais pas l'intention d'être aussi sèche. Je serre les dents et ferme les yeux, luttant contre l'envie de hurler. *Un… Deux… Trois… Quatre…* Je ne sais pas pourquoi je me répète tout le temps ce truc débile. Ça ne m'a jamais soulagée. Je crois que c'est un peu comme une doudou que j'ai traîné avec moi toute ma vie. Ça ne sert à rien, mais ça me réconforte.

Trent attend patiemment, ne lâchant pas mes bras.

– D'accord, je dis en l'obligeant à me lâcher.

J'attrape mon sac et sors de l'appartement :

– Mais s'ils se mettent à chanter, sans déconner, je m'en vais.

* * *

La thérapie de groupe se déroule dans le sous-sol d'une église. On ne peut pas faire plus cliché, avec les murs jaunes horribles, la moquette grise, l'odeur de café brûlé et la petite table pour le thé et les gâteaux. Tout ça ne m'intéresse pas. Je n'ai aucune envie de rejoindre le groupe assis en cercle au milieu de la pièce, qui échange des banalités, ni d'écouter ce que va dire le mec aux cheveux longs qui est debout au milieu du cercle.

Rien de tout cela ne m'intéresse.

Trent me fait avancer en me poussant doucement dans le dos. Plus j'avance, plus l'air se fait irrespirable. Cet air lourd emplit mes poumons et je dois me forcer pour expirer. Lorsque le mec au centre lève les yeux et me sourit, l'air est encore plus oppressant. Son sourire est plutôt chaleureux, mais je ne le lui renvoie pas. Je n'y arrive pas. Je n'en ai pas envie.

— Bienvenue, dit-il en désignant deux chaises vides à notre droite.

— Merci, murmure Trent.

Il serre la main du mec. Je parviens à peine à faire avancer mon corps jusqu'à la chaise et à l'y faire asseoir.

Je recule la chaise et regarde droit devant, prenant ma distance avec le cercle. Pour ne pas en faire partie. C'est comme ça que je veux que soient les choses. Et j'évite de croiser le regard de quelqu'un. Les gens pensent que dès lors que vous les avez regardés, ils ont le droit de parler et de vous demander qui vous avez perdu.

Derrière le cercle, il y a un petit panneau sur lequel est inscrit «Trouble de stress post-traumatique – Thérapie de groupe». Je soupire. Ah, ce bon vieux TSPT! Ce n'est pas la première fois que je lis ces mots. Les médecins ont prévenu mon oncle et ma tante qu'ils pensaient que c'était ce dont je souffrais. Ils leur ont dit que ça irait sûrement mieux avec le temps et une bonne thérapie. Je n'ai jamais compris comment ils pouvaient imaginer que ça pourrait aller mieux après l'accident, que je l'oublierais et que les cauchemars disparaîtraient.

Le mec du milieu tape dans ses mains.

— Bonjour tout le monde, on va commencer. Pour ceux qui ne me connaissent pas, je m'appelle Mark. Vous connaissez mon prénom, mais vous n'êtes pas obligés de dire le vôtre.

Les prénoms ne sont pas importants. Ce qui l'est, c'est de savoir que vous n'êtes pas seuls dans votre deuil, et que d'en parler, quand vous vous sentirez prêts, vous aidera à guérir.

Guérir. Voilà un autre mot que je n'ai jamais compris.

Je regarde les visages des gens autour de moi, faisant attention de ne pas avoir l'air intéressée. La plupart d'entre eux ont les yeux rivés sur Mark, l'air fascinés, comme s'il avait le pouvoir de les guérir. Il y a de tout dans le groupe : des jeunes et des vieux, des hommes et des femmes, des gens bien habillés, d'autres plus modestes. La seule chose que ça m'apprend, c'est que la souffrance atteint tout le monde.

– Je vais partager mon histoire, dit Mark, avançant sa chaise pour s'asseoir. Il y a dix ans, je rentrais du travail en voiture avec ma copine. Il pleuvait des cordes et on a été percutés par une autre voiture à un croisement. Beth est morte dans mes bras avant que l'ambulance arrive.

Mes poumons sont glacés, comme s'ils cessaient de fonctionner. Je vois, mais ne sens pas, la main de Trent sur mon genou, qui me serre doucement. Je ne sens rien.

Mark continue, mais j'ai du mal à comprendre ses mots, mon cœur bat la chamade comme si je gravissais l'Everest. Je me retiens de partir en courant et de laisser Trent là. Il n'a qu'à écouter ces horreurs, lui. Il n'a qu'à voir ce qu'endurent ces pauvres gens. Quant à moi, ma douleur me suffit.

Peut-être qu'il prend du plaisir à écouter tout ça.

J'entends à peine Mark parler de drogue et de cure de désintox. J'entends des mots comme « dépression » et « suicide ». Mark est si calme et mesuré lorsqu'il dresse la liste de tout ce qui lui est arrivé. Comment ? Comment peut-il être aussi calme ? Comment peut-il raconter toute cette horreur à ces gens comme s'il parlait de la météo ?

– … Tonya et moi venons de fêter nos deux ans de mariage, mais je pense à Beth tous les jours. Je suis encore triste, par moments. Mais j'ai appris à choyer les souvenirs heureux. J'ai appris à tourner la page. Beth aurait voulu que je continue de vivre.

Les uns après les autres, les membres du cercle étalent leur histoire, comme si ça ne leur demandait aucun effort. Ma respiration est saccadée lorsque le deuxième homme prend la parole. Il raconte qu'il a perdu son fils de quatre ans dans un accident impliquant un tracteur. Lorsque la quatrième personne prend la parole, la boule de nerfs dans ma gorge a disparu. Au cinquième, toutes les émotions que Trent avait réussi à faire ressurgir ont disparu de nouveau. Tout ce que je peux faire pour éviter de ressentir de nouveau la douleur qui a suivi cette nuit il y a quatre ans, ici, dans le sous-sol de cette église, est de ranger tout ce qu'il y a d'humain en moi dans une petite boîte.

Je suis morte à l'intérieur.

Tous ne racontent pas leur histoire. Personne ne m'oblige à parler. Je ne dis rien, même lorsque Mark demande si quelqu'un veut prendre la parole et que Trent serre mon genou. Je ne fais pas un bruit. Je regarde droit devant moi, anesthésiée.

J'entends vaguement des «au revoir» et je me lève. Avec des mouvements d'automate, je gravis les marches et sors dans la rue.

– Hé! dit Trent derrière moi.

Je ne réponds pas. Je ne m'arrête pas. Je marche en direction de mon appartement.

– Attends-moi!

Trent surgit devant moi, m'obligeant à m'arrêter.

– Regarde-moi, Kacey!

Je suis ses ordres et lève les yeux.

– Tu me fais peur, Kace. Parle-moi, s'il te plaît.

– Je te fais peur?

La couche protectrice qui m'a recouverte pendant la thérapie s'évapore et j'explose de rage.

– Pourquoi tu m'as infligé ça, Trent? Pourquoi? Pourquoi est-ce que, *moi,* je dois m'asseoir au milieu de ces gens et les écouter raconter leurs histoires atroces? Comment c'est censé m'aider?

Trent se passe les mains dans les cheveux.

– Calme-toi, Kace. Je pensais que…

– Que quoi? Qu'est-ce que t'as pensé? T'as pas la moindre idée de ce que j'ai enduré et toi… quoi, tu crois que tu peux débarquer, me faire jouir et poursuivre ta mission en m'emmenant écouter des putains de robots parler des gens qu'ils aimaient et qu'ils ont perdus, et que tout irait bien?

Je hurle désormais en pleine rue et je n'en ai rien à faire.

Trent tend les bras pour me calmer, regardant tout autour de lui.

– Tu crois que c'était pas dur pour eux, Kacey? Tu n'as pas vu la douleur sur leur visage pendant qu'ils racontaient leur histoire?

Je ne l'écoute plus. J'enlève violemment ses mains et je recule.

– Tu crois que tu peux me guérir? Je suis quoi pour toi, un projet?

Il grimace, comme si je lui avais mis une claque. Mais il n'a aucun droit d'être blessé. Il m'a obligée à écouter tous ces gens. C'est *lui* qui m'a fait mal.

– Ne m'approche plus!

Je tourne les talons et je m'en vais à grands pas.

Je ne regarde pas en arrière.

Trent ne me court pas après.

CHAPITRE 12

À 19 h, Storm est tellement nerveuse qu'elle ne cesse de triturer son bracelet en perles. Je suis étonnée qu'un rancard l'angoisse autant, elle qui est capable de se balancer au-dessus d'une foule d'inconnus, quasiment à poil. Cependant, je ne lui fais pas part de cette remarque. Je l'aide à choisir sa tenue : une robe jaune élégante qui accentue son teint et met en valeur ses formes juste ce qu'il faut. Je l'aide à fermer son collier et lui attache les cheveux sur le côté. Mais surtout, je fais de mon mieux pour sourire, alors que tout ce que j'ai envie de faire, c'est de me rouler en boule sous ma couette, seule.

– Dix petites inspirations, je murmure.

Elle fronce les sourcils.

– Pardon ?

« Dix petites inspirations. Saisis-les. Sens-les. Aime-les. »

La voix de ma mère résonne dans ma tête tandis que je me répète ses mots et refoule un sanglot. Cette thérapie de groupe débile m'a perturbée ; mes défenses sont affaiblies et j'ai du mal à enfouir ma douleur, moi qui suis d'habitude si douée pour ça.

Storm fronce encore plus les sourcils.

Je hausse les épaules.

– Je sais pas. C'est ce que ma mère me disait. Si tu comprends ce que ça veut dire, je veux bien que tu m'expliques.

Elle hoche lentement la tête et je la voix inspirer et expirer lentement, j'imagine qu'elle compte dans sa tête. Ça me fait sourire. J'ai l'impression de passer un bout de ma mère à Storm.

On entend quelqu'un frapper à la porte. Quelques secondes plus tard, Mia ouvre le verrou. Il y a un moment de silence, puis les petits pieds de Mia approchent bruyamment, claquant sur le carrelage, tandis qu'elle dévale le couloir en criant :

— Maman ! Le policier est venu te chercher !

Je ris et pousse Storm dans le couloir, lui disant d'arrêter de triturer sa robe et qu'elle est resplendissante.

L'officier Dan est dans le salon ; il met ses mains dans les poches de son jean, puis les enlève et répète ce geste plusieurs fois. Je ne peux me retenir de sourire en le regardant. Il est mal à l'aise en présence de Storm. Cependant, lorsqu'il la voit, son visage s'illumine.

— Salut, Nora.

Nora ?

Ses cheveux blonds sont « coiffés décoiffés », il porte un polo noir qui laisse deviner son torse musclé. Je sens un léger parfum d'eau de Cologne, mais pas beaucoup. Juste assez. On peut dire que l'officier Dan est plutôt pas mal en habits de ville.

Elle lui sourit poliment.

— Bonsoir, officier Dan.

Il se racle la gorge.

— Juste Dan, ça ira.

— D'accord, juste Dan, répète-t-elle, et un silence gênant s'installe.

— Officier Dan t'a apporté des fleurs, maman ! Des tigres !

Mia court dans la cuisine où Livie est en train de mettre un magnifique bouquet de lys tigrés dans un vase. Mia lève un bras pour en attraper un et renverse le vase, les fleurs, et met de l'eau partout.

– Merde ! s'exclame-t-elle.

– Mia ! ripostent Storm et Livie en chœur.

Mia écarquille les yeux en les regardant l'une après l'autre, consciente de ce qu'elle a fait.

– J'ai droit à un gros mot. Pas vrai, Kacey ?

Je me retiens de rire tandis que Livie me fait son regard le plus noir.

– Elles sont magnifiques, Dan.

Storm court pour les ramasser et j'en profite pour glisser un mot à Dan.

– Elle est super nerveuse.

Il a l'air surpris. Il sait ce qu'elle fait comme boulot et il supposait probablement la même chose que moi, c'est-à-dire que Storm a des nerfs d'acier. Mais ce n'est pas le cas. Loin de là.

Il hoche la tête et me fait un clin d'œil. Se raclant la gorge, il dit :

– J'ai réservé une table pour 19 h 30.

Il s'avance vers Storm et lui offre son bras :

– On devrait y aller, Nora. Le restaurant est sur la plage, il nous faudra un moment pour y arriver avec les bouchons.

Elle lève les yeux vers lui et lui sourit, laissant tomber les fleurs.

C'est bien. Prends les choses en main. Bien vu, Dan. Tu marques des points.

– Amusez-vous bien ! On ne vous attend pas, hein !

J'ai le temps de voir Storm rougir, puis la porte est fermée à clé. Et ma mauvaise humeur est de retour.

* * *

Finalement, je décide d'aller au travail ce soir-là. J'ai besoin de me changer les idées. À l'heure de la fermeture, Trent n'est pas venu, il ne m'a pas écrit, et je suis incroyablement déçue. Cependant, j'aurais été étonnée qu'il vienne. Après tout, je lui ai crié dessus comme une folle en pleine rue, et je lui ai dit de ne plus m'approcher.

Trent ne vient pas chez Penny's le lendemain non plus. Ni le soir suivant. Trois jours plus tard, je suis sur le point de devenir folle. La rage qui m'accablait le jour de la thérapie de groupe a disparu, laissant place à un énorme manque. Le manque de Trent. Je le ressens vivement. J'ai besoin de sa présence, de son corps, de sa voix, de son rire, de tout.

J'ai besoin de lui.

J'ai besoin de Trent.

* * *

Le jeudi à midi, je suis en train de manger des Chocapic dans la cuisine, les yeux rivés sur mon téléphone, comme si cela pouvait le faire sonner. Finalement, après avoir longtemps hésité, je force mes doigts à écrire un message.

Moi : *Ça te dirait d'aller voir un film ?*

Je reste figée, mes yeux ne quittent pas le téléphone, et je me demande s'il a déjà supprimé mon message ou s'il a pris la peine de le lire. J'envisage même de coller mon oreille contre le mur entre nos deux appartements pour voir si j'entends un « espèce de folle ». Mais je ne crois pas que Trent dirait ce genre de chose, même si c'était vrai. Ce qui est le cas, bien sûr.

Cinq minutes plus tard, lorsque j'ai fini mes Chocapic, mon téléphone sonne. Je lâche tout et me jette dessus.

Trent : *Tu pensais voir quoi ?*

J'ai déjà des papillons dans le ventre. Putain de papillons ! Je ne pensais pas qu'il dirait oui. Je ne sais même pas ce qu'il y a au cinéma en ce moment. Je décide de me la jouer cool.

Moi : *Ça dépend, la nudité, ça te gêne?*

Cette fois-ci, Trent répond tout de suite.

Trent : *Qu'est-ce que t'entends par « nudité » ?*

OK. C'est bon, il a envie de jouer, lui aussi.

Moi : *Eh bien... D'abord, j'enlève ma camisole...*

Je me ronge un ongle, attendant de voir ce que Trent va répondre. Mais il ne répond pas. Peut-être ai-je été trop loin, trop tôt. Peut-être qu'il m'en veut encore. Peut-être... J'entends une porte claquer. Une silhouette passe devant ma fenêtre puis, une seconde plus tard, quelqu'un frappe à la porte.

Ce doit être Trent, c'est obligé.

Je cours ouvrir, essayant de cacher ma joie. Il est là, en jean et en chemise ample, ses cheveux légèrement en bataille. Ses yeux bleus me regardent de la tête aux pieds et se posent un moment sur ma poitrine. Je ne porte pas de soutien-gorge et je suis sûre qu'il voit mes tétons pointer de joie. Lorsqu'il pose de nouveau les yeux sur mon visage... *wouah...* c'est le mélange parfait de colère, de frustration et de désir torride. Je me mords la lèvre, et cela suffit à le faire craquer.

– Putain, Kacey, dit-il d'une voix rauque, faisant deux pas rapides pour s'écraser contre mon corps.

Ses mains me tiennent les bras pendant qu'il m'embrasse fougueusement. Il penche ma tête en arrière et sa langue pénètre ma bouche, donnant naissance à un besoin que je n'ai jamais ressenti auparavant. *Je crois que c'est le vrai Trent.*

Libre et sans retenue.

Le baiser est tellement intense que je tiens à peine debout. Il me guide en arrière et me coince entre lui et le dos du canapé, me laissant sentir à quel point il est excité.

Soudain, mes pieds ne touchent plus le sol et je suis perchée sur le canapé, ses hanches nichées entre mes cuisses. Ses bras m'enveloppent. Une main tient ma nuque, l'autre soulève mes cheveux pour dégager mon cou. Ses lèvres glissent vers ma bouche, puis remontent le long de ma mâchoire pour finir sur mon oreille.

– T'aimes me torturer, hein Kacey, en m'envoyant des signaux contradictoires, dit-il dans un grognement qui finit de me faire fondre.

Puis sa bouche recouvre de nouveau la mienne, cette fois-ci encore plus affamée et insistante, et je parviens à peine à respirer. Il se colle encore plus à moi tandis que sa main passe sous mon t-shirt et remonte sur mon sein pour caresser mon téton, augmentant mon envie de lui, si c'est encore possible.

Tout a été tellement soudain que j'en ai presque été paralysée tant mes sens ont été secoués. Mais je parviens à reprendre mes esprits ; suffisamment pour poser mes mains sur son torse et le griffer tandis qu'elles descendent le long de ses abdos pour attraper la boucle de sa ceinture. Je le tire violemment à moi et je sens son érection entre mes jambes.

– Est-ce que là, c'est assez clair ? je grogne en retour. Tu sais, c'est pas moi qui veux qu'on prenne notre temps.

Trent rompt notre étreinte, une expression sombre et sauvage dans les yeux, comme s'il était choqué. Il me fait descendre du canapé puis il tourne les talons et quitte l'appartement à grands pas en criant :

– Ne m'envoie plus ce genre de messages, putain !

Je me retrouve plantée là, sans voix et chaude comme la braise. *Il est en colère ? Il est en colère ! Putain il est en colère !* Je marche vers la table et prends mon téléphone.

Moi : *Tu m'as fait quoi là, putain ?*

Deux minutes plus tard, mon téléphone sonne.

Trent : *Tu t'amuses à me tester. Arrête de me torturer.*

Quoi ? Je le torture ? C'est lui, avec sa règle à la con, qui veut prendre son temps !

Moi : *Un seul petit message, c'est pas de la torture.*

Trent : *C'est pas seulement ton dernier message.*

Moi : *Eh ben, reviens alors.*

Trent : *Non, je t'ai dit qu'on prenait notre temps.*

Moi : *T'as enfreint ta propre règle avec ton petit jeu l'autre jour. Si l'on en croit notre bonne vieille Bible, on est un vieux couple marié.*

Mon commentaire sur la Bible me fait sourire. Tante Darla ferait un arrêt cardiaque si elle savait à quelles fins me sert mon éducation religieuse. Mais le message suivant efface mon sourire.

Trent : *Il te faut de l'aide.*

Je fixe ces cinq mots pendant un long moment, en serrant les dents. Je ne suis pas surprise qu'il le pense. Il l'a déjà dit. Cependant, le voir écrit est différent. Ça le rend officiel. Je ne réponds pas.

Une minute plus tard…

Trent : *Tu as traversé une épreuve horrible et tu as tout emmagasiné. Un jour, tu vas exploser.*

Et c'est reparti. Je me frotte le front, frustrée. Qu'est-ce qu'il peut être têtu !

Moi : *Quoi ? Tu veux les détails horribles sur comment j'ai perdu mes parents, ma meilleure amie ET mon copain en une seule nuit ? C'est ce genre d'histoire qui t'excite ?*

Ma rage est de retour, celle d'il y a trois jours lorsqu'il m'a forcée à aller à cette thérapie de groupe. Je pose le téléphone et prends une profonde inspiration, essayant de me calmer avant que la colère ne reprenne le dessus.

Mais je ne peux pas ne pas lire le message suivant.

Trent : *Je veux que tu me fasses assez confiance pour pouvoir m'en parler. Ou en parler à quelqu'un, si ce n'est pas à moi.*

Moi : *Mais ça n'a rien à voir avec la confiance ! Je te l'ai déjà dit ! Mon passé est mon passé et il faut que je le laisse à sa place. Dans. Le. Passé.*

Trent : *Tu es vulnérable et je profite de toi en perdant mes moyens comme je viens de le faire.*

Je grogne, désespérée.

Moi : *Je t'en supplie, profite de moi ! Je t'y autorise !*

Trent ne répond pas. Je soupire et décide de le prendre au sérieux.

Moi : *Trent, je vais bien. Crois-moi. Ça fait longtemps que je n'ai pas été aussi bien.*

Trent : *Non. Tu penses aller bien. Je crois que tu souffres d'un grave cas de TSPT.*

Ivre de rage, je jette le téléphone contre le mur qui sépare nos appartements. Des bouts de métal et de plastique volent partout.

Le monde entier a décidé d'être mon psy.

* * *

Je suis étonnée que Trent vienne chez Penny's ce soir-là. Mais, plus encore, je suis bouche bée lorsqu'il s'assied au bout du bar, comme il a l'habitude de le faire, comme si on ne venait pas de se déclarer la guerre froide. Je garde la tête haute. Je ne vais pas m'excuser. Pas question !

Une boîte ornée d'un ruban rouge apparaît devant lui comme par magie. Il la glisse vers moi et je ne peux m'empêcher de sourire en voyant apparaître ses fossettes. *Et merde !* Naturellement, je suis obligée de l'ouvrir. Qui n'aime pas les cadeaux ?

La boîte contient un iPhone tout neuf.

– J'ai deviné ce qui avait percuté le mur quand t'as pas répondu à mon dernier message, murmure Trent, un sourire enjoué sur les lèvres.

– Ah oui ?

Je passe ma langue sur mes dents, l'air cool et insensible. Mais à l'intérieur, je ne le suis pas. Je suis loin d'être insensible au charme de Trent.

– … et il disait quoi ton message?

Il hausse les épaules, faisant semblant d'être indifférent lui aussi. Je sais très bien qu'il ne l'est pas. Je vois son œil scintiller.

– Tu ne sauras jamais.

Il soupire et ne me quitte pas des yeux. C'est comme s'il avait oublié qu'on s'était disputés, et je ne comprends pas comment, car moi je suis encore énervée. Je sais qu'il manigance quelque chose, mais je ne sais pas encore ce que c'est.

– Imagine, l'après-midi aurait pu se terminer tout autrement si tu n'avais pas détruit ton téléphone, dit-il, sa paille dans la bouche.

Son regard est ardent et plein de promesses.

Je dois lutter pour me retenir de sauter par-dessus le bar et de me jeter sur lui. Mais, en apparence, je reste cool.

– Qu'est-ce que tu veux que je te dise? J'ai du mal à maîtriser ma colère.

Sa bouche se tord, comme s'il réfléchissait.

– Tu devrais trouver un moyen de gérer ça.

– C'est déjà fait. Ça s'appelle frapper un sac.

Il me fixe d'un air enjoué.

– Apparemment, ce n'est pas très efficace!

Je me penche sur le bar, le poids de mon corps appuyé sur mes coudes.

– Et toi, tu suggères que je fasse quoi à la place?

– Nom de Dieu! Vous avez pas fini de vous tourner autour? crie Storm, feignant d'être exaspérée, un shaker dans la main.

Je ne m'étais pas rendu compte qu'on parlait aussi fort. Regardant de l'autre côté, je vois le sourire de Nate et, immédiatement, je rougis. Je ne sais pas pourquoi d'ailleurs. Je passe mon temps à rougir, ces temps-ci.

Trent ne répond ni à Storm ni à moi, sirotant simplement son soda, et je suis assez bête pour croire qu'il a peut-être enfin fini de me forcer à me confronter à ce que j'ai enfoui il y a longtemps. Que ça va peut-être marcher.

* * *

Les semaines suivantes, Trent tient sa promesse et fait tout pour me faire sourire. Hélas, il tient également son autre promesse, et nous prenons notre temps. Et cette fois-ci, il la tient vraiment. Après ces quelques incidents, le Trent fougueux a disparu et celui avec qui je passe mon temps ne m'offre rien d'autre que quelques doux baisers et des câlins platoniques.

Et ça suffit à me rendre folle.

Chaque jour, je monte sur sa moto, passe mes bras autour de lui et le laisse m'emmener où il veut. On commence toujours par la salle de muscu : probablement parce qu'il ne veut pas que je jette mon nouveau téléphone contre le mur. Cependant, je découvre que je n'ai plus la même volonté ni la même concentration pour faire mes exercices habituels. Pour ça, il faut être attentif et déterminé et, soyons honnêtes, il faut être en colère. Or, Trent a le pouvoir d'amoindrir ma colère. On finit toujours par se chamailler et par faire les imbéciles, jusqu'à ce que quelqu'un nous jette un regard noir, puis on part. Au moment de retourner au vestiaire, je suis excitée et frustrée par l'attitude de Trent et j'ai grandement besoin de prendre une douche froide. Chaque jour, j'espère qu'il va enfin perdre ses moyens et qu'il va me rejoindre. Mais ça n'arrive jamais.

Après le sport, nous n'avons pas le temps de nous ennuyer non plus. On fait du paintball, du vélo le long de la plage, on va voir des matchs de baseball, on va au restaurant, boire des cafés, manger des glaces, on joue au frisbee. C'est comme si Trent avait un seul programme : « Faire sourire Kacey ». Lorsque j'arrive au travail le soir, j'ai tellement souri que j'en ai mal aux joues.

— Tu travailles jamais ? je lui demande un jour tandis qu'on marche dans la rue.

Il hausse les épaules et me serre la main.

— J'ai pas de contrat en ce moment.

— Ah. Mais t'as pas peur de ne pas avoir assez pour payer tes factures ? Tu dépenses tout ton argent avec moi.

— Non.

— Ça doit être chouette, dis-je sèchement, mais je n'insiste pas.

On poursuit notre balade, main dans la main, et je profite de la chaleur du soleil.

Et je souris.

* * *

— Tu restes jusqu'à la fermeture ?

Trent se passe la main sur les lèvres, comme s'il hésitait à me répondre.

— Non, parce que si je reste, il faudra que je te raccompagne chez toi.

Je fronce les sourcils, surprise.

— Ouais, je comprends, ce serait *vraiment* horrible.

— Non, tu ne comprends pas.

Son regard se pose sur mes lèvres avant de plonger dans le mien :

— Tu crois qu'il se passera quoi une fois qu'on sera devant ta porte ?

Je hausse les épaules. J'ai évidemment compris ce qu'il veut dire, mais je décide de faire l'idiote, pour voir ce qu'il va dire. Il se lève et se penche sur le bar pour attraper une olive. Lorsqu'il me regarde de nouveau, ses yeux ont cette expression ardente qu'il ne peut dissimuler complètement, celle qui me fait trembler.

— À la maison, Godzilla n'est pas là pour nous surveiller.

Il fait un mouvement de tête en direction de Nate, toujours sur le qui-vive lorsque Trent est dans les parages.

J'essaie d'avoir l'air de ne pas comprendre.

– Mais Nate n'est pas là non plus lorsque tu me raccompagnes chez moi en plein après-midi !

Il rit doucement. Et voilà ses fossettes que j'aime tant. Si seulement je pouvais passer ma langue dessus…

– Tu sais que tu joues très mal l'idiote ?

Je pince mes lèvres pour m'empêcher de rire.

Trent se penche davantage, assez près pour que moi seule l'entende.

– J'ai déjà assez de mal à ne pas te tripoter toute la journée. Je n'ai aucune chance d'y arriver si je sais que t'es sur le point de te déshabiller pour te mettre au lit.

Je m'agrippe au comptoir tandis que je le regarde glisser une olive dans sa bouche et l'accueillir avec sa langue.

Il veut jouer à ça alors…

Les semaines suivantes, je dévalise l'armoire de Storm et m'assure de choisir les tenues les plus courtes et les plus moulantes. Un soir, j'envisage même de lui emprunter sa tenue de scène pailletée. Je m'évertue également à me pencher devant Trent aussi souvent que possible, et pour une fois je danse un peu, me déhanchant en rythme derrière le bar. Lorsque Ben fait un commentaire sur le fait que je me prépare à monter sur scène pour la première fois, je le frappe dans les côtes, faisant éclater de rire Nate.

Cependant, je ne parviens pas à faire craquer Trent. Il me regarde, les coudes sur le bar et les mains jointes. Il suit mes mouvements. Il me regarde flirter avec lui. Il me regarde me ridiculiser pour lui.

Puis, un soir, je finis par craquer.

– Mais merde, Trent ! je m'écrie en posant violemment son soda sur le bar. (Il a l'air surpris.) Qu'est-ce que je dois faire pour attirer ton attention? Il faut que je monte sur scène?

Il écarquille les yeux un instant, choqué. Puis il se penche en avant pour prendre ma main, mais se ravise et croise les bras.

– Crois-moi, tu as cent pour cent de mon attention.

Il me lance un regard qui me met l'eau à la bouche :

– Tu as toujours toute mon attention. Il me faut tout mon pouvoir de contrôle pour te montrer à quel point je suis attentif à toi.

Son regard torride disparaît aussi vite qu'il est venu.

– Je veux que tu te fasses aider, Kace, dit-il à voix basse. Je suis là pour toi, tous les jours. Toujours. Je te soutiendrai quoi qu'il arrive, mais il te faut de l'aide. Personne ne peut enterrer son passé indéfiniment. Ce n'est qu'une question de temps avant que tu exploses.

– Mais c'est du chantage! je siffle.

Il a d'abord voulu me faire parler après m'avoir donné un orgasme intergalactique, mais ça n'a pas marché. Et maintenant, il refuse de me toucher pour me forcer à parler. Connard! Je m'en vais à grands pas et refuse de le regarder tout le reste de la soirée.

Le lendemain soir chez Penny's, Trent a la preuve qu'il avait raison.

CHAPITRE 13

Storm fait son tour d'acrobatie sur scène et je la regarde tout en jetant fréquemment un œil à mon téléphone, espérant avoir un message de Trent. Rien. Il n'est pas là ce soir. C'est la première fois depuis longtemps qu'il ne vient pas, et je ressens vivement son absence. Peut-être a-t-il enfin baissé les bras. Peut-être a-t-il réalisé que je suis une cause perdue et qu'il lui faudra attendre un siècle pour baiser s'il attend que je m'effondre et que je décide enfin de suivre une thérapie.

Storm descend de son cerceau, accueillie par un tonnerre assourdissant d'applaudissements. Elle se baisse pour ramasser son haut en se couvrant les seins aussi bien que possible avec son bras. J'ai désormais vu Storm seins nus tellement de fois que je ne détourne plus le regard. D'ailleurs, je me suis habituée à être entourée de femmes à poil. Je commence même à me sentir comme une abrutie en trench au milieu d'une plage de nudistes.

Tandis que la salle entière applaudit et siffle, je me dis pour la centième fois que Storm est incroyable. Toute la salle est debout, excepté un mec rachitique dans un coin. Je le vois crier sur Storm, agitant une liasse de billets. Il refuse de les donner au videur qui ramasse les pourboires et j'ai l'impression que Nate est sur le point de le foutre dehors.

Et là, je ne sais pas comment, le mec parvient à se faufiler entre les videurs et monte sur la scène en criant : « Salope ! » Une lame sort de nulle part. Je le regarde, horrifiée, empoigner les cheveux de Storm et lui tirer la tête en arrière. Même d'où je me tiens, je vois ses pupilles dilatées. Le mec est drogué.

J'ouvre la bouche pour hurler, mais aucun son ne sort. Pas un bruit. Je balaie les verres du bar d'un revers de la main, saute par-dessus et court, poussant les gens qui sont sur mon passage à coups de pied et de poing. Je sens le sang me monter à la tête, je sens les battements de mon cœur dans mes oreilles, en rythme avec chacun de mes pas. La seule chose à laquelle je pense est que je vais la perdre. Une autre amie, morte. Non, Mia va grandir sans sa mère.

Pas une nouvelle fois.

J'atteins la scène et y trouve un attroupement de chemises noires cintrées. Je ne vois pas Storm. Je ne vois rien. Je pousse les gens et les griffe, mais je n'arrive pas à passer devant le mur de videurs. Mes mains serrent ma gorge, imaginant que le pire est arrivé.

Et je prie.

Je prie pour que la chose qui a décidé de me garder en vie ait la même compassion pour Storm, qui mérite bien plus de vivre que moi.

Un géant émerge de la foule de videurs.

Nate.

Il tient le mec dans ses mains énormes.

Il passe devant moi l'air menaçant, il a accroché le mec par la gorge, ses pieds ne touchent même pas le sol. J'espère qu'il le serrera trop fort et qu'il écrasera son larynx. Cependant, cet espoir n'a pas soulagé ma peur car Storm est encore quelque part derrière ces gens et je ne sais toujours pas si elle est en vie.

Je hurle :

– Storm !

Une brèche apparaît enfin dans le mur des videurs. Ben me guide, une main sur mon dos, et je trouve Storm en boule sur le sol, les membres repliés. Une vague de panique m'envahit. Elle ressemble tellement à Jenny dans la voiture.

Je me jette à ses côtés.

– Oh, Kacey ! pleure-t-elle en se jetant dans mes bras. J'arrêtais pas de penser à Mia.

Je tremble.

– Tu es en vie. Tu es en vie. Dieu merci, tu es en vie, je murmure sans cesse tout en passant mes mains sur ses bras, son cou, ses épaules. Pas de sang. Pas de blessure.

– Je vais bien, Kacey. Je vais bien.

Ses joues sont rouges et marquées par les larmes, son maquillage a coulé partout, mais elle me sourit.

– Oui, dis-je, ravalant la boule qui s'était formée dans ma gorge. Tu ne vas pas mourir. Tu vas bien. Je ne t'ai pas perdue.

Je suis trop attachée à Storm. Tellement que je risque de souffrir comme quand j'ai perdu Jenny. Une avalanche de souvenirs remplace le soulagement que je devrais ressentir en cet instant. Soudain, je suis coincée dans le passé, avec une meilleure amie que je connaissais depuis l'âge de deux ans, avec qui j'ai passé des jours et des nuits pleins de rire et de larmes, de colère et de joie. Une douleur aiguë remonte dans ma poitrine tandis que je réalise que ce ne sont que des souvenirs et que je veux en avoir de nouveaux avec Storm.

Des souvenirs que cet homme a essayé de me voler.

L'air inquiète, Storm prend ma main dans la sienne. Je n'avais pas respiré depuis que j'avais enjambé le bar. Je laisse désormais l'air quitter mes poumons. Et quelque chose, quelque part en moi, se rompt. Je ne sais comment le décrire autrement qu'en disant que je perds toute notion de ce qui est bien ou mal.

Comme si une boule de haine venait d'exploser en moi.

Ce mec a essayé de me voler ma seconde chance. Il faut qu'il paie.

Des lumières fluorescentes éclairent désormais la boîte, révélant les verres renversés, les bouteilles vides et les déchets, pendant que les videurs font sortir les clients. J'aperçois les épaules de Nate emprunter un couloir, le mec toujours entre ses mains. Je serre la mâchoire et mes dents s'entrechoquent.

Je suis vaguement consciente d'apercevoir Trent près de l'entrée. Il pointe le doigt en direction de la scène et se dispute avec un videur qui refuse de le laisser passer. Je le regarde quelques secondes, sans réellement le voir, et je me retourne vers le couloir où cette créature horrible, celle qui a voulu me voler ma nouvelle vie, a disparu.

Je suis debout, courant à toute vitesse.

Je bouscule les hommes sur mon passage et déboule dans le couloir à la poursuite de Nate. Je vois sa silhouette gigantesque passer la porte. J'accélère pour le rattraper. Mon cœur n'a jamais battu aussi vite. Mes oreilles bourdonnent. Je sens ma main attraper une bouteille vide laissée sur un fût de bière. Sans que mon cerveau en ait donné l'ordre à mon corps, ma main la brise contre le mur, faisant voler des bouts de verre partout.

Ma main se resserre autour du goulot tandis que j'imagine à quel point les bords doivent être tranchants.

À quel point ils seront efficaces.

Lorsque je passe la porte, l'agresseur de Storm est debout au milieu du parking. Seul.

Parfait.

Sans faire un bruit, je cours vers lui, ma main se préparant dans mon dos, prête à viser. L'enfoiré se tourne, me

voit et ses yeux globuleux s'écarquillent. *Six mètres, cinq,*
quatre... Mon bras est sur le point de plonger la bouteille
brisée dans sa poitrine, lui faisant ressentir ce que *moi* j'aurais ressenti s'il avait réussi son coup, lorsque deux mains
gigantesques me soulèvent, tenant mes bras plaqués contre
mon corps.

— Non!

Je me débats et je hurle de toutes mes forces. Je mords le
bras de Nate, et le goût du sang remplit ma bouche. Il grogne
mais ne me lâche pas et il me porte à l'intérieur. Il me pose
par terre et se penche en avant pour me regarder dans les
yeux, ses mains tiennent toujours mes bras.

— Laisse la police s'en occuper, Kacey!

Sa voix grave résonne en moi comme le tonnerre.

— La police?

Je fronce les yeux et regarde derrière lui. L'enfoiré n'était
pas tout seul. Quatre fourgons sont garés sur le parking,
gyrophares allumés, et une douzaine de policiers se tiennent
debout, prenant des notes, tandis que des témoins relatent
l'événement. Je ne sais pas comment je ne les ai pas vus.

Quelle horreur!

Je titube, sur le point de vomir. Je lâche la bouteille et me
tiens le ventre, pliée en deux.

— Je t'ai rattrapée à temps. Personne n'a rien vu, et quand
bien même, personne ne dira rien, me promet Nate.

Son regard sombre est plongé dans mes yeux comme s'il
cherchait quelque chose. Un démon, peut-être.

— Kacey!

Trent arrive, essoufflé. Je suis en hyperventilation; ma poitrine se soulève comme si je prenais mon dernier souffle.
Celui que je ne parviens jamais à prendre. Il baisse les yeux et
voit la bouteille à mes pieds.

— Mon Dieu, Kacey. Qu'est-ce que tu allais faire?

J'essaie d'avaler. J'essaie de respirer. Je secoue la tête et je tremble comme une feuille.

— Je sais pas, je sais pas. Je sais pas, je répète sans cesse, à peine intelligible.

Mais en vérité je le sais. Je sais ce que j'allais faire.

J'ai failli tuer un homme.

* * *

Je regarde les lumières des lampadaires défiler sans les voir, tandis que Dan nous ramène dans sa voiture de police. Je sais que Trent est quelque part derrière nous en moto et la seule chose à laquelle je pense, c'est l'horreur sur son visage. *Qu'est-ce que tu allais faire ?* m'a-t-il demandé. Et il savait. Bien sûr qu'il savait.

Storm m'aide à sortir de la voiture comme si c'était moi qui venais de me faire attaquer, pas elle. Comment peut-elle être aussi calme ?

Un pas de plus. Un pas de plus. Un pas de plus.

— Kacey, je vais bien. Promis, dit Storm, quelque part près de moi.

Puis je sens sa main me guider vers l'appartement.

Je sais qu'elle va bien et je suis soulagée que ce soit le cas. Mais moi je lutte. Je fais tout ce que je peux pour ne pas m'effondrer ici sur le trottoir.

J'ai failli tuer un homme ce soir.

Les psys de tante Darla avaient raison… *Un pas de plus. Un pas de plus. Un pas…*

Quelqu'un claque des doigts devant mon visage et me sort de ma transe. Je découvre un océan d'inquiétude dans le regard de Storm.

— Je crois qu'elle est sous le choc, dit-elle à quelqu'un.

— Non, bien. Je vais bien. Bien, je murmure.

Soudain, je m'agrippe aux bras de Storm et je les serre, paniquée :

– Ne dis rien à Livie. S'il te plaît ? Elle ne doit pas savoir ce que j'ai failli faire.

Storm hoche la tête. Je la vois échanger un regard inquiet avec Trent et Dan.

– Allez, viens.

Mes pieds ne touchent plus le sol. Des bras m'ont soulevée. En quelques secondes, Trent m'a couchée sur mon lit et me recouvre avec la couette.

– Non, je ne suis pas fatiguée, je bafouille, essayant péniblement de me lever.

– Juste… repose-toi. S'il te plaît, dit Trent doucement.

Sa main caresse ma joue, je la prends et la serre fort, pressant sa paume contre mes lèvres.

– Reste.

J'entends le désespoir dans ma voix.

– Bien sûr, Kacey, murmure-t-il.

Il enlève ses chaussures et me rejoint sous la couette.

Je ferme les yeux et niche ma tête contre son torse, me délectant de la chaleur de son corps, des battements de son cœur, de son odeur.

– Tu me détestes ? Tu dois me détester. Je n'y peux rien. Je suis cassée.

Trent me serre contre lui.

– Je ne te déteste pas, Kacey. Je ne pourrai jamais te détester. Confie-moi ton cœur, Kacey. Je prendrai tout ce qui vient avec.

Je fonds en larmes. Je pleure, inconsolable, pour la première fois en quatre ans.

* * *

– Tire sur mon doigt.

Jenny pouffe de rire. Elle pouffe de rire chaque fois que Billy dit ça.

Je lève les yeux au ciel, comme chaque fois qu'il dit ça.

– Super sexy, Billy. Prends-moi ici sur-le-champ.

– Kacey ! gronde ma mère.

Billy me fait un clin d'œil, serre fort ma main et je serre la sienne en retour. Maman et papa sont à l'avant, en train de parler du match de la semaine prochaine et du fait qu'il va bientôt me falloir mon permis pour qu'ils n'aient plus à me trimballer partout. Je sais qu'ils plaisantent, bien sûr. Pour rien au monde, ils ne manqueraient un de mes matchs de foot.

– Vous ne voulez pas arrêter d'être radins et m'acheter cette putain de Porsche ?

– Kacey, surveille ton langage, gronde mon père, mais il regarde par-dessus son épaule et me sourit.

Je sais qu'il est ravi. Après tout, c'est moi qui ai marqué le touché gagnant ce soir.

La suite se déroule dans une sorte de brouillard. Mon corps est secoué violemment. Quelque chose me percute. Quelque chose de très lourd écrase mon côté droit. Je sens que je suis secouée dans tous les sens. Et puis… tout s'arrête.

Je suis plus ou moins consciente que quelque chose ne va pas.

« Maman ? Papa ? »

Pas de réponse.

J'ai du mal à respirer. Quelque chose est plaqué contre ma cage thoracique. Le côté droit de mon corps est engourdi. J'entends un gargouillis étrange. Je tends l'oreille. C'est comme le dernier souffle de quelqu'un.

Je me redresse dans le lit, trempée de sueur, mon cœur bat tellement vite que je ne sais où un battement s'arrête et où l'autre commence. Pendant un moment, je me roule en boule et me balance d'avant en arrière, essayant d'oublier que c'est moi qui ai causé cet accident. C'est moi qui ai déconcentré mon père en faisant la maligne. Je sais très bien que si je ne l'avais pas distrait, il aurait vu la voiture arriver et il aurait pu l'éviter. Mais je sais que je ne peux pas changer ce qui s'est passé. Je ne peux rien changer.

Je suis soulagée de trouver Trent à côté de moi, son torse se soulève lentement au gré de sa respiration. Il ne m'a pas encore abandonnée. Le lampadaire devant la fenêtre projette une lumière douce sur son corps et je reste assise à le regarder en silence. Je me retiens de le toucher, de dessiner du doigt ses courbes parfaites.

Je soupire et fais quelques pas tremblants vers la commode, me demandant quand cette nouvelle vie va s'effondrer également. Quand je vais perdre Trent, et Storm, et Mia. Cette nouvelle vie a failli se briser ce soir. Comme ça, en un claquement de doigts. J'aurais dû partir. J'aurais dû disparaître et mettre fin à toutes ces relations qui m'ont été imposées et épargner à tout le monde une montagne de souffrance. Mais je sais que ce n'est pas possible. Je suis trop impliquée. D'une façon ou d'une autre, j'ai fait une place à tous ces gens dans ma vie et dans mon cœur. Ou bien ce sont eux qui m'ont fait une place dans le leur. Dans tous les cas, chaque jour qui passe rendra leur absence plus dure à supporter lorsqu'ils seront partis.

Tournant le dos à Trent, je laisse ma robe tomber au sol, puis je défais mon soutien-gorge et le laisse tomber également. Puis j'enlève ma culotte. Je sors une camisole et un short du tiroir, et j'hésite à prendre une douche pour me rafraîchir lorsqu'une voix douce dit :

– T'as les plus beaux cheveux que j'aie jamais vus.

Je me fige sur place et je rougis. Je suis nue devant un mec qui réussit à me faire jouir d'un simple regard. J'entends le lit grincer et des pas approcher lentement, mais je ne bouge pas. Trent se tient juste derrière moi et l'air de ma chambre devient soudain plus lourd. Je ne peux pas me retourner. Je ne peux pas lui faire face, et je ne sais pas pourquoi.

Je sens sa présence comme s'il tenait mon âme dans sa main, la berçant, essayant de la protéger, et je suis terrifiée. Je suis terrifiée parce que je veux que ce sentiment ne disparaisse jamais.

Mes nerfs sont à vif. Je me raidis tandis que sa main effleure mon épaule, mettant mes cheveux sur un côté, exposant un côté de mon cou comme il aime le faire. Un souffle me chatouille, il se rapproche.

– Tu es magnifique. Tout chez toi est magnifique.

Arrachant mon short de mes mains, il le laisse tomber par terre et prend ma main. Sa bouche caresse la cicatrice sur mon épaule et la recouvre de minuscules baisers, il me fait frissonner de la tête aux pieds. Il lève mon bras pour le poser sur ma tête, et je sens son corps se déplacer. Il descend lentement ; sa bouche survole mes côtes, ma hanche, ma cuisse, embrassant chaque ligne qui symbolise mon passé tragique. Pendant tout ce temps, ma main gauche tient la sienne tandis que l'autre repose sur ma tête. Et mon corps tremble d'avance.

Les mains de Trent agrippent l'extérieur de mes cuisses, il dépose un baiser final sur la chute de mes reins, et je vacille légèrement, mes genoux ne me tiennent plus. Je sens qu'il est de nouveau debout derrière moi ; ses mains remontent et caressent mon ventre, plaquant fermement mon corps contre le sien, me laissant sentir son érection dans mon dos.

Ma tête tombe contre son torse, à la fois excitée et frustrée. Excitée que Trent me laisse être près de lui après toutes ces semaines d'absence, et frustrée parce que tout cela va se terminer trop tôt.

Cependant, il n'a pas l'air de vouloir arrêter. Ses mains continuent de caresser les contours de mes seins. Je l'entends prendre une profonde inspiration. Puis, tout doucement, il me tourne et tient mes mains derrière mon dos.

Je ne sais pas pourquoi, je n'arrive pas à le regarder, alors je fixe la minuscule cicatrice sur sa clavicule, sentant sa poitrine se soulever et se baisser contre la mienne, mes tétons durcissent au contact de sa peau. Je me mets à haleter tandis qu'il baisse la tête vers moi et murmure :

– Regarde-moi, Kacey.

Je lève les yeux. Je lève les yeux et me noie dans ses yeux bleus, remplis de tristesse, de souffrance et de désir.

– Je vais t'aider, Kacey. Je te le promets. Je vais recoller les morceaux, murmure-t-il.

Puis il m'embrasse.

Je suis vaguement consciente d'être appuyée contre le mur, de son boxer tombant au sol, de ses bras musclés qui me soulèvent, de mes jambes qui entourent ses hanches, de le sentir contre moi.

De le sentir en moi.

Que les morceaux commencent à se recoller.

* * *

Il fait encore nuit lorsque je me réveille de nouveau. Cette fois-ci, ma tête repose sur le torse de Trent et nos corps sont entremêlés. Ses doigts dessinent des boucles dans mon dos et je sais qu'il ne dort pas. Cette fois, ce n'est pas un cauchemar qui m'a réveillée. Ce sont les voix de Storm et de Dan de l'autre côté du mur.

– Il aurait pu te tuer, Nora, crie Dan. Oublie l'argent. Ce n'est pas important.

La voix de Storm est moins forte, mais je l'entends quand même.

– Tu crois que je me suis entraînée toutes ces années dans le but de travailler chez Penny's ? J'ai merdé, Dan. J'ai fait de mauvais choix et je dois les assumer. Pour le moment. Pour Mia.

– C'est bien à Mia que je pense. Si ce mec t'avait tuée ce soir, hein ? Qui se serait occupé d'elle ? Son père ? En prison ?

Il y a un silence puis Dan se remet à crier :

– Je ne sais pas si je peux y arriver, Nora. Je ne peux pas avoir peur de te perdre chaque fois que tu pars au boulot.

Je ricane.

– Et c'est le flic qui dit ça ? je murmure, me reprenant aussitôt. Cette conversation ne regarde qu'eux.

– Eh ben, je ne vais pas prendre de décision en fonction de ce que veut un mec : parce que quand tu seras parti et que je serai toute seule, je vais devoir me débrouiller.

J'entends sa voix fléchir et je sais qu'elle pleure. Puis les voix s'estompent et je suis soulagée. Je ne veux pas entendre Storm et Dan rompre.

– Je peux te demander quelque chose sans que tu t'énerves, Kacey ? demande Trent.

– Moui, je réponds sans réfléchir.

– Que sais-tu du conducteur qui a percuté ta voiture ?

Mon corps se raidit.

– Qu'il était ivre.

– Et ?

– Et rien.

– Rien du tout ? Ni son nom ni rien ?

Je ne réponds pas tout de suite. En réalité, je ne sais pas si je veux répondre.

– Son nom. C'est tout.

– Tu t'en souviens ?

Je prends une profonde inspiration. Je ne l'oublierai jamais.

– Sasha Daniels.

— Qu'est-ce qui lui est arrivé ?

— Il est mort.

Il y a un long silence pendant lequel Trent continue de dessiner sur mon dos, et je commence à croire que la conversation est terminée. *Que tu peux être bête !*

— Il était seul ?

J'hésite, mais je choisis de répondre.

— Il avait deux amis. Derek Maynard et Cole Reynolds. Derek et Sasha n'avaient pas attaché leur ceinture. Ils ont été projetés hors du véhicule.

Ma tête monte et descend tandis que Trent prend une profonde inspiration.

— Et celui qui a survécu, Cole, il a essayé de te contacter ?

Je ferme les yeux et profite de la chaleur du torse de Trent, luttant contre moi-même tandis qu'il me ramène vers mon puits sans fond.

— Sa famille a essayé, oui. J'ai porté plainte et le juge leur a ordonné de ne pas nous approcher. Et j'ai dit à la police que si l'un d'entre eux essayait de nous contacter, je les tuerais tous, sans hésiter.

À l'époque, j'étais attachée à un lit, incapable de bouger. Avec la meilleure volonté du monde, je n'aurais pu tuer personne, mais les flics ont quand même fait passer le message.

Cependant, je sais désormais que je suis capable de tout.

Je suis capable de meurtre.

Les doigts de Trent cessent leurs dessins et il me serre fort contre lui.

— Je vais te faire une proposition, Kacey. Ne t'énerve pas, s'il te plaît.

Je ne réponds pas. J'écoute simplement son cœur. Je laisse son cœur m'envahir. Je sens chaque battement de son cœur dans mon corps.

– Je crois que tu devrais rencontrer ce Cole. Peut-être que vous avez tous les deux besoin de tirer un trait sur tout ça. Vous êtes les deux seules personnes à avoir survécu à un terrible accident. Vous avez quelque chose en commun.

Je me redresse et le dévisage. Je le dévisage comme si je venais de découvrir qu'il avait trois têtes. Je force mon cœur à ralentir et je tâche de me calmer avant de prendre la parole.

– Je vais dire quelque chose et je ne le répéterai plus jamais.

Ma voix est neutre. Je ne crie pas, je ne pleure pas, je ne tremble pas.

– Je ne veux pas *voir* Cole Reynolds. Je ne veux pas *parler* à Cole Reynolds. Et je ne veux pas *connaître* Cole Reynolds.

Ma bouche se tord de dédain en prononçant son nom.

– C'est *sa* voiture qui s'est encastrée dans la nôtre. Il a donné ses clés à son copain qui a ensuite foutu ma vie en l'air. J'espère que, où qu'il soit, il souffre. J'espère que les gens qu'il aime l'ont abandonné. J'espère qu'il n'a pas un rond et qu'il est obligé de manger de la pâtée pour chat et des asticots. J'espère qu'il se réveille toutes les nuits après avoir revécu cet horrible accident. En ayant revécu ce *qu'il* m'a fait. Ce qu'il a fait à Livie.

Ma tête retombe sur Trent et j'expire longuement, comme si j'étais soulagée d'avoir évacué toute cette haine.

– Ensuite, j'espère que ses couilles prendront feu.

Mon ton est sec et froid. Je n'essaie pas de masquer la haine que contiennent mes mots. Je libère cette haine. Je me délecte de cette haine. Haïr, c'est bien. Pardonner, c'est mal.

Un silence s'installe tandis que Trent me serre dans ses bras, son menton repose sur mon crâne. Je sens qu'il est tendu de nouveau, et ça ne m'étonne pas. Je fixe un point sur le mur et me demande si la vie de Cole Reynolds est vraiment foutue. Je me demande s'il est obligé de bosser dans une boîte de strip-tease pour offrir à sa sœur tout ce qu'elle mérite. Je me demande s'il a laissé tomber son rêve d'aller à l'université. Je me demande s'il souffre chaque fois qu'il pleut parce que son corps ne tient que grâce à des plaques de fer.

Mais surtout, je me demande ce que Trent pense vraiment de sa jolie petite rousse.

* * *

Je me réveille seule dans mon lit et trouve un mot sur mon oreiller.

J'ai dû partir. Je suis désolé.

Je suppose simplement que Trent a un nouveau contrat de travail et qu'il a dû partir. Ce qui ne m'empêche pas d'être déçue. J'aurais bien besoin d'une autre dose de son corps, s'il voulait bien me la prescrire. Je sors du lit et m'étire. Le souvenir horrible de la veille a été remplacé par des souvenirs de ma nuit avec Trent. Ça fait si longtemps que je ne me suis pas sentie ainsi. Effacez ça. Je ne me suis *jamais* sentie ainsi. Le sexe n'était jamais comme ça avec Billy. Je tenais beaucoup à lui, mais on était jeunes et inexpérimentés. Trent n'est pas inexpérimenté. Trent sait exactement ce qu'il fait, et il le fait très bien. Il y a quelque chose de différent avec Trent. Avec lui, c'est comme mordre dans une pastèque après une traversée du désert. C'est comme prendre une grande inspiration après avoir passé des années sous l'eau.

Avec Trent, je revis vraiment.

LE MANQUE

CHAPITRE 14

Je rentre chez Storm où je suis accueillie par Mia, la bouche ouverte, attendant que Dan, vêtu d'un simple boxer rayé, lui jette un Chocapic dans la bouche. Apparemment, Dan et Storm se sont rabibochés et je suis soulagée ; j'aime les voir ensemble.

Il marque une pause et me regarde, l'air inquiet.

– Comment tu te sens ce matin ?

– Bien, dis-je en souriant et en mangeant un Chocapic.

Dan ne me connaît pas. Il ne sait pas combien je suis douée pour enterrer mes pires souvenirs. Je suis passée maître dans cet art : en quelques heures, j'ai réussi à tout oublier et, du moment que personne n'en parle, je n'y penserai plus jamais. Je vais vers Storm qui est en train de préparer des pancakes.

– Tu en veux ? dit-elle en levant la louche au-dessus du saladier.

Je hoche la tête, tapotant mon estomac.

– T'as vu Livie ce matin ?

Elle acquiesce.

– Elle est partie il n'y a pas longtemps.

Elle verse une louche de pâte dans une poêle et l'odeur des pancakes envahit la cuisine. Elle fixe sur moi le même regard inquiet que Dan.

– Mais, sérieusement, tu te sens comment ?

– Je… je vais bien. Je vais mieux.

– Tu es sûre ? Dan connaît un mec à qui tu peux parler si ça peut t'aider.

Je secoue la tête.

– Je vais bien. De te voir ici, en vie, en forme, en train de faire des pancakes, c'est tout ce dont j'ai besoin.

Je lui frotte le dos d'une main tandis que, de l'autre, j'attrape une assiette. Oui, c'est exactement ce dont j'ai besoin. Storm et Mia, et Livie, et Trent. Même Dan. C'est tout ce dont j'ai besoin.

* * *

Moi : *Je travaille pas ce soir. Tu viens ?*

J'attends pendant ce qui me semble être une éternité, mais Trent ne répond pas. Finalement, je ne peux plus attendre et je vais chez lui. Je frappe, mais n'obtiens pas de réponse. Son appartement est plongé dans l'obscurité. Puis je vais jusqu'aux parties communes, feignant d'inspecter le barbecue alors qu'en vérité je veux voir si sa moto est là. Elle l'est. Je retourne frapper à sa porte, et j'attends. Toujours pas de réponse.

Cain refuse que Storm et moi travaillions ce soir. D'ailleurs, il a obligé Storm à poser toute la semaine en insistant pour la dédommager. Je parie que Dan est ravi. Et vu la façon dont Storm se promène en sautillant, je crois qu'elle n'est pas mécontente non plus. Moi aussi je serais contente. Si Trent était là.

Le lendemain, je n'ai toujours pas de nouvelles de Trent.

Ni le jour suivant.

Le troisième soir, je reprends le travail, une boule au ventre. La musique me paraît morne, la lumière aveuglante, et les clients m'ennuient. Ce n'est pas la même chose sans Trent et

Storm, et je me sens misérable. Je n'arrive pas à sourire, même lorsque j'essaie de me forcer. Je sais que Storm sera de retour d'ici quelques jours. Trent, en revanche... Son absence me fait l'effet d'un poignard planté dans le dos. C'est incroyablement douloureux, mais je ne parviens pas à l'enlever, et s'il reste où il est, je suis sûre qu'il finira par me tuer.

Le fait que Trent soit parti me met d'humeur exécrable toute la semaine. Je suis désagréable et j'aboie sur tout le monde. Les gens finissent par avoir peur de me parler. J'en ai parfaitement conscience, et je m'en fiche. Un soir, alors que je suis de repos, je provoque une dispute avec Livie sur ce qu'on va regarder à la télé. Elle se met à pleurer et m'insulte. Livie ne fait jamais ça. Je passe le reste de la soirée à traîner dans les parties communes, en jetant des coups d'œil fréquents vers l'appartement 1 D. Mais rien ne change. Il est toujours plongé dans le noir. Où qu'il soit parti, Trent n'est pas revenu.

Et s'il ne revenait jamais ?

* * *

Cinquième jour.

Je hurle de terreur tandis que je regarde l'Audi de mes parents s'enfoncer dans la rivière, les yeux rivés sur la personne coincée derrière le volant.

Trent.

Je me réveille en sueur, emmêlée dans mes draps, à bout de souffle. *Ce n'était qu'un rêve. Dieu merci !* Il me faut une bonne quinzaine de minutes pour effacer cette image horrible. Mais je n'arrive pas à gommer l'idée que Trent soit mort. Et s'il avait eu un accident ? Personne ne m'appellerait. Je ne suis personne. Je n'ai pas encore eu l'occasion de rencontrer qui que ce soit de son entourage.

Je harcèle Storm pour qu'elle me donne le numéro de Dan. Puis je harcèle Dan pour qu'il parcoure les fichiers pour voir si un Trent Emerson a été mêlé à un accident. Il me dit qu'il ne peut pas abuser de son pouvoir comme ça. Je craque et je lui raccroche au nez. Puis je le rappelle et lui demande de m'excuser, et il accepte de venir avec son ordinateur portable pour me laisser parcourir les informations et la rubrique nécrologie.

Il est 2 h du matin quand j'accepte enfin que Trent est probablement en vie et en bonne santé. C'est juste qu'il n'est pas avec moi.

* * *

Neuvième jour.

Lorsque je passe devant chez Trent pour aller à la salle de sport, quelque chose me fige sur place. Je suis sûre d'avoir senti une odeur étrange.

Oh, mon Dieu.

Trent est mort.

Je cours chez Tanner et frappe des poings sur sa porte jusqu'à ce qu'il l'ouvre. Tanner est là, vêtu de son pyjama Batman habituel, les yeux écarquillés, comme un voleur pris la main dans le sac.

– Allez, venez! dis-je en le prenant par le bras. (Je l'oblige à sortir.) Il faut que vous ouvriez l'appart 1 D tout de suite!

Tanner pèse de tout son poids pour me résister.

– Attendez une seconde, je peux pas ouvrir les portes comme ça...

– Je crois que Trent est mort! je hurle.

Ça le fait avancer. J'attends derrière lui tandis qu'il cherche la bonne clé sur son trousseau énorme. Ses mains tremblent. Il est inquiet. *Bien sûr qu'il est inquiet.*

Lorsque la porte s'ouvre, je rentre en le poussant, sans penser à ce que je risque de trouver. Il fait sombre et l'appartement est rangé. Il n'y a presque rien, en fait. Les seules indications que l'appartement est habité sont l'ordinateur portable sur le bureau, le chandail bleu marine sur le canapé et le parfum de Trent.

Tanner passe devant moi et jette un œil dans les chambres et la salle de bains. Il regarde même dans le placard. Lorsqu'il revient, il n'a pas l'air content.

– Qu'est-ce qui vous a fait penser que Trent était mort ?

Je déglutis et regarde à mes pieds.

– Oups.

– OK. Allez, sortez d'ici.

Il me guide vers la porte, une main sur mon épaule, clairement agacé. Lorsqu'il s'éloigne, je l'entends marmonner dans sa barbe quelque chose à propos de drogues et d'hormones.

* * *

Treizième jour.

Coup de pied. Coup de poing. Rotation. Coup de pied.

Le sac encaisse mes coups sans se plaindre. Je le frappe encore et encore, mettant dans chaque coup toute ma colère et ma peur. Trent mène une double vie. Ça ne peut être que ça. Il a une femme parfaite, blonde et bronzée. Ils ont probablement deux parfaits petits enfants qui disent « s'il vous plaît » et « merci » et qui n'ont pas appris à jurer comme des bûcherons à cause de la vulgarité de leur mère. Il avait dû s'enfuir à Miami après une crise de quart de siècle, à la recherche d'une aventure pour pimenter un peu sa vie tranquille. Je ne suis rien d'autre qu'un divertissement pour les gens en crise. Et je me suis fait avoir comme une idiote.

Coup de pied circulaire. Rotation. Coup de pied.

Je me sens bien.

J'ai l'impression de reprendre le contrôle.

Un peu plus tard, chez Storm, je suis assise sur le canapé, en train de regarder un épisode de *Bob l'Éponge* avec Mia. À côté de moi, sur le coussin, il y a une poupée Ken. Elle me rappelle Trent. Naturellement, j'envisage de la rapporter chez moi pour écrire «Trent» au marqueur sur son torse, puis brûler au briquet l'endroit où devraient être ses organes génitaux.

* * *

Dix-septième jour.

— Était-il vrai au moins? je murmure, les yeux rivés sur mon téléphone.

Ce n'est pas moi qui me suis acheté un iPhone, si?

— Quoi? demande Livie, levant les yeux, l'air surpris.

— Trent, il a vraiment existé? Je veux dire, je comprendrais que je l'aie inventé. Pourquoi un mec aussi beau et doux et parfait voudrait-il de quelqu'un comme moi?

Il y a un long silence. Quand je regarde en direction de Livie, elle me fixe comme si je venais d'avaler du verre pilé. Je sais qu'elle s'inquiète. Storm est inquiète aussi. Je crois que même Nate est inquiet.

* * *

Vingtième jour.

Coup de pied. Coup de poing. Coup de poing. Coup de pied.

Je me défoule contre le sac.

Trent s'est servi de moi. À quelle fin perverse, je n'en ai aucune idée. Il doit avoir des fantasmes bizarres. Il a trouvé une femme fragile, et il a ciblé ses faiblesses avec ses fossettes et son charme. Il a brisé mon armure et s'est faufilé jusque dans mon cœur pour faire fondre la glace qui le recouvrait. Puis il m'a abandonnée après avoir découvert à quel point j'étais folle. Mais pas avant d'avoir tiré son coup, naturellement.

Et je l'ai laissé faire! C'est de ma faute! C'est moi l'abrutie!

Je frappe le sac de sable de dix kilos. J'adore ce sac. Il absorbe toutes mes émotions sans broncher et me laisse le frapper sans rien attendre en retour.

— Quelque chose te tracasse?

Je me tourne et vois Ben debout derrière moi, les bras croisés, son habituel sourire arrogant sur les lèvres. Je refais face au sac et balance le coup de pied parfait.

— Pas du tout.

Ben fait le tour pour parer le sac. Il me fait signe de continuer.

— Il est où ton mec?

Je mets un coup de pied encore plus fort dans le sac, sachant très bien que Ben ne s'y attend pas. Je croise les doigts pour que ça lui atterrisse dans les couilles, histoire de le punir d'avoir mentionné Trent. Ce n'est pas le cas, mais il pousse un grognement.

— Quel mec?

— Celui qui traîne toujours au bar.

— Tu l'as vu récemment?

Coup de poing.

Il ne dit rien, puis:

— Non, bien sûr que non.

— Eh bien alors, Monsieur l'Avocat, qu'est-ce que tu en déduis? Ou peut-être que tu sais pas quoi en déduire? Si c'est le cas, je ne pense pas que tu fasses un très bon avocat.

Je mets un autre coup de poing dans le sac. Ben grogne de nouveau.

— Donc tu es de nouveau libre?

— J'ai toujours été libre.

– Très bien. Alors, si on sortait ce soir ?

– Je travaille ce soir.

– Moi aussi. On mange ensemble et on va ensemble au boulot.

– Ouais, OK, si tu veux, dis-je sans réfléchir.

Je ne veux pas réfléchir.

Ben hausse les sourcils.

– Sérieusement ?

J'arrête de frapper le sac et essuie la sueur sur mon front avec mon bras.

– C'est pas ce que tu voulais entendre ?

– Euh, ben si, mais je m'attendais à ce que tu répondes « crève », pas « oui ».

– Ça me va aussi, si tu préfères.

– Non, non ! Je passe te prendre à 18 h ? dit-il en reculant.

– OK, dis-je avant d'enchaîner avec le parfait coup de pied circulaire.

* * *

– Mais qu'est-ce que t'as accepté de faire ? je me demande, debout sous l'eau chaude. Je suis obnubilée par le pommeau de douche. Et si un autre serpent s'apprêtait à me faire peur ? Si je criais assez fort, est-ce que Trent apparaîtrait comme par magie ? Est-ce qu'il enfoncerait la porte de nouveau ? Je ne le laisserais pas partir cette fois. Aucune chance.

Je croise Livie dans la cuisine.

On ne s'est presque pas parlé depuis notre dispute.

– Je suis désolée, Livie, lui dis-je simplement.

Elle passe son bras autour de ma taille.

– C'est un connard, Kacey.

– Un connard débile, je chuchote.

– Un gros connard débile, répond-elle.

On avait l'habitude de jouer à ce jeu quand on était petites. Ça rendait fous nos parents.

– Un gros connard débile qui pue.

– Un gros connard débile qui pue et qui a des hémorroïdes

Je me frappe le front.

– Et elle marque le point gagnant!

Livie rigole.

– Tu vas où?

Je m'écarte et enfile mes chaussures.

– Je sors.

– Tu veux dire que… tu as un rancard? dit Livie, le visage soudain illuminé.

Je lève les mains pour la calmer avant qu'elle s'emballe.

– Ben est un des pitbulls de chez Penny's. On va manger puis on va au boulot, et je lui mettrai un coup de pied entre les jambes s'il tente quoi que ce soit.

Quelqu'un frappe à la porte.

– Et un pitbull, un! dis-je en plaisantant tandis que j'ouvre la porte, m'attendant à trouver la silhouette énorme de Ben.

Je recule, le souffle coupé.

C'est Trent.

CHAPITRE 15

— Salut, dit-il, enlevant ses lunettes d'aviateur pour me montrer ses yeux bleus magnifiques dans lesquels je me perds si facilement.

Je fixe ces yeux, mais je me sens pâlir en regardant toutes les émotions défiler sur son visage : le soulagement, la culpabilité, le chagrin, l'amertume, puis de nouveau la culpabilité. Je suppose que mon visage doit offrir le même défilé d'émotions, mais je ne saurais en identifier aucune. Je reste plantée là, bouche bée, incapable de parler.

Livie, en revanche, en est tout à fait capable.

— Toi ! Tu ne l'approches pas ! hurle-t-elle, lui fonçant dessus.

Son mouvement me fait sortir de ma transe et je parviens tout juste à l'empêcher de griffer Trent jusqu'au sang.

— Laisse-nous une minute, Livie, dis-je en parvenant à employer un ton neutre.

À l'intérieur, un torrent de sensations menace de me renverser. Mon regard devient flou tandis que je me force à inspirer et que mon cœur accélère. *Trent est de retour.* Je suis à la fois ravie et furieuse. C'est comme une addiction ; je sais que c'est mal, mais bon sang, qu'est-ce que je me sens bien quand il est là !

Livie part dans sa chambre, mais pas avant d'avoir posé un regard glacial sur Trent.

— Des hémorroïdes, Kacey ! Ne l'oublie pas !

Son intervention, si sérieuse, rompt instantanément ma crise d'angoisse et j'éclate de rire. *J'adore ma sœur.*

Peut-être est-ce mon rire qui détend Trent et lui donne la folle idée de me toucher, je ne sais pas.

— Laisse-moi t'expliquer, commence-t-il.

Sa main s'approche de la mienne.

J'ai un mouvement de recul tandis que la rage prend à nouveau le dessus. Je siffle :

— Ne me touche pas !

Il tend ses mains devant lui, les paumes tournées vers le ciel, en signe de paix.

— Je comprends, Kace. Mais laisse-moi t'expliquer au moins.

Je croise les bras et me serre fort pour m'empêcher de m'effondrer. Ou de me jeter dans ses bras.

— Vas-y, explique, j'aboie, luttant contre l'envie de céder à mon corps qui me dit que ses excuses ne sont pas nécessaires. Que c'est du passé et que ce que je ressens en sa présence est tout ce qui importe vraiment. Mais je ne peux pas faire ça. Je ne peux pas céder.

Il ouvre la bouche pour parler, et mes genoux se mettent à trembler. *Mon Dieu.* Si je dois rester debout, devant lui, une seconde de plus, je vais tout lui pardonner.

Ben apparaît soudain comme un chevalier prêt à me secourir.

— Trop tard, dis-je un peu trop fort.

Je passe devant lui en lui mettant un coup d'épaule et en claquant la porte.

— Salut, Ben !

N'importe qui me connaissant sait très bien que ce n'est que du vent. Je ne suis jamais aussi joyeuse. D'ailleurs, je ne suis jamais joyeuse, point barre.

Ben me regarde, regarde Trent, et je le vois réfléchir à vive allure. Il sait qu'il vient d'interrompre quelque chose. C'est un pitbull intelligent.

– Tu veux que je…, commence-t-il en faisant mine de partir.

– Non !

Je passe mon bras sous le sien et le tire vers l'avant, la tête haute, encouragée par ma colère.

À l'intérieur, je sens mes défenses faiblir.

* * *

– Tu as à peine touché tes pâtes, remarque Ben.

On est dans un restaurant italien à cinq minutes de chez Penny's.

– J'ai pas arrêté de les toucher, je marmonne en plantant ma fourchette dans l'assiette. Je les ai tellement touchées que tes pâtes sont jalouses. Je crois que tes fusillis sont sur le point de se rebeller.

– Tu as à peine *mangé* tes pâtes, corrige Ben, un sourire en coin.

– Je n'ai pas faim.

– À cause de ce mec ?

Ça fait quarante-cinq minutes que l'on est assis et c'est la première question que Ben me pose. Le reste du temps, je l'ai laissé parler de son genou blessé qui l'a empêché d'avoir une bourse d'études, du fait qu'il veut être avocat pénaliste à Las Vegas parce que c'est là que vivent les criminels friqués. Je ne sais pas s'il ne m'a posé aucune question parce qu'il est trop centré sur sa personne ou s'il sait très bien que je ne répondrai pas de toute manière. Dans tous les cas, cela me convient parfaitement.

Je soupire en sortant un billet de vingt dollars, que je pose sur la table.

– On devrait songer à partir bientôt.

Il fronce les sourcils et me rend mon billet.

– C'est moi qui offre.

– Je ne vais pas coucher avec toi.

– Wouah ! Qui a parlé de coucher ensemble ? Je suis là pour les pâtes et ta charmante présence.

Il fait mine d'être vexé, mais son regard brillant me dit qu'il plaisante. Un grognement peu élégant m'échappe.

– OK, c'est vrai. Ta présence médiocre.

Il enfourne un morceau de pain dans sa bouche et ajoute en souriant :

– Et tes fesses charmantes.

– Aaah, le voilà, le Ben qu'on connaît et qu'on aime tant ! dis-je tout en lui jetant un sachet de sucre à la figure.

– Non mais sérieusement, commence Ben en empilant des pâtes sur sa fourchette. (J'attends patiemment qu'il ait fini de mâcher et d'avaler sa bouchée.) Pourquoi tu as accepté de sortir avec moi ? Je sais que tu es toujours accro à ce mec, et même si tu l'étais plus, je ne suis pas bête. Je ne sais pas ce qui s'est passé à la salle de sport ce jour-là mais…

Merde. Je suis si transparente que ça ? J'espère que je ne le suis pas autant pour Trent. Je ne veux pas qu'il puisse lire en moi aussi facilement. Sinon, il va débarquer et briser mes défenses d'un seul regard torride. Je hausse les épaules.

– Crois-moi, Ben, tu n'as aucune envie d'être avec moi. Je suis complètement tarée et légèrement psychopathe en plus de ça.

Il sourit, mais je lis une once de tristesse dans ses yeux tandis qu'il pose quelques billets sur la table.

– Ça, je le savais déjà.

– Alors pourquoi est-ce que *toi* tu as voulu sortir avec moi ? *Surtout* après ce qui s'est passé à la salle de sport !

Il hausse les épaules.

– Peut-être que j'attends que tu pètes de nouveau un câble en espérant être dans les parages ? Je serai plus rapide la prochaine fois. Je rentre et je sors.

266

J'éclate de rire. L'honnêteté de Ben est rafraîchissante.

– Je ne sais pas, Kace. Je suis entouré de beaucoup de salopes et d'abruties. Tu es différente. Tu es intelligente et drôle. Et tu as le don d'anéantir la confiance d'un mec comme aucune autre des filles que j'ai rencontrées.

– Je crois que personne ne pourrait faire désenfler ta tête, Ben.

Il m'offre son plus beau sourire arrogant.

– Peut-être que ce n'est pas ma tête que je veux désenfler.

* * *

– Livie m'a dit que Trent était de retour? chuchote Storm pendant que je sers des shots de tequila pour un enterrement de vie de garçon.

– Ah oui? je marmonne en pinçant les lèvres.

Je ne sais pas quoi dire d'autre. Je n'ai pas oublié. Pas une minute ne passe sans que son nom fasse irruption dans mes pensées, sans que je me rappelle sa peau contre la mienne, sans que je prie pour que l'on retrouve cette magie qu'on a eue pendant cette courte période avant qu'il ne me brise le cœur.

Je déteste me sentir ainsi à cause de lui. Je déteste qu'il m'ait redonné espoir et qu'il l'ait anéanti l'instant d'après. Qu'il m'ait sorti la tête de l'eau, qu'il m'ait aidée à respirer de nouveau, pour me laisser me noyer une fois qu'il a eu fini de s'amuser.

C'est pour cela que lorsque je le vois me dévisager de l'autre côté de la salle, à l'heure de la fermeture, je dois me tenir au bar pour ne pas tomber, accablée par ma colère et ma peine.

– Qu'est-ce que tu veux? je siffle.

– J'ai besoin de te parler.

– Non.

– S'il te plaît, Kacey.

Ce ton, cette voix. Je me sens déjà faiblir, je sens que s'il forçait, il pourrait se frayer un nouveau passage. Je ne le laisserai pas faire cette fois-ci.

– Tu as eu trois semaines pour me parler et… oh, attends! J'ai failli oublier! Tu as disparu sans laisser de trace. C'est vrai.

– Juste cinq minutes, s'il te plaît.

– Très bien! Vas-y, c'est le moment parfait pour parler! je m'écrie en gesticulant, pour montrer que ce n'est justement *pas* le moment.

La mâchoire de Trent se contracte.

– Je suis sérieux, Kacey. Cinq minutes, je t'en supplie. J'ai besoin de t'expliquer. J'ai besoin… de toi.

– Ah? Tu as *besoin* de moi? C'est intéressant ça! (Besoin. *Trent a* besoin *de moi*.) Très bien.

Je jette mon torchon sur le bar et m'écrie:

– Je reviens dans cinq minutes, Storm!

Elle me regarde, voit Trent, me regarde de nouveau, puis hoche la tête.

– Suis-moi, dis-je en passant devant lui, consciente que Nate et Ben nous surveillent de près, mais je ne m'arrête pas. Je passe devant Jeff et Bryan, les deux bulldogs qui surveillent les salons privés. Ils n'essaient même pas de m'arrêter. Je pense que mon regard haineux leur a fait comprendre qu'il vaut mieux ne pas m'approcher s'ils ne veulent pas que je leur arrache la langue.

Je mets un coup de pied dans la porte qui s'ouvre violemment. Je tourne les talons et je me fige, les bras croisés, les yeux rivés sur Trent et son visage inquiet. Je hoche la tête en direction de la porte.

– Entre.

– Kacey…

– T'as dit que tu voulais me parler en privé. Je peux pas faire plus privé qu'un salon privé, dis-je d'un ton glacial.

Trent acquiesce en signe de défaite, et entre. Derrière lui, je vois Ben se pencher pour dire quelque chose à l'oreille de Nate. Ça semble le dissuader d'intervenir. Ben vient vers moi, l'air soucieux.

– Ça va, Kacey ?

– À ton avis, Ben ?

– Je vais rester là. Je ne rentrerai que si j'entends quelque chose d'inquiétant, d'accord ?

– Ça roule.

Je hoche la tête en guise de remerciement. Je crois qu'après notre passé honteux, Ben et moi nous comprenons désormais. Je pourrais presque dire qu'il est un ami.

Je claque la porte derrière moi. L'intérieur est tamisé et contient un fauteuil noir et il y a de la musique d'ambiance, différente de celle qui passe dans le club. Storm dit qu'ils lavent et désinfectent les salons après chaque client. Mais là, tout de suite, je me moque que ce soit vrai.

J'avance vers Trent à grands pas et le pousse en arrière pour qu'il tombe dans le fauteuil. Puis mes mains se posent sur la fermeture de ma jupe.

– Qu'est-ce que tu…, commence Trent, mais il ne finit pas, ma jupe vient de tomber à mes pieds. Je lève un pied après l'autre pour en sortir tandis que je déboutonne ma chemise.

– Kacey, non, dit Trent en se penchant en avant.

Je plante mon talon aiguille dans son torse pour l'obliger à rester assis.

– C'est pour ça que tu es venu, non ? C'est ça dont tu as *besoin* ? (Mon ton est glacial.) Ce que tu as toujours voulu ?

Je jette ma chemise par terre et le dévisage, en culotte, soutien-gorge et talons aiguilles :

– Normalement, c'est maintenant que tu me dis que je suis magnifique. Alors dis-le. Dis-le, histoire qu'on puisse en finir et que tu puisses disparaître de nouveau.

Ma voix fléchit sur la fin et je me tais.

– Non, Kacey, bon sang !

Trent glisse de sa chaise et s'agenouille, puis il pose ses mains sur mes cuisses et les tient délicatement.

– Il faut pas toucher les filles. Tu as déjà oublié les règles ?

Ses yeux n'ont pas quitté les miens et j'y vois un torrent d'émotions qui menace de faire fondre mes défenses. Je suis obligée de regarder ailleurs car une boule commence à se former dans ma gorge.

– Je suis désolé. Je n'ai jamais voulu te faire souffrir davantage après tout ce que t'as vécu.

– Ah bon ? Me laisser un mot le lendemain du soir où Storm a été agressée, après qu'on a fait l'amour pour la première fois, et disparaître pendant presque trois semaines, c'était un moyen de ne pas me faire souffrir davantage ?

Ma voix cède de nouveau et je serre la mâchoire. Je déteste ma voix.

Il pose la tête sur mon ventre, et ses mains remontent jusqu'à mes hanches puis descendent sur mes cuisses. Mon Dieu que c'est bon ! Je ne veux pas que ce soit aussi bon. Merde. *Repousse-le, Kacey. Repousse-le.*

– Kacey, j'avais tort.

– À quel sujet ?

– De t'avoir autant poussée. Je pensais que si tu parlais de ton passé, je pourrais t'aider à le réparer. Je n'aurais pas dû insister autant.

Je me retiens de gémir tandis que ses lèvres chaudes embrassent mon ventre. Il sait que ça fera fondre mes défenses. Il ne joue pas franc-jeu. Pire, je suis contente qu'il ne joue pas franc-jeu.

– J'aurais dû me concentrer sur le fait de te rendre heureuse. Et c'est ce que je ferai. À partir de maintenant, Kacey, c'est ce que je ferai. Je consacrerai chaque minute de chaque jour à te rendre heureuse pour le reste de notre vie. Je te le promets.

Ne crois pas ce qu'il dit. Ne le crois pas.

– Tu l'as déjà dit, ça. Et puis tu as disparu.

Je n'aime pas la façon dont ma voix vacille, comme si j'allais pleurer. *Un… Deux… Trois… Quatre…*

Et merde. Ça ne sert à rien.

Il appuie son poids sur ses talons, et ses mains glissent de nouveau sur mes cuisses. Mais il ne me regarde pas dans les yeux, préférant fixer le sol. Lorsqu'il parle, il y une once de colère dans sa voix.

– Kacey, tu n'es pas la seule à avoir des problèmes. Il y a des choses dans mon passé… dont je ne peux pas te parler.

Cette révélation me prend de court. *Trent a un passé sombre ?* Je n'avais jamais envisagé ça. Pourquoi n'ai-je jamais envisagé ça ? Je suis tellement embourbée dans mes problèmes que je n'ai pas pensé aux siens. Mais est-ce que son passé peut vraiment être aussi sombre que le mien ? D'une main tremblante, je relève son menton pour pencher sa tête en arrière et me perdre dans ses yeux bleus. Il a l'air tellement stable, tellement raisonnable, tellement parfait.

– Je ne t'ai jamais forcé à me parler de tes problèmes, dis-je d'une voix plus douce.

– Je sais. Je sais, Kace.

Ses mains serrent mes cuisses plus fort tandis qu'il me tire vers lui. Puis elles remontent pour empoigner mes hanches, ses pouces caressent les os de mon bassin. Instinctivement, mes mains descendent pour couvrir les siennes.

Il continue.

– Après cette nuit, j'ai… j'ai pensé que je t'avais trop poussée. J'ai pensé que c'était moi qui avais provoqué ce qui s'est passé chez Penny's.

Ce souvenir me fait frissonner. Mon côté obscur. Mon côté meurtrier.

— Ce n'est pas toi qui as causé ça. Absolument pas. C'était moi qui explosais, enfin.

— Je sais, ma puce. Je le sais maintenant. Mais il fallait que je m'en aille pour réfléchir. Il fallait que je parte un moment et…

— Tu aurais pu m'envoyer un message.

— Je sais. J'ai vraiment merdé. Je suis désolé. Je ne savais pas comment expliquer pourquoi j'étais parti. J'avais peur.

Il lève la tête et je vois des larmes se former dans ses yeux. Toute ma colère s'évanouit, mes défenses s'effondrent. Je ne peux pas supporter de voir Trent comme ça.

— Non, c'est bon.

Ma main caresse ses cheveux tandis que l'autre essuie une larme. *Qui est cette femme ?* Ce n'est pas celle qui courait partout à sa recherche, qui lisait avidement les infos nécrologiques, qui était prête à mutiler des poupées Ken.

— Je suis tellement désolé, Kacey. Je vais arrêter de te forcer. On ne parlera plus jamais du passé. Seulement du futur. S'il te plaît ? J'ai besoin de toi.

Encore ce *mot*. Je ne sais pas quoi dire. Je hoche simplement la tête.

Mais ça ne suffit pas à Trent. Il agrippe mes hanches et m'oblige à me baisser. Je tombe volontiers à genoux. Trent me tire contre lui, plaquant nos corps l'un contre l'autre. Ses mains chaudes passent dans mon dos et il défait mon soutien-gorge. Il le jette et se penche en avant pour palper mon sein, tandis que sa bouche trouve enfin la mienne.

La sensation de nos bouches entremêlées fait naître en moi une faim intense. Trois semaines sans ça. Je ne sais pas comment j'ai survécu. Je défais les boutons de sa chemise. Je veux qu'elle disparaisse. Tout de suite. Je veux ma peau nue contre la sienne. Maintenant.

Comme s'il sentait l'urgence de mon envie, il rompt le baiser pour enlever sa chemise puis il m'embrasse de nouveau, son torse plaqué contre ma poitrine.

– Kace, murmure-t-il.

Ses lèvres glissent vers mon cou, affamées, tandis qu'une de ses mains glisse sous mon string. Je gémis lorsque ses doigts me touchent.

– Je ne te laisserai plus jamais partir. Plus jamais.

Mon cœur bat la chamade tandis que mes hanches accompagnent sa main, murmurant son nom tout en défaisant sa braguette, afin de laisser les trois dernières semaines retomber dans le passé.

CHAPITRE 16

– C'est moi qui ai fait ça ? je demande, étonnée, en touchant la joue de Trent où une trace rouge est apparue.

Il grimace.

– Livie a un sacré coup de poing.

– T'es sérieux ?

Je me redresse pour mieux voir la marque. Et pour mieux voir Trent, tout simplement. Je regarde son corps nu, allongé sur la moquette du salon VIP. Je n'entends plus les pulsations de la musique, le club doit être en train de fermer. Je ne sais pas depuis combien de temps nous sommes ici. En tout cas, Ben ne nous a pas dérangés, du moins je ne l'ai pas entendu.

Trent ouvre plusieurs fois la bouche pour parler, mais se ravise à chaque fois.

– Quand t'es partie avec ce molosse tout à l'heure, Livie est sortie et m'a poursuivi dans tout l'immeuble, criant que je t'avais brisé le cœur. Puis elle a pris son élan et m'a frappé en me disant que j'avais intérêt à tout faire pour te rendre heureuse à nouveau. Et pour toujours.

Ma tête retombe sur le torse de Trent tandis que j'éclate de rire.

– Je crois que ma mauvaise humeur a fini par déteindre sur elle.

Je répète ses mots dans ma tête en nichant mon visage dans le creux de son cou, pour respirer son odeur.

— Pour toujours… c'est long.

Trent me serre plus fort dans ses bras.

— C'est trop court quand il s'agit de toi.

* * *

— Tu crois que si je sors de la chambre, Livie va me remettre un coup de poing?

Je m'étire dans le lit.

— Rien n'est impossible. Mais je me sens plutôt heureuse là, donc ça devrait aller.

Trent passe ses bras derrière la tête, un sourire en coin se dessine sur ses lèvres.

— J'espère bien, parce que j'ai vraiment tout donné. Cinq fois hier soir, il me semble… Si ça, ça ne t'a pas fait du bien…

Je me soulève et passe une jambe au-dessus de lui pour le chevaucher.

— Hier soir tu m'as fait du bien, oui. Aujourd'hui, c'est une autre histoire.

Son regard ardent parcourt mon corps et se pose sur mon visage.

— T'es sérieuse?

Je hausse les épaules et lui fais un clin d'œil mystérieux.

Il rit en se passant la main dans les cheveux, finissant de les décoiffer.

— On m'avait dit que les rousses étaient folles, mais personne ne m'avait prévenu qu'elles étaient aussi nymphomanes.

Je lui tapote le nez pour jouer. Il pousse un grognement, me retourne comme une crêpe et me plaque sur le dos, appuyé sur ses bras pour me surplomber sans me toucher, mais aussi pour me regarder, des pieds à la tête. Un sourire narquois sur les lèvres, je passe mes jambes autour de ses hanches et le tire vers moi.

* * *

Les semaines passent, et Trent ne me quitte plus. Il dort chez nous presque toutes les nuits désormais. Il a l'habitude de venir au club tard le soir : il s'assied en silence et pose sur moi ce regard intense et enjoué qui fait trembler mes jambes parce que je sais ce qui m'attend au retour. Il reste, et il me rend heureuse. Je suis plus heureuse que je ne l'ai été depuis longtemps. Je crois même que je n'ai jamais été aussi heureuse. Il me fait rire. Il me fait pouffer de rire, bêtement. Grâce à lui, je *ressens* de nouveau des émotions. Et la nuit, il fait disparaître mes cauchemars. Pas tous, mais je n'en ai plus toutes les nuits. Et lorsqu'il m'arrive de me réveiller en sueur et à bout de souffle, Trent est là pour me tenir dans ses bras, me caresser les cheveux, me dire que c'est fini et qu'il est avec moi pour de vrai.

Chaque jour, de minuscules bouts de la Kacey d'avant se remettent en place. Ou peut-être sortent-ils simplement de leur cachette. Peut-être Kacey Cleary était-elle enterrée quelque part pendant toutes ces années, attendant la bonne personne pour la faire ressortir.

Pour l'empêcher de se noyer.

Je ne vois pas ces morceaux revenir ; pas tout de suite. En revanche, Livie, elle, les voit. Je la surprends en train de me regarder, un sourire mystérieux sur les lèvres : lorsque je me prépare un sandwich, lorsque je fais du ménage, lorsque je fais les courses. Quand je lui demande ce qui la fait sourire, elle secoue simplement la tête et me dit :

– Kacey est de retour.

Et elle est heureuse.

Storm et Dan ont toujours l'air aussi heureux ensemble. Je pense que Storm est amoureuse, mais elle refuse de l'admettre de peur que ça lui porte la poisse. N'importe qui peut voir que Dan est raide dingue d'elle et de Mia : lorsqu'il les regarde, un minuscule sourire naît sur ses lèvres.

Et Mia ?

Eh bien, un matin, lorsque Trent et moi nous réveillons, nous la trouvons en train de nous regarder dormir, souriant de son sourire auquel il manque toujours des dents, deux pièces dans la main.

– Regarde, Trent ! J'ai vendu mes dents hier soir !

Je ne peux que rire. Je ris, mais je décide d'acheter un verrou afin que Mia n'apprenne pas plus de gros mots par ma faute. C'est l'enfant la plus heureuse que j'aie jamais vu, car elle est entourée de gens qui l'aiment.

Storm ne m'avait pas menti : je gagne plus d'argent chez Penny's que dans n'importe quel autre boulot. Mon compte en banque se remplit chaque semaine. Encore deux ans, et j'aurai assez d'argent pour financer la première année de Livie à Princeton. J'espère toujours qu'elle aura sa bourse au mérite, il n'y a aucune raison qu'elle ne l'ait pas. Livie est intelligente et c'est une bonne élève. Elle mérite de réaliser son rêve.

Tout est parfait.

* * *

– J'ai pas compris pourquoi on devait être chez Penny's trois heures plus tôt, je râle en mettant ma veste.

La petite brise de décembre me fait frissonner. Apparemment, cette vague de froid sur Miami est anormale pour la saison. Il fait toujours bien plus doux que dans le Michigan, mais j'ai quand même la chair de poule.

– Comme Penny's vend de l'alcool, tous les deux ans, on a une formation obligatoire pour ne pas perdre la licence. Toutes les serveuses doivent suivre la formation, explique Storm.

– Trois heures pour apprendre à servir un verre ? Sérieux ?

– T'en fais pas, dit-elle en frappant contre la porte du club. Ils te laissent goûter les cocktails aussi.

– Super. Je serai bourrée avant même d'avoir commencé le service !

Je fais un signe de tête à Nate en passant la porte. La boîte est plongée dans le noir et dans le silence. Je n'ai jamais vu le club aussi silencieux.

– Ils sont où les autres ? Ça me fout la trouille.

– Près du bar, ronronne Nate derrière moi tout en me poussant à avancer. Je regarde derrière mon épaule et il sourit jusqu'aux oreilles. *Je n'arrive pas à croire que j'aie eu peur de cet énorme nounours.*

On arrive dans la salle principale un peu plus éclairée.

– Surprise ! Joyeux anniversaire !

Je sursaute et me cogne contre Nate qui passe ses bras autour de ma taille tandis que les vibrations de son rire résonnent contre moi. Tout le monde est là, debout sur la scène, sous les spots de lumière. Trent, Livie, Dan, Cain, Ben. Même Tanner.

Et Mia ! Elle est sur le côté en train de danser avec Ginger et d'autres danseuses que je ne reconnais plus, maintenant qu'elles sont habillées.

– Alors, t'es surprise ? rigole Storm en attrapant mon bras et en me tirant en avant. Livie nous a dit que tu allais bientôt avoir vingt et un ans et on a voulu te faire une surprise. Cain a proposé qu'on fasse la fête ici.

Comme s'il nous avait entendues, Cain approche et passe son bras autour de mes épaules.

– J'espère que ça te va de fêter ton anniversaire chez Penny's. On s'est dit qu'ici au moins, tu ne t'y attendrais pas.

Je me rends compte que j'ai du mal à parler. Je ne sais pas quoi dire.

– Bien sûr que ça me va. Merci.

Il me tend une enveloppe.

– On n'a vingt et un ans qu'une fois, ma belle. Tu travailles dur et tu prends soin de ma petite Storm. Ça, c'est un petit quelque chose de notre part à tous. Profite du vin, régale-toi. Profite de tout. Et tu ne travailles pas ce soir.

Il me pince la joue et se tourne vers Storm :

– Ne laisse pas ta princesse trop longtemps sur la scène. Je ne veux pas qu'elle commence à prendre de mauvaises habitudes.

Elle lève les yeux au ciel.

– Bien sûr, Cain.

Je secoue la tête en le regardant partir. C'est un sacré numéro, celui-là. L'entendre dire ça, alors que cette boîte c'est toute sa vie et qu'il embauche toutes ces danseuses justement pour être sur scène et à poil : ce qu'il dit n'a pas de sens.

Je cesse de penser à Cain lorsque je vois Trent approcher avec deux coupes de champagne et un sourire séducteur sur les lèvres.

– Tu sais très bien que je bois pas, Trent, dis-je en prenant une flûte.

– Et tu sais très bien que je ne bois pas, Kacey.

On se regarde en souriant tandis qu'il me prend par la taille et me serre contre lui pour m'embrasser dans le cou.

– Mon plan a marché ? Je t'ai rendue heureuse ? chuchote-t-il dans mon oreille.

Mon souffle s'arrête un instant, comme chaque fois que Trent est aussi près de moi.

– Je ne sais même pas comment te décrire à quel point je suis heureuse.

Son nez froid caresse ma joue.

– Tu peux toujours essayer.

– Eh bien…

Je me serre davantage contre lui. Je ne comprends pas comment c'est possible, mais un courant électrique parcourt mon corps chaque fois que je m'approche de lui comme ça, comme si c'était la première fois.

– … j'ai mieux. Et si je te montrais ma reconnaissance quand on sera à la maison ?

J'ai ma réponse lorsque je sens son excitation contre mon ventre et je pouffe de rire, encore étonnée que ce mec canon et adorable soit à moi. Il lève son verre pour trinquer.

– Aux quatre-vingts prochaines années, murmure-t-il avant de prendre une gorgée.

– Quatre-vingts ? Mon Dieu, tu es optimiste. Je pensais te garder encore dix ans, puis te troquer contre un modèle plus récent.

Il se penche et m'embrasse, et je sens le goût sucré du champagne sur sa langue.

– Eh bien, bonne chance, parce que je n'ai aucune intention de te laisser partir.

* * *

Mes doigts s'entrelacent sur son ventre tandis que je rentre avec Trent sur sa moto. Une brise fraîche me caresse les joues. Je suis tentée de laisser mes mains se promener, mais je sais qu'il vaut mieux ne pas le distraire. Je pense être capable d'attendre qu'on soit rentrés. Livie et Mia sont derrière nous, dans la voiture de Dan. Storm a décidé de travailler, mais elle m'a promis qu'on passerait la journée entre filles demain.

Trent gare la moto et je descends. Mais je n'ai pas le temps de m'éloigner car il attrape mon jean, juste au-dessus de la braguette, et me tire contre lui.

– On sort ou on reste à la maison ce soir ? dit-il en mordillant mon cou.

– Et si on faisait les deux ? D'abord on sort, puis on reste à la maison.

– Tu es impossible…

Il rigole dans mon oreille et des frissons me parcourent le corps.

Je ris aussi. Puis je le pousse fort et il tombe dans l'herbe. Je commence à courir.

– Si tu arrives à m'attraper, je te laisse choisir.

Je parviens à mettre la clé dans le portail avant qu'il me rattrape. Je traverse les parties communes en courant en direction de chez nous, criant d'excitation, m'attendant à sentir ses bras autour de moi d'une minute à l'autre.

Mais je ne sens rien, alors je regarde en arrière. Trent est debout au milieu de la cour, figé, le regard blême comme s'il avait vu un cadavre.

– Trent ?

Je marche vers lui. En suivant son regard, je découvre un couple bien habillé à quelques mètres de lui, les yeux fixés sur nous. Je ne les avais pas vus lorsque j'ai traversé la cour en courant.

J'ai l'impression d'avoir déjà vu l'homme quelque part, et je réalise vite que c'est parce qu'il a les mêmes yeux et la même bouche que Trent. Quant à la femme, les cheveux relevés dans un chignon serré, elle a le nez de Trent.

– Trent, ce sont tes parents ?

Il ne répond pas.

Secrètement, ça fait longtemps que je meurs d'envie de rencontrer ses parents. Son père est un grand avocat à Manhattan, et sa mère dirige une agence de communication. Elle envoie beaucoup de travail à Trent. C'est comme ça qu'il trouve ses clients. Je sais qu'ils sont divorcés, mais les voilà, ensemble.

Soudain, je suis très inquiète. Ce ne peut être qu'une mauvaise nouvelle s'ils sont ici tous les deux.

Trent n'a toujours pas bougé, et on a désormais passé le stade de la simple gêne. Je ne sais absolument pas pourquoi il réagit ainsi. Je n'ai jamais eu l'impression qu'il s'entendait mal avec ses parents. Il va bien falloir que quelqu'un fasse quelque chose. Je m'avance vers eux, souriant poliment, et leur tends la main.

– Bonjour, je suis Kacey.

Je sens mon sourire disparaître tandis que le visage de sa mère pâlit. Elle ferme les yeux et les serre très fort comme si elle souffrait. Lorsqu'elle les ouvre de nouveau, elle est au bord des larmes. Elle se tourne vers Trent et avale, avant de parler d'un ton angoissé et essoufflé.

– Comment as-tu pu, Cole?

Ce nom.

Mon cœur cesse de battre.

Lorsque les battements reprennent, ils sont lents, puissants et irréguliers.

– Quoi? dis-je d'une voix rauque.

Je me tourne vers Trent et lis l'horreur et la culpabilité sur son visage, mais je ne comprends toujours pas.

– Quoi… Pourquoi elle t'a appelé comme ça, Trent?

Ses yeux sont brillants. Il entrouvre à peine les lèvres pour murmurer :

– Je voulais juste te rendre heureuse, Kacey. C'était mon seul moyen de réparer tout ça.

SEPTIÈME ÉTAPE

LA CHUTE

CHAPITRE 17

Je tombe.

Je tombe en arrière et plonge dans des eaux noires, profondes. L'eau me recouvre, me pénètre par la bouche, par le nez, remplissant mes poumons, prenant possession de ma volonté de respirer, de mon envie de vivre.

Je l'accepte. Je l'accueille à bras ouverts.

J'entends des voix, au loin. J'entends des gens dire mon nom, mais je ne sais pas où ils sont. Ils sont en sécurité, en terre ferme. Dans un autre monde. Le monde des vivants.

Je n'ai pas ma place dans ce monde.

* * *

– Quand va-t-elle se réveiller? demande Livie.

Sa voix est accompagnée d'un bip régulier. J'ai entendu suffisamment de machines lorsque j'étais à l'hôpital pour savoir qu'il s'agit d'une perfusion intraveineuse. Et si cela ne suffisait pas à m'indiquer où je suis, l'odeur nauséabonde et stérile d'hôpital le confirme.

– Lorsque son esprit sera prêt, explique une voix que je ne reconnais pas. Kacey est plongée dans un grave choc psychologique. Physiquement, elle va très bien. On s'assure simplement que son corps soit bien nourri et hydraté. Il ne reste plus qu'à attendre.

– Est-ce que c'est normal ?

– D'après ce que j'ai compris, votre sœur a vécu une expérience traumatisante il y a quatre ans et ne s'en est jamais remise d'un point de vue émotionnel.

Les voix cessent suffisamment longtemps pour que j'ose entrouvrir un œil. Des murs blancs et jaunes m'accueillent.

– Kacey !

Le visage de Livie apparaît soudain. Ses yeux sont gonflés et soulignés de cernes sombres, comme si elle n'avait pas dormi depuis des jours, et ses joues sont rouges d'avoir pleuré.

– Où je suis ? dis-je d'une voix râpeuse.

– À l'hôpital.

– Comment ? Pourquoi ?

Les coins de sa bouche retombent et celle-ci se referme ; ma sœur essaie de paraître calme. Pour moi. Je connais ma Livie. Toujours si soucieuse des autres. Toujours si attentionnée.

– Ça va aller, Kacey.

Ses mains cherchent les miennes sous la couverture. Elle les serre fort :

– On va te trouver de l'aide. Je ne laisserai plus jamais Trent te faire du mal.

Trent. Ce nom ronge mon corps comme de l'acide. Je sursaute en l'entendant.

Trent et Cole sont la même personne.

Trent a détruit ma vie. À deux reprises.

Soudain, je ne peux plus respirer, la réalité m'écrase.

– Comment…, je commence à dire, mais je ne peux parler car je ne peux pas respirer. *Comment Trent peut-il être Cole ? Comment m'a-t-il trouvée ? Pourquoi m'a-t-il trouvée ?*

– Respire, Kacey.

Livie serre plus fort ma main et grimpe sur le lit pour s'allonger à côté de moi. Je crie :

– J'y arrive pas, Livie. (Les larmes brûlent mes joues.) Je me noie.

Ses sanglots emplissent la chambre.

Il savait. Pendant tout ce temps, il a fait semblant d'être inquiet et affectueux et de ne rien savoir de mon passé. Mais c'est *lui*, la cause de tous mes malheurs. C'était sa voiture, son ami, sa nuit alcoolisée qui ont détruit ma vie.

– Ça va aller, Kacey. Tu es en sécurité.

Livie me serre dans ses bras, s'appuyant contre moi pour m'empêcher de trembler.

On reste ainsi pendant longtemps. Des heures. Pendant toute une vie. Je ne sais pas. Rien ne change. Puis Storm déboule dans la chambre, essoufflée comme si elle venait de courir un marathon. Son regard est sauvage. Je ne l'ai jamais vue ainsi.

– Je sais, Kacey. Je sais ce qui t'est arrivé. Je sais tout désormais.

Elle pleure à chaudes larmes. Elle grimpe dans le lit, de l'autre côté, et prend mes mains dans les siennes. On reste ainsi toutes les trois, allongées dans le lit comme des sardines.

Des sardines secouées par les sanglots.

* * *

Un sifflement…

Des lumières vives…

Du sang…

Le beau visage de Trent, ses mains sur le volant.

Me montrant du doigt.

Il éclate de rire.

– Kacey !

Quelque chose me frappe le visage.

– Réveille-toi !

Je crie encore au moment où les yeux de Livie apparaissent devant les miens. Ma joue me picote. Je lève ma main pour comprendre d'où ça vient.

– Je suis désolée de t'avoir frappée, mais tu n'arrêtais pas de crier, explique Livie à travers ses sanglots.

Les cauchemars sont revenus. Mais, cette fois, ils sont pires. Mille fois pires.

– Tu n'arrêtes pas de crier, Kacey. Il faut que tu arrêtes.

Livie prend une profonde inspiration et réprime un sanglot tandis qu'elle se couche dans le lit à mes côtés en murmurant :

– Aidez-la. Mon Dieu, aidez-la.

* * *

– C'est quel hôpital déjà ?

Je suis ici depuis deux jours et Storm et Livie ne m'ont laissée que pour aller aux toilettes et chercher de l'eau ou à manger.

Storm et Livie se regardent longuement.

– Un hôpital spécialisé, dit Livie, lentement.

– À Chicago, ajoute Storm.

– Quoi ?

Ma voix est plus forte que je ne le pensais. Je parviens à m'asseoir dans le lit, non sans difficulté. J'ai l'impression d'avoir été renversée par un camion.

Livie se dépêche d'ajouter :

– Il y a une clinique spécialisée dans les TSPT pas loin. C'est censé être la meilleure de tout le pays.

– Mais… qu'est-ce que… comment…

Je me redresse enfin complètement en me servant des barreaux du lit.

– Depuis quand l'assurance maladie prend-elle en charge les cliniques spécialisées ?

– Calme-toi, Kacey.

Storm me pousse doucement à m'allonger. Je n'ai pas la force de lutter contre elle.

– Euh, non, je ne peux pas me calmer. On n'a pas les moyens…

Je tripote la perfusion, des injures plein la tête.

– Qu'est-ce que tu fais ? demande Livie, paniquée.

– Je m'enlève ce putain de truc et on se casse de cet hôpital pour fous.

Je dégage sa main alors qu'elle essaie de m'arrêter :

– Combien ça nous coûte, hein ? Cinq mille dollars la nuit ? Dix mille ?

– Chhhh, ne t'inquiète pas pour ça, Kace, dit Storm en me caressant les cheveux.

C'est sa main que je dégage désormais.

– Il faut bien que quelqu'un s'en inquiète ! Comment je vais faire ? Emménager dans un des salons VIP de chez Penny's pour payer la facture ?

– Eh bien, je vois que notre patiente est réveillée ?

Une voix douce et inconnue m'interrompt. Je tourne la tête et vois un homme me tendre la main, la cinquantaine, une calvitie naissante, des yeux gris et souriants. Je ne l'avais pas entendu entrer.

– Bonjour, je suis le docteur Stayner.

Je regarde sa main comme si elle était couverte de boutons purulents, et il finit par la mettre dans sa poche.

– Ah oui ! C'est vrai. Vous n'aimez pas les mains des gens.

Je n'aime pas les mains des gens ? Je dévisage Livie qui détourne le regard.

Le docteur ne semble pas gêné le moins du monde.

– Kacey. Votre cas m'a été confié par…

– Dan, l'interrompt Storm, regardant Livie puis le médecin.

– Oui, c'est ça, Dan. (Il se racle la gorge.) Je crois que je peux vous aider. Je crois que vous pourrez de nouveau mener une vie normale. Mais je ne peux pas vous aider si vous ne voulez pas vous faire aider. Vous comprenez ?

Je suis bouche bée, les yeux rivés sur cet homme qui se dit médecin et qui, clairement, ne l'est pas. Quel genre de médecin entre dans une chambre de malade pour dire ça ?

Comme je ne réponds pas, il marche jusqu'à la fenêtre protégée par des barreaux et regarde au loin.

– Voulez-vous être heureuse de nouveau, Kacey ?

Heureuse. Toujours ce mot. Je pensais être heureuse. Et puis Trent m'a détruite. Encore. Je suis tombée amoureuse de celui qui a tué mes parents. Je l'ai laissé dormir à côté de moi, en moi, nuit après nuit. J'imaginais mon avenir avec lui. J'ai la nausée rien que d'y penser.

– Une des règles des thérapies que je mène, Kacey, c'est que les patients sont obligés de parler, dit le docteur Stayner d'un ton qui n'est ni ironique ni agacé. Donc je vais vous demander de nouveau. Voulez-vous être heureuse ?

Il est pénible, ce type. Et il va me forcer à parler. C'est de ça qu'il s'agit vraiment ? Pourquoi est-ce que tout le monde insiste pour ressasser ce qui est dans le passé ? C'est fait. C'est fini. En parler ne changera rien ; ça ne fera ressusciter personne. Pourquoi suis-je la seule à comprendre ça ?

Je commence peu à peu à m'engourdir ; la douleur est de moins en moins vive et je sens la couche de glace recouvrir mon cœur de nouveau. Les défenses naturelles de mon corps réapparaissent. Si je suis engourdie, je ne souffre plus.

– Je ne serai plus jamais heureuse.

Ma voix est froide et sèche.

Il se tourne vers moi, les yeux pleins de tristesse.

– Bien sûr que si, mademoiselle Cleary. Il faudra se battre, et je poserai des pièges à chacun de vos pas. Mes méthodes ne sont pas très conventionnelles. Avec vous, j'emploierai des méthodes que d'autres trouveraient peut-être douteuses. Par moments, il se peut que vous me détestiez, mais nous réussirons ensemble. Il faut simplement que vous en ayez envie. Je vous accueillerai dans ma clinique une fois que vous aurez accepté tout ceci.

— Non ! j'aboie.

L'idée même de suivre ce taré quelque part est pure folie.

J'entends quelqu'un s'étouffer à mes côtés. C'est Livie qui fait de son mieux pour garder son calme.

— Kacey, s'il te plaît, implore-t-elle.

Je serre la mâchoire, déterminée à résister, même si cela me fait de la peine de la voir ainsi.

Elle voit mon obstination, et ses yeux sont soudain emplis de rage.

— Tu n'es pas la seule à avoir perdu tes parents, Kacey. Tu n'es plus toute seule.

Elle bondit de mon lit et me surplombe, les poings serrés. Puis elle hurle, plus furieuse que je ne l'ai jamais vue.

— J'en peux plus ! Les cauchemars, les disputes, la distance. J'ai supporté ça pendant quatre ans, Kacey !

Livie est hystérique. Elle pleure abondamment, hurle si fort que je m'attends à ce que la sécurité déboule d'une minute à l'autre.

— Pendant quatre ans, je t'ai regardée rentrer et sortir de ma vie, à me demander si aujourd'hui était le jour où j'allais te trouver pendue dans un placard. Je comprends, tu étais dans la voiture. Je comprends, tu as *tout* vu. Et moi ?

Elle s'étouffe ; la rage qui la guidait se dissipe, la laissant vidée et malheureuse.

— Je n'arrête pas de te perdre et j'en peux plus !

Ses paroles me font l'effet d'un marteau s'abattant sur ma poitrine.

Je pensais que mon cœur était brisé, mais il ne l'était pas.

Pas complètement.

Jusqu'à maintenant.

– Je sais ce qui s'est passé le soir où Storm a été agressée, Kacey. Je le sais, dit Livie, me regardant d'un air menaçant.

Storm. Je lui lance un regard et Livie me crie dessus, le doigt levé :

– Et ne songe même pas à en vouloir à Storm de me l'avoir dit, Kacey Delyn Cleary ! N'y songe même pas ! Storm me l'a dit parce qu'elle t'aime et qu'elle veut que tu te fasses aider. Tu as presque attaqué un homme avec une bouteille cassée. On ne va plus t'aider à enfouir ta merde, compris ? (Livie essuie ses larmes.) Je ne le ferai plus.

Je me suis toujours dit que je faisais tout ça pour Livie. Que tout ce que j'ai fait, c'était pour protéger Livie. Maintenant que je la regarde, que je repense à tout ce qu'elle a enduré, je me demande si en vérité je n'ai pas fait ça pour me protéger moi-même. Je sais que Livie a perdu ses parents. Et d'une certaine façon, je sais qu'elle m'a perdue aussi. Mais ai-je *vraiment* pensé à ce qu'elle ressentait ? Est-ce que je me suis mise à *sa* place ? J'ai toujours pensé que personne ne pouvait avoir une vie aussi difficile que la mienne. Et Livie n'a jamais rien montré. Elle a toujours été forte et stable. Elle a toujours été Livie, avec ou sans nos parents. Je pensais juste que…

Je ne pensais pas que… Mon Dieu ! Je n'ai jamais *vraiment* pensé aux conséquences de mes actes, de toutes mes réactions, de ce qu'elles faisaient à Livie. Je pensais simplement que si j'étais debout et que si je respirais toujours, alors j'étais là pour elle. Pour Livie. Mais en vérité, je ne l'ai jamais vraiment été.

Soudain, j'ai envie de mourir.

Je sens que je hoche la tête tandis que mes résistances disparaissent et qu'une nouvelle vague de douleur, plus forte, m'accable. Je prends conscience de quelque chose. Je n'ai pas cessé de me dire que je voulais protéger ma petite sœur pour qu'elle ne souffre pas. Mais il n'a jamais été question de ça. C'est moi que j'ai voulu protéger. Je n'ai fait que la faire souffrir. Elle, et tous les gens qui m'entourent.

— C'est bien, dit le docteur Stayner qui prend mon hochement de tête pour un accord. Je vais faire préparer votre chambre. La première partie de votre thérapie va commencer tout de suite.

Je n'en reviens pas qu'il réagisse aussi vite. Efficace, comme un homme d'affaires, mais aussi comme une tornade qui débarque pour causer une montagne de dégâts. Il marche lentement vers la porte et fait signe à quelqu'un d'entrer.

Non. Je me recroqueville dans mes draps et serre la main de Livie tellement fort qu'elle finit par gémir. *Oh, mon Dieu. S'il vous plaît, non… ! Il ne ferait pas ça.*

Une version plus âgée de Trent pénètre dans la pièce, ses traits fins marqués par la tristesse.

Le père de Trent.

Le père de Cole.

Merde. Je ne sais même plus comment l'appeler.

— Je veux que vous écoutiez ce que M. Reynolds a à vous dire. Rien de plus. Écoutez simplement. Vous pouvez faire ça ?

Je crois que je secoue la tête, mais je n'en suis pas sûre, trop occupée à regarder le visage de cet homme, à remarquer à quel point il me rappelle *son* visage. *Ses* yeux dans lesquels je me plongeais jour après jour. Heureuse. Amoureuse. Oui. Amoureuse. J'étais amoureuse de Trent. Du meurtrier qui m'a anéantie.

— On reste avec toi jusqu'au bout, dit Storm en prenant ma main dans la sienne tandis que Livie tient l'autre.

Le père de Trent/Cole se racle la gorge.

— Bonjour, Kacey.

Je ne réponds pas. Je le regarde mettre ses mains dans ses poches et les y laisser. Comme le fait son fils.

– Je m'appelle Carter Reynolds. Mais vous pouvez m'appeler Carter.

Un frisson parcourt mon corps en entendant ce nom familier.

– Je veux vous demander pardon pour tout ce que mon fils vous a fait, à vous et à votre sœur. J'ai essayé de vous demander pardon il y a quatre ans, mais la police nous a interdit de vous contacter. Ma famille et moi avons respecté votre vie privée à l'époque. Hélas, depuis, Cole… Trent… vous a refait du mal.

Il fait quelques pas en avant et s'arrête au pied du lit, regardant brièvement le docteur Stayner, qui lui renvoie un simple sourire.

– C'était notre voiture… ma voiture… que Sasha conduisait le soir de l'accident. (Il fronce les sourcils.) Je crois que vous le saviez, n'est-ce pas ? Ça devait être écrit sur les papiers de l'assurance.

Il se tait un instant comme s'il attendait que j'acquiesce. Ce que je ne fais pas.

– Après l'accident, nous avons perdu Cole. Il a cessé d'exister. Il a abandonné ses études, le football, il a perdu de vue tous ses amis. Il a quitté sa petite amie avec qui il était depuis quatre ans et n'a plus jamais bu d'alcool. Il a fait changer son nom, se faisant appeler Trent Emerson : son deuxième prénom et le nom de jeune fille de sa mère.

Carter marque une pause et ses lèvres se pincent, grimaçant légèrement.

– Cet accident a déchiré notre famille. Sa mère et moi avons divorcé un an plus tard. Mais ce n'est pas ça l'important. Ce que je veux que vous sachiez, c'est que Cole… euh… Trent est un jeune homme troublé. Deux ans après l'accident, je l'ai trouvé dans mon garage, le moteur allumé, avec un tuyau attaché au pot d'échappement. Cette nuit-là, on a cru qu'on l'avait perdu.

La voix de Carter se déchire et une vague de douleur que je ne veux pas ressentir m'envahit tandis que je visualise la scène.

– Après cette nuit, nous l'avons placé dans la clinique du docteur Stayner, spécialisée dans les troubles du stress post-traumatique.

Carter regarde de nouveau le docteur qui lui sourit et l'encourage à continuer.

– Lorsque Trent est sorti, il était censé être guéri. Et nous étions certains que c'était le cas. Il riait et souriait de nouveau. Il a commencé à nous téléphoner de façon régulière. Il s'est inscrit dans une école de graphisme à Rochester. Il semblait avoir tourné la page. Il s'est même porté bénévole pour accompagner des gens atteints de TSPT, il voulait aider ceux qui avaient traversé une épreuve similaire.

– Et puis, il y a six semaines, il a eu l'air d'avoir rechuté. Il a débarqué chez sa mère à l'improviste, marmonnant que tu ne lui pardonnerais jamais. On l'a amené ici et on l'a confié au docteur Stayner.

Je fais tout ce que je peux pour dissimuler ma surprise. Donc, pendant tout le temps où Trent avait disparu, il était ici, à Chicago. Dans un hôpital pour soigner les TSPT, ce dont il voulait justement me guérir.

– Quelques jours après être sorti de nouveau, Trent était le plus heureux du monde. On ne comprenait pas. On a pensé qu'il était peut-être bipolaire, on s'est même demandé s'il se droguait. Docteur Stayner nous a dit que non, mais qu'il ne pouvait nous dire où il allait en raison du secret professionnel.

Docteur Stayner l'interrompt.

– Et pour être clair, je n'étais pas du tout au courant de ce qui se passait. Pendant ses séances avec moi, Trent m'a caché des informations qui étaient capitales, parce qu'il savait que je n'approuverais pas.

— Exactement, dit Carter. Nous ne l'avons compris qu'il y a trois jours. Sa mère a croisé une des secrétaires de la clinique qui lui a demandé si Kacey et Trent s'étaient rabibochés. Elle ne savait pas à quel point c'était grave ; elle savait simplement que Trent avait une petite amie qui s'appelait Kacey et qu'ils avaient des problèmes. Je suppose qu'il s'est dit qu'il ne prenait pas de risque à en parler à une secrétaire.

Lorsque mon fils a quitté cette clinique il y a deux ans, il était persuadé que s'il pouvait réparer les dégâts qu'il avait causés dans votre vie, il serait pardonné pour tout ce que vous avez enduré.

Carter baisse les yeux et fixe un point sur le sol, l'air honteux.

— Mon fils vous observe depuis deux ans, Kacey. Il attendait le bon moment pour vous approcher.

Je remarque à peine que Livie plante ses ongles dans mon avant-bras. Je ne peux pas dire que je *ressente* quelque chose, néanmoins cette information réveille quelque chose en moi. Trent m'observe ? Il me *suit* ? Tout ça parce qu'il veut réparer ce qu'il a cassé ? *Je veux te rendre heureuse. Te faire sourire.* Ses mots passent en boucle dans ma tête. Je comprends tout désormais. Il le pensait vraiment. Il s'était assigné la mission de me réparer.

— Sa mère et moi ne savions rien, Kacey. Croyez-moi. Mais Trent vous suivait depuis deux ans. Il a même trouvé quelqu'un de son école pour pirater vos courriels. C'est comme ça qu'il a su que vous déménagiez à Miami. On n'imaginait pas une seconde qu'il n'était plus à New York. Mais il a quitté son appartement et mis sa vie sur pause pour vous suivre, pensant que s'il pouvait réparer votre vie, il serait enfin pardonné. Nous nous sommes parlé tous les jours par courriel et il me laissait des messages sur mon répondeur. Il n'a jamais rendu visite à sa mère ; pas une seule fois.

– Alors, j'étais une mission. Une quête de paix, je murmure.

J'ai envie de vomir. C'est tout ce que je ressens. Je sens la bile remonter le long de ma gorge tandis que je prends conscience de ce que Carter me dit. Il ne m'a jamais aimée. Je n'étais qu'une des étapes qu'il s'était fixées pour aller mieux.

– Peu importe.

Ma voix est dénuée de toute émotion. Ce n'est vraiment pas important.

Trent et tout le bonheur qu'il m'a apporté sont morts. Pire, ils n'ont jamais vraiment existé.

Storm prend la parole, pour la première fois depuis que Carter est entré dans la pièce.

– Kacey, Dan veut que tu portes plainte contre Trent. Ce qu'il a fait est ignoble, et illégal. Putain, c'est horrible à tous points de vue. Sa place est en prison.

Je souris froidement. Storm ne jure jamais. Elle doit être vraiment en colère.

– Mais je l'ai obligé à attendre que tu te sentes mieux pour que tu prennes la décision toi-même. Je pensais que la décision t'appartenait.

Puis elle ajoute, d'une voix basse, comme un grognement :

– Même si j'ai envie de lui tirer une balle dans la tête.

Je hoche la tête lentement. Porter plainte contre Trent. Mettre Trent en prison.

– Sa mère et moi comprenons que vous vouliez porter plainte, Kacey, dit Carter calmement, mais je vois son dos se courber à l'idée de perdre son fils unique.

– Non.

Le mot me surprend moi-même.

Carter hausse les sourcils, surpris.

– Non ?

– Kacey, t'es sûre ? demande Livie, sa main serrée autour de la mienne.

Je la regarde et je hoche la tête. Je ne sais pas pourquoi, mais je sais que je ne veux pas faire ça. Je suis sûre de détester Trent. Je suis sûre que je dois le détester parce qu'il est Cole, et que ma haine pour Cole est la seule chose dont je sois certaine.

Je lève les yeux vers Carter, imaginant cet homme sortant le corps sans vie de son fils du garage, et ce n'est pas de la haine que je ressens. C'est de la pitié. Pour lui, et pour Trent, parce que je connais le degré de souffrance qui peut amener quelqu'un à faire ce qu'il a fait. Ça m'a traversé l'esprit plusieurs fois en quatre ans.

— Non. Je ne porte pas plainte. Pas de police. Ça ne changera rien. Ça n'a jamais rien changé.

Carter ferme les yeux un instant.

— Merci.

Sa voix est rauque. Il se racle la gorge. Il regarde Livie avant d'ajouter :

— J'ai cru comprendre aussi qu'il était question de la garde de Livie.

— Non, ce n'est pas une question. C'est moi qui en ai la garde, dis-je en jetant un regard noir à Livie.

Pourquoi elle lui a dit ?

— J'ai appelé tante Darla, explique-t-elle d'une voix douce. Je savais pas si tu allais t'en sortir. Elle a dit qu'elle pouvait me ramener à la maison et…

— Non ! Non ! Tu ne peux pas me laisser ! je m'écrie.

Mon cœur bat la chamade.

— Elle n'ira nulle part, Kacey, promet Carter. Elle retournera simplement à Miami, au collège. Mon cabinet va s'assurer que tous les papiers soient en ordre. La garde sera peut-être accordée à Mme Matthews pour l'instant, jusqu'au jour où tu iras mieux, ou jusqu'à ce que Livie soit majeure.

Je hoche la tête, le regard vide.

– Mm… Merci.

Carter va nous aider. Pourquoi veut-il nous aider ?

Il me sourit fermement.

– J'ai aussi parlé à votre oncle. (Son regard devient froid.)
Tout l'argent n'est pas parti, Kacey. Il n'a pas tout dilapidé. Je
vais m'assurer que tout soit transféré à vos noms à toutes les
deux. (Il sort une carte de sa veste.) Voici ma carte, au cas où
vous auriez besoin de quoi que ce soit. N'importe quoi,
Kacey. N'importe quand. Livie aussi. Je vous aiderai autant
que possible.

Il pose la carte sur une table.

Il fait un signe de tête au docteur Stayner, puis se dirige
vers la porte, le dos courbé, comme s'il portait un poids terrible. Je suppose que c'est le cas, après ce qu'a fait son fils. Il
s'arrête, la main sur la poignée de la porte.

– Je voudrais quand même vous dire, je n'ai jamais vu Trent
aussi heureux que lorsqu'il était avec vous. Jamais.

* * *

Je suis plantée devant la porte en chêne massif de la clinique,
les yeux fixés sur la poignée. Le contraste avec l'extérieur en
béton blanc est frappant. Cependant, l'immeuble reste plutôt
joli.

Ça va être ma maison pendant un certain temps.

Une main minuscule prend la mienne, et je ne la retire pas.

– T'inquiète pas, Kacey. Ce n'est pas si mal, et si tu es sage,
quand tu sortiras, on ira manger une glace, dit Mia, le visage
soudain grave.

Elle et Dan ont passé leur temps à visiter les zoos de Chicago
pendant que Storm restait avec moi. Aujourd'hui, ils sont là
pour me dire au revoir. Elle lève son autre main, deux doigts en
l'air.

– Trois boules!

Storm arrive derrière elle au bras de Dan.

– C'est ça Mia, dit-elle en riant, puis elle me fait un clin d'œil complice.

– Tu es prête? demande Livie, tout en glissant son bras sous le mien.

Je prends une profonde inspiration et regarde de nouveau le bâtiment.

– Ça a l'air un peu au-dessus de nos moyens, non?

– T'en fais pas. Je connais quelqu'un qui connaît quelqu'un… qui connaît quelqu'un, dit Dan, souriant jusqu'aux oreilles.

Je ne sais pas pourquoi, mais je ne le crois pas. J'ai comme l'impression que les mains magiques de Carter Reynolds y sont pour quelque chose. Peut-être Stayner a-t-il offert de me soigner à moitié prix pour s'excuser de ne pas avoir guéri son fils. Mais, pour une fois, je ne vais pas me battre.

Livie et moi marchons devant, alignant nos pas.

– Merci de faire ça, Kacey, murmure-t-elle, essuyant la larme qui coule le long de sa joue.

Un homme en uniforme bleu ciel ouvre la porte et tend le bras pour prendre mon sac.

– Je t'appellerai aussi souvent qu'ils me l'autoriseront, dit-elle en serrant fort mon bras une dernière fois avant de le lâcher.

Je lui fais un clin d'œil et lui montre un visage courageux.

– On se retrouve sur la terre ferme.

CHAPITRE 18

Je ne survivrai pas.

Je ne survivrai pas.

Ils me demandent constamment de parler. Parler, parler, parler encore. De mes sentiments, de mes cauchemars, du fait que j'ai failli tuer l'agresseur de Storm, de mes parents morts, de Jenny, de Billy, de Trent. Chaque fois que j'essaie d'oublier toutes ces choses en les jetant dans le coffre-fort déjà plein à craquer, docteur Stayner débarque au grand galop comme un chevalier parti en conquête, et je dois me battre bec et ongles pour lui résister.

Rien de tout ça ne va m'aider.

Les anxiolytiques non plus. Ils me donnent la nausée et m'épuisent. Docteur Stayner dit qu'en fonction des gens, il leur faut plus ou moins de temps pour que leurs effets se fassent sentir.

Parfois, j'ai envie de le frapper et je le lui dis.

D'autres fois, je lui dis simplement que je le déteste.

Et lorsque je ferme les yeux la nuit, Trent m'accueille en riant. Il rit toujours.

Un jour que nous sommes dans son bureau pour une de mes séances, je raconte ces rêves au docteur Stayner.

– Tu penses qu'il rit, Kacey?

– C'est ce que je viens de dire, non?

– Non, tu m'as dit que dans tes rêves, il rit. Mais est-ce que tu penses vraiment qu'il rit?

Je hausse les épaules.

– Je sais pas.

– Tu es sûre que tu ne sais pas?

Je fixe sur lui un regard incrédule. Cette conversation a duré bien plus longtemps que je m'y attendais. Ça m'apprendra à parler. Normalement, je ne dis rien ou je ne réponds que par «oui» ou par «non». Et jusqu'à présent, ça a plutôt bien fonctionné. Je ne sais pour quelle raison j'ai pensé que ce sujet serait simple.

– Prenons quelques minutes pour y réfléchir, d'accord Kacey?

Il s'installe confortablement dans son fauteuil et me regarde, sans rien dire. Est-il en train d'y penser? Croit-il que *moi,* je suis en train d'y penser? C'est vraiment agaçant. Mes yeux font le tour de la pièce pour essayer d'ignorer le silence gênant qui s'est installé. Son bureau est petit et aseptisé. Les murs sont recouverts de livres, comme le bureau de n'importe quel psy. Cependant, il n'est comme aucun des psys que j'ai rencontrés dans le passé. Je ne sais pas comment le décrire. Sa façon de parler et ses manières sont inhabituelles.

– Un soir, comme des milliers d'étudiants, Trent boit trop. Il a fait une erreur terrible et stupide.

Je m'agrippe aux accoudoirs de mon fauteuil et je me penche en avant, m'imaginant en train d'arracher les yeux de Stayner.

– Une erreur? je siffle.

Je déteste ce mot. Je déteste qu'on utilise ce mot pour décrire cette nuit.

– Mes parents sont morts.

Stayner lève l'index comme s'il venait de faire la découverte du siècle.

– La mort de tes parents est le *résultat* d'une erreur horrible et stupide. Mais l'erreur horrible et stupide de Trent n'est pas d'avoir tué tes parents, si ?

Comme je ne réponds pas, trop occupée à fixer la moquette à carreaux bleus, je sens quelque chose m'atterrir sur le front. Je baisse les yeux et vois un trombone sur mes genoux.

– Vous venez de me jeter un trombone dessus, là ? je demande, outrée.

– Réponds à la question.

Je serre les dents.

– Quelle était l'horrible et stupide erreur de Trent qui a bouleversé vos vies à jamais ? insiste-t-il.

– Il est rentré en voiture, je marmonne.

Un autre trombone atterrit sur ma joue tandis que docteur Stayner secoue la tête frénétiquement, élevant légèrement la voix.

– Non.

– Il a donné ses clés à un ami pour qu'il conduise.

– Bingo ! Il a fait un choix, alors qu'il était en état d'ivresse. Un choix qu'il n'aurait jamais dû faire. Un très mauvais choix. Très dangereux, qui plus est. Et lorsqu'il a dessaoulé, il a découvert que ce choix avait causé la mort de six personnes.

Il reste silencieux pendant un moment.

– Mets-toi à sa place un instant, Kacey.

– Il est hors de question que…

Docteur Stayner anticipe mon refus et l'interrompt.

– T'as déjà été saoule, non ?

Je me pince fort les lèvres.

– Non ?

Je me souviens d'une nuit, six mois avant l'accident. Jenny et moi étions à une soirée à la campagne où on a enchaîné les Jager Bombs. C'était une des meilleures soirées de ma vie. Le lendemain matin, c'était une autre histoire.

– Exactement, continue Docteur Stayner comme s'il avait lu dans mes pensées. (Peut-être est-ce le cas. Peut-être est-il médium.) Tu as probablement dit et fait des choses stupides.

Je hoche la tête à contrecœur.

– À quel point étais-tu saoule?

Je hausse les épaules.

– Je sais pas. J'étais… saoule.

– Oui, mais à quel point?

Je lui lance un regard noir.

– Qu'est-ce qui vous prend?

Encore une fois, il m'ignore.

– Est-ce que vous seriez rentrées chez vous en voiture?

– Euh, non?

– Et pourquoi pas?

– Parce que j'avais quinze ans à l'époque, espèce de génie!

Mes phalanges sont désormais blanches à force de serrer les accoudoirs.

– Bien sûr, dit-il.

Mais il ne semble pas en avoir fini pour autant:

– Et ton amie? Tes amis? Est-ce qu'ils étaient très saouls?

Je hausse les épaules.

– Je sais pas. Saouls.

– Est-ce que c'était flagrant? C'était si évident que ça qu'ils étaient saouls?

Je fronce les sourcils en revoyant Jenny en train de danser et de chanter sur une table, sur une des chansons d'Hannah Montana. Je n'ai aucune idée de son degré d'alcoolémie. Jenny aurait été capable de faire ça en étant sobre. Je finis par hausser les épaules tandis qu'une boule se forme dans ma gorge d'y avoir repensé.

– Et si, à la fin de la soirée, cette amie t'avait dit qu'elle avait arrêté de boire depuis plusieurs heures et qu'elle pouvait te ramener? Tu l'aurais crue?

– Non, je réponds rapidement.

Il brandit de nouveau son doigt.

– Penses-y un instant, Kacey. On est tous passés par là. On sort avec ses amis, on boit un peu. On sait qu'on ne peut pas conduire, mais ça n'implique pas qu'on ne fait pas confiance aux autres. Je suis passé par là moi aussi.

– Vous êtes en train d'excuser les gens qui conduisent en état d'ivresse, docteur Stayner?

Il secoue vigoureusement la tête.

– Absolument pas, Kacey. Il n'y a aucune excuse valable. Uniquement des conséquences terribles avec lesquelles les gens doivent vivre pour le reste de leur vie.

On reste silencieux un moment, mais je ne doute pas qu'il attende toujours ma réponse.

Je regarde mes mains.

– Je suppose que ça peut arriver, j'admets à contrecœur. *Ouais*, en y repensant, il y a peut-être eu une ou deux fois où je suis montée dans une voiture en supposant que la personne était en état de conduire, simplement parce que c'est ce qu'elle m'avait dit.

– Oui, ça peut arriver. Et c'est ce qui est arrivé. À Cole.

Soudain, je suis furieuse.

– Mais qu'est-ce que vous insinuez? Vous êtes de son côté?

– Je ne suis du côté de personne, Kacey. (Sa voix est redevenue calme et posée.) Lorsqu'on me parle de cette histoire, de ce tragique *accident*, je suis désolé pour tous ceux qui ont été impliqués. Toi. Ta famille. Les garçons qui sont morts parce qu'ils ont oublié de faire quelque chose de très simple comme attacher leur ceinture. Pour Cole, le mec qui a confié ses clés à quelqu'un. Lorsque j'entends cette histoire, je ressens de l'…

Je me précipite pour quitter le bureau de Stayner en courant et en claquant la porte tandis qu'il crie :

– … empathie !

Il continue de hurler ce mot jusqu'à ce que j'aie atteint la porte de ma chambre. Peut-être pense-t-il qu'à force de le répéter, je vais finir par le ressentir. Ou peut-être veut-il simplement me tourmenter.

* * *

– Comment ça se passe ?

J'ai envie de plonger ma main dans le combiné pour prendre Livie dans mes bras. Ça fait sept jours que je suis ici et elle me manque terriblement. Nous n'avons jamais été séparées aussi longtemps. Même quand j'étais à l'hôpital après l'accident, Livie venait me voir presque tous les jours.

– Une chose est sûre, les méthodes du docteur Stayner ne sont pas classiques, je marmonne.

– Pourquoi ?

Je soupire, exaspérée, puis je lui dis ce qu'elle ne veut probablement pas entendre.

– Il est cinglé, Livie ! Il crie, il insiste pour que je parle de tout et n'importe quoi, il me dit quoi penser. Il est tout ce qu'un psy ne devrait pas être. Je ne sais pas à quelle école bidon il a été, mais je peux te dire que Trent a dû sortir d'ici encore plus perturbé qu'il ne l'était quand il est arrivé.

Trent. Mon estomac se noue. *Oublie-le, Kace. Il est parti. C'est comme s'il était mort.*

Il y a un silence.

– Mais est-ce que ça marche ? Est-ce que tu vas aller mieux ?

– Je ne sais pas encore, Livie. Je ne sais pas si quoi que ce soit ira mieux un jour.

* * *

Jenny éclate de rire tandis qu'une voiture nous double.

– T'as vu la tronche de Connie quand j'ai commencé à chanter « *Super Freak* » ? C'était génial.

Je ris aussi.

– Tu es sûre que tu es en état de conduire ?

Après avoir plongé du capot de Georges pour faire un placage à un des amis de Billy, j'ai su que je n'étais pas du tout en état de conduire, alors je lui ai donné les clés.

Elle lève la main, l'air de rien.

– Oh oui ! T'en fais pas, j'ai arrêté de boire y a des heures ! Je suis…

Une lumière vive nous distrait l'une et l'autre. Ce sont les phares d'une voiture et ils sont trop près de nous. Trop près, bien trop près.

Mon corps est secoué dans tous les sens au moment où l'Audi de mon père percute quelque chose, et ma ceinture me serre la gorge. Une explosion assourdissante retentit. En quelques secondes, c'est fini. Il ne reste plus qu'un silence pesant et un sentiment étrange, comme si mes sens étaient à la fois paralysés et en éveil.

– Qu'est-ce qui s'est passé ?

Rien. Pas de réponse.

– Jenny ?

Je tourne la tête. Il fait noir, mais je vois suffisamment pour me rendre compte qu'elle n'est plus assise derrière le volant. Et je sais qu'on va avoir des ennuis.

– Jenny ?

Je ne peux pas empêcher ma voix de trembler. Je parviens à détacher ma ceinture et à ouvrir ma portière. Je crois qu'il existe une expression pour dire qu'une peur assez grande vous fait dessaouler en trois secondes. Je sais désormais que c'est vrai. Je fais le tour de la voiture défoncée, consciente du sifflement du moteur et de la fumée qui s'échappe de sous le capot. Elle est détruite. Je passe ma main dans mes cheveux tandis que je commence à paniquer.

Oh, mon Dieu. Mon père va me…

Une paire de sandales dans l'herbe m'arrête net.

Les sandales de Jenny.

— Jenny! je hurle en courant vers le carré d'herbe sur lequel elle est allongée, face contre le sol, sans bouger.

— Jenny!

Je la secoue. Elle ne répond pas.

Il faut que j'appelle de l'aide. Il faut que je trouve mon téléphone. Il faut que je…

C'est à ce moment-là que je vois l'autre tas de métal.

Une autre voiture.

Elle est dans un pire état que mon Audi.

Mon estomac fait un saut périlleux. Je parviens vaguement à voir les silhouettes des gens à l'intérieur. Je m'arrête et leur fais des signes de la main sans réfléchir.

— Au secours! je hurle.

Ça ne sert à rien. On est sur une route entourée de bois, au milieu de nulle part.

Je finis par abandonner et j'approche de la voiture tandis que mon cœur bat la chamade.

— Allô? je chuchote.

Je ne sais ce qui me fait le plus peur: entendre quelque chose ou ne rien entendre du tout.

Pas de réponse.

Je me penche et regarde à l'intérieur à travers le verre brisé. Je ne vois rien… il fait trop noir…

Tac. Tac. Tac… Comme les projecteurs d'un théâtre, une lumière vive inonde soudain tout le périmètre, révélant l'horreur. Un couple est assis à l'avant, le dos courbé. Je dois détourner la tête tellement la scène est sanglante.

C'est trop tard pour eux, c'est évident.

Mais il y a quelqu'un à l'arrière aussi. Je cours pour regarder par l'autre fenêtre et découvre le corps d'une fille aux cheveux noirs, déformé et écrasé par la porte.

– Oh, mon Dieu! je m'exclame tandis que mes genoux fléchissent sous moi.

C'est Livie.

Qu'est-ce qu'elle fout dans cette voiture?

– Kacey.

Une main glacée agrippe mon cœur. Je cherche qui a parlé et finis par voir une silhouette assise à côté d'elle. Trent. Il est blessé. C'est grave. Mais il est conscient. Son regard est intense.

– T'as tué mes parents, Kacey. C'est toi l'assassin.

L'infirmière de garde, Sara, déboule dans ma chambre alors que je me réveille en hurlant.

– Tout va bien, Kacey. Chuuut. C'est fini.

Elle frotte mon dos en faisant des mouvements circulaires. Je suis en nage. Elle continue ses mouvements et je me recroqueville en position fœtale, serrant mes genoux contre ma poitrine.

– Celui-là était particulièrement horrible, Kacey.

Ce n'est pas la première fois qu'elle est obligée de me réveiller la nuit.

– Tu as rêvé de quoi?

Elle ne me demande pas si je veux en parler. Elle suppose que j'en ai besoin, que j'en aie envie ou non. C'est ce qui est fou ici. Ils me demandent constamment de parler. Alors que tout ce dont j'ai envie, c'est de rester silencieuse.

– Hein, Kacey?

Je ravale la boule qui s'est formée dans ma gorge.

– D'empathie.

* * *

– Vous avez peut-être raison.

Docteur Stayner hausse les sourcils.

– Tu fais référence au rêve que tu as fait hier soir ?

Mon regard lui dit que oui.

– Oui, Sara m'en a parlé. Elle voulait que je le sache, au cas où ce serait important. C'est son boulot, Kacey. Elle ne t'a pas trahie.

Il dit cela comme s'il le disait pour la millième fois :

– Que s'est-il passé exactement ?

Je ne sais pour quelle raison, mais je lui raconte tout le cauchemar, du début à la fin, mon corps est parcouru de frissons tandis que je revis la scène.

– Et pourquoi était-ce si horrible ?

Je penche la tête sur le côté et dévisage le docteur. Il n'a clairement rien écouté de ce que j'ai raconté.

– Comment ça ? Tout le monde était mort. Jenny était morte. Les parents de Trent étaient morts. J'ai tué Livie. C'est juste… horrible !

– Tu as tué Livie ?

– Ben, oui. C'était de ma faute.

– Hmm…

Il hoche la tête, ne laissant rien transparaître.

– … Comment tu t'es sentie quand tu as vue Jenny morte dans l'herbe ?

Je serre mes bras fort autour de moi.

– Et tu as pleuré, dit-il, répondant à ma place.

– Bien sûr que oui. Elle était morte. Je ne suis pas une psychopathe.

– Mais c'est elle qui conduisait la voiture qui a percuté la famille de Trent. Comment peux-tu être triste qu'elle soit morte ?

Je parle plus vite que je ne réfléchis.

– Parce que c'est Jenny. Elle ne ferait jamais de mal à personne. Elle n'a pas fait exprès…

Je m'arrête et le dévisage, comprenant enfin où il veut en venir :

— Sasha, c'est Jenny. Je vois ce que vous faites.

— Et qu'est-ce que je fais ?

— Vous essayez de me faire voir Sasha et Trent comme des gens qui rient, qui pleurent et qui ont une famille.

Il hausse les sourcils, fier de lui.

— Mais ça n'a rien à voir ! Je les déteste ! Je hais Trent ! C'est un assassin !

Docteur Stayner bondit de son fauteuil et court à la bibliothèque pour en extraire le plus gros dictionnaire que j'aie jamais vu. Il vient vers moi et le jette sur mes genoux.

— Tiens. Cherche le mot *assassin*, Kacey. Fais-le ! Cherche !

Il n'attend pas que je le fasse, supposant que j'ai compris la leçon débile qu'il voulait me donner.

— Tu n'es pas bête, Kacey. Tu peux te cacher derrière ce mot ou tu peux accepter sa vraie définition. Trent n'est pas un assassin, et tu ne le détestes pas. Tu sais que ce que je dis est vrai, alors arrête de me mentir. Mais surtout, arrête de te mentir à toi-même.

— Si, je le déteste, dis-je sèchement, mais ma voix a perdu de sa force.

Et je déteste le docteur Stayner.

Je le déteste parce qu'au fond de moi, je sais qu'il a raison.

CHAPITRE 19

Docteur Stayner m'emmène dans une petite pièce toute blanche avec une petite fenêtre donnant sur une deuxième petite pièce blanche.

– C'est un miroir sans tain ? dis-je en tapant dessus.

– Oui, c'est ça Kacey. Assieds-toi.

– Très bien, Docteur Dictateur, je râle en m'asseyant lourdement sur la chaise.

– Merci, Mademoiselle l'Emmerdeuse.

Je ricane. Les méthodes inhabituelles de docteur Stayner rendent parfois tout ce processus moins douloureux. Pas tout le temps, mais parfois.

– Quelle torture avez-vous prévue pour moi en cette belle journée ? je demande nonchalamment tandis que la porte de l'autre pièce s'ouvre.

Instantanément, mon corps se raidit, je cesse de respirer.

C'est Trent.

Cole.

Trent.

Merde.

Ça fait des semaines que je ne l'ai pas vu. Avec ses cheveux châtains en bataille et son corps musclé, il est toujours aussi sexy. Ça, je suis forcée de l'admettre. Même si je déteste l'admettre. La seule différence, c'est qu'il ne sourit pas. Pas de fossettes. Il ne ressemble en rien à l'homme plein de charme dont je suis tombée amoureuse.

Amoureuse. Ma mâchoire se contracte à cette idée.

Il s'assied sur la chaise placée directement en face de moi. Je n'ai pas besoin de connaître Trent pour repérer la souffrance dans son regard. Mais, étant donné que je le connais, ou du moins que je connais une partie de lui, je ne peux pas ignorer sa douleur.

Elle m'est intolérable. J'ai instinctivement envie de tout faire pour lui enlever cette souffrance.

Les mains du docteur Stayner se posent sur mes épaules pour m'empêcher de me lever. Une seconde de plus et j'étais partie.

— Il ne te voit pas, Kacey. Il ne t'entend pas.

— Qu'est-ce qu'il fait là ? je murmure, la voix tremblante. Pourquoi vous me faites ça ?

— Tu ne fais que répéter que tu détestes Trent. Et nous savons tous les deux que c'est faux. Il ne partira pas tant que tu ne l'auras pas admis une fois pour toutes afin que tu puisses passer à autre chose. Si tu veux guérir, tu ne peux pas te permettre de t'accrocher à cette fausse idée que tu le hais.

Je ne peux quitter Trent des yeux, mais j'ignore ce que dit le docteur Stayner.

— Vous êtes un médecin complètement dingue et psychopa…

Il me coupe la parole.

— Tu sais que Trent est aussi mon patient, Kacey. Et il a besoin d'aide autant que toi. Il souffre également de TSPT. Il s'est également persuadé qu'il pouvait enfouir sa douleur au lieu de l'affronter. Seulement, il l'a fait d'une façon inhabituelle. On ne va pas parler de ça maintenant. (Je sursaute lorsqu'il tapote mon épaule.) Aujourd'hui, je triche un peu. Je fais deux séances en une.

— Je le savais, dis-je en levant un doigt accusateur vers lui.

Le docteur Stayner sourit, comme si ma réaction était amusante. Je ne trouve pas du tout la situation amusante. Je me demande ce que penserait le conseil médical si je leur racontais comment il procède.

— Cette séance est aussi bien pour aider Trent que pour t'aider toi, Kacey. Tu vas rester assise, et tu vas écouter ce qu'il a à dire. Après ça, tu ne le reverras plus jamais. Demain, il rentre chez lui. Il va plutôt bien, mais il m'est presque impossible de le soigner ici parce qu'il sait que tu es dans le même immeuble. Je ne peux pas prendre le risque que vous vous croisiez dans un couloir. Tu comprends?

Je grogne en signe d'acquiescement.

Il appuie sur un bouton à côté d'une enceinte. Je pourrais partir tout de suite. Je pourrais. Et j'arriverais probablement à m'enfuir. Mais je ne le fais pas. Je reste assise, les yeux rivés sur cet homme que je connais à la fois si bien et pas du tout, et je me demande ce qu'il peut bien avoir à me dire. Et, bien qu'une partie de moi ait envie de s'enfuir en courant, je n'arrive pas à détourner mon regard de lui.

— Il ne te voit pas. C'est lui qui l'a demandé. Il voit désormais une lumière rouge lui indiquant que son micro est allumé, m'explique le docteur Stayner.

Puis j'entends un petit «clic» derrière moi. Je me retourne et vois qu'il est parti, me laissant face à face avec le mec qui a détruit ma vie. Deux fois.

J'attends, les poings serrés et l'estomac noué, tandis que Trent remue sur sa chaise et l'avance jusqu'à ce que ses genoux touchent la vitre. Il se penche en avant et pose ses coudes sur ses genoux, baissant les yeux sur ses mains, dont les doigts ne cessent de bouger. Ces doigts, ces mains qui, il y a peu, avaient le pouvoir de me sauver et de m'apporter une joie démesurée. Comment les choses ont-elles pu changer aussi vite?

D'un mouvement lent et douloureux, Trent lève la tête et ses yeux plongent dans les miens. Ces yeux bleus aux éclats turquoise se posent sur mon visage avec tant de force que je suis certaine qu'il peut me voir. Je panique et me penche à droite puis à gauche. Ses pupilles ne me suivent pas. *OK. Stayner ne mentait pas, il ne me voit pas.*

— Salut, Kacey, dit Trent doucement.

— *Salut.*

J'articule sans bruit sans pouvoir m'en empêcher, le son de sa voix me fait l'effet d'une douche froide.

Trent se racle la gorge.

— C'est un peu bizarre de me parler dans un miroir, mais c'était la seule façon de m'assurer que je dirais ce que j'ai sur le cœur donc… Je suis content que tu sois ici, avec le docteur Stayner. C'est un super docteur, Kacey. Fais-lui confiance. Je regrette de ne pas lui avoir accordé toute ma confiance. J'aurais peut-être pu éviter de te faire endurer tout ça.

Il pince ses lèvres et tourne la tête. Je suis sûre de voir ses yeux devenir brillants, mais ils ne le sont plus lorsqu'il me regarde de nouveau.

— Je pensais…

Il déglutit et sa voix devient fébrile :

— … Je pensais que si tu tombais amoureuse de moi, ça réparerait tout ce que je t'avais fait. Je pensais pouvoir te rendre heureuse, Kacey. Suffisamment heureuse pour que tu ne m'en veuilles pas si jamais tu venais à découvrir qui j'étais vraiment.

Il baisse la tête et se tient le visage un moment avant de me regarder de nouveau. Un sourire triste se dessine sur ses lèvres.

— Putain, c'est complètement fou, non ?

Il y a un long silence pendant lequel je l'observe, en pensant aux nuits, aux journées qu'on a passées ensemble, heureux. J'ai du mal à croire que ce n'est pas un rêve. J'ai l'impression que c'était il y a des siècles.

– Ce qui t'est arrivé il y a quatre ans est le résultat de la pire décision que j'ai jamais prise. Je la regretterai toute ma vie. Si je pouvais remonter le temps, sauver ta famille et la mienne, Sasha et Derek, je le ferais. Je ferais n'importe quoi pour changer ce qui s'est passé.

Il déglutit lentement, difficilement.

– Sasha…, commence-t-il avant de pencher la tête en avant encore une fois.

Je ferme les yeux en entendant ce nom. Il m'est encore difficile de l'entendre, mais moins qu'avant, je crois. Probablement depuis la leçon du docteur Stayner sur l'empathie. Lorsque j'ouvre les yeux, Trent me regarde et des larmes coulent le long de ses joues.

Et c'est la goutte d'eau : mon corps se raidit et les quelques défenses qui me restaient s'effondrent en le voyant aussi bouleversé. Mes mains couvrent ma bouche et des larmes jaillissent avant que je puisse les refouler. Je les essuie violemment, mais elles ne cessent de couler. Malgré tout ce qui s'est passé, voir Trent souffrir m'est toujours aussi insupportable.

Parce que je ne le hais pas. C'est impossible. Je l'aimais. Si je suis honnête, je l'aime peut-être encore. Et je me fous qu'il m'ait traquée, suivie. Je ne sais pas pourquoi, mais je m'en fous.

Voilà, docteur Stayner. Je l'ai dit. Vous êtes content maintenant ?

– Sasha était un mec bien, Kacey. Tu ne me croiras pas, mais tu l'aurais beaucoup aimé. J'ai grandi avec lui.

Trent sourit tristement à ses souvenirs.

– Il était comme un frère. Il ne méritait pas ce qui lui est arrivé, mais d'une façon bizarre, c'est peut-être mieux comme ça. Il n'aurait pas tenu dix minutes avec autant de culpabilité sur les épaules. Il…

La voix de Trent se rompt et il essuie les larmes sur sa joue.

– … c'était un mec bien.

Le regard de Trent survole toute la surface de la vitre.

– Je sais que tu dois me détester, Kacey. Tu détestais Cole. Tellement. Mais je ne suis pas Cole, Kacey. Je ne suis plus ce mec.

Il marque une pause et prend une profonde inspiration. Lorsqu'il parle de nouveau, sa voix est stable, ses yeux sont plus vifs, son dos est un peu moins courbé.

– Je ne peux pas réparer ce que je t'ai fait. Tout ce que je peux dire, c'est que je suis désolé. Que je vais consacrer ma vie à faire prendre conscience aux autres de ce qu'une telle erreur peut provoquer. La souffrance qu'elle peut causer.

Sa voix s'adoucit.

– Ça, je peux le faire. Pour moi, et pour toi.

Lentement, en tremblant, il lève la main et la pose contre la vitre. Il la laisse là.

Je ne peux pas m'en empêcher.

Je pose ma main contre la sienne, alignant mes doigts sur les siens, imaginant la sensation de son toucher, de ses doigts enserrant les miens, me tirant contre lui, m'enveloppant dans sa chaleur. M'accueillant dans sa vie.

On reste ainsi, main contre main, pendant un long moment, mes larmes n'arrêtent pas de couler. Puis sa main retombe sur ses genoux.

– Je voulais te dire en personne que, si mes intentions n'étaient pas les bonnes…

Il fixe la vitre, les yeux pleins de chaleur et d'émotion. Un de ces regards qui a le don de transformer mes jambes en guimauve.

– … ce que je ressentais pour toi était bien réel, Kacey. Ça l'est encore. Mais je ne peux plus m'y cramponner. Il nous faut guérir tous les deux.

Mon cœur bondit dans ma gorge.

– C'est encore réel, je confirme à voix haute, d'une voix douce.

C'est vrai.

De nouvelles larmes jaillissent tandis que je comprends ce qui est en train de se passer.

Trent est en train de me dire au revoir.

– J'espère qu'un jour tu tourneras la page sur toute cette histoire, Kacey. Et que quelqu'un te fera rire de nouveau. Tu as un rire divin, Kacey.

– Non, je murmure soudain, fronçant les sourcils. Non !

Mes deux mains cognent contre la vitre. Je réalise que je ne suis pas prête à lui dire au revoir. Pas comme ça. Pas encore.

Peut-être jamais.

Je ne peux pas l'expliquer, mais je sais ce que je ressens. Et je ne veux pas ressentir cette douleur.

Je retiens mon souffle tandis que je regarde Trent sortir de la pièce, le dos raide. Je regarde la porte se fermer, je regarde Trent sortir de ma vie pour toujours. Un torrent de larmes et de sanglots jaillit et je m'effondre sur le sol.

CHAPITRE 20

Je passe en revue les titres des livres dans la bibliothèque du docteur Stayner, essayant de m'occuper pour ne pas avoir à regarder le résultat de mon coup de poing : hier, après la session de groupe, j'étais tellement énervée que je lui ai mis un uppercut. Sa lèvre est désormais gonflée comme une pastèque. Cela dit, ça va plutôt pas mal avec l'œil au beurre noir que je lui ai fait la semaine dernière. Je me sens encore plus vide qu'avant depuis que Trent m'a dit adieu. Pas de doute : Trent ou Cole – erreur ou assassin – avait une grande emprise sur mon cœur et il en a emporté un gros morceau avec lui.

– Tu sais quoi ? Mes fils ont commencé à appeler les mercredis «le jour où papa se fait tabasser par une fille», déclare Stayner.

Il semblerait que je ne puisse plus faire l'autruche. Je grimace en le regardant.

– Je suis désolée.

Il sourit.

– Ne le sois pas. Je sais que je t'ai poussée un peu trop fort. Normalement, je prends des pincettes pour amener mes patients à parler de leur traumatisme. Mais j'ai pensé qu'une approche plus directe pourrait marcher avec toi.

– Et qu'est-ce qui vous a donné cette brillante idée ?

— Parce que tu as rangé tes émotions et ta douleur dans des cases tellement blindées qu'il m'aurait fallu de la dynamite pour y accéder, plaisante-t-il. Tu t'es vue? Tu es une boxeuse expérimentée. Tu pourrais probablement remettre mes fils à leur place. D'ailleurs, je vais peut-être t'inviter à souper un de ces quatre pour que tu leur apprennes à se tenir.

Je lève les yeux au ciel. Mon docteur est complètement fou.

— Je n'irais pas jusque-là.

— Moi, si. Tu as pris tout ce que tu ressentais à propos de cette tragédie et tu as réussi à créer un mécanisme d'adaptation hors pair. Mais tout mécanisme d'adaptation, quel qu'il soit, peut être rompu. Je crois que ça tu le sais, désormais.

— Trent, dis-je sans réfléchir.

Il acquiesce.

— On ne va pas parler de l'accident aujourd'hui.

Mon dos se détend en entendant la nouvelle. D'habitude, c'est la seule chose dont veut parler le docteur Stayner. J'attends la suite pendant qu'il s'installe confortablement dans son fauteuil.

— On va parler de ces mécanismes d'adaptation qui t'ont permis de supporter la douleur. Les bons mécanismes, les mauvais, ceux dont les gens n'osent pas parler.

Il énumère une liste de mécanismes en les comptant sur ses doigts, utilisant chaque main plusieurs fois:

— La drogue, l'alcool, le sexe, l'anorexie, la violence. (J'écoute patiemment, assise sur ma chaise, me demandant où il veut en venir.) Être obsédé par l'idée de «sauver» ou de «réparer» ce qui est cassé.

Je sais de qui il parle.

C'était le mécanisme d'adaptation de Trent.

— Tous ces mécanismes semblent aider au début, mais en fait, ils vous laissent faible et vulnérable. Ils sont malsains. Ils ne peuvent durer qu'un temps. Personne ne peut mener une vie saine et épanouie avec des rails de coke sur sa table de nuit. Jusque-là, tu saisis?

J'acquiesce. Pour Trent, être avec moi est malsain. C'est ce que le docteur Stayner est en train de dire. C'est pour ça que Trent m'a dit adieu. La blessure qui ne s'est pas refermée depuis ce jour-là se rouvre un peu, mais j'accepte la douleur, je ne la refoule pas. Je ne refoulerai plus mes sentiments à présent. Ça ne sert à rien. De toute façon, le docteur Stayner se débrouille pour les faire ressurgir afin que je ne puisse plus les ignorer.

— Bien. Maintenant, Kacey, il nous faut te trouver un mécanisme d'adaptation qui soit bon pour toi. Le kick-boxing n'en est pas un. Ça t'aide à canaliser ta colère, mais il nous faut trouver un moyen de faire disparaître cette colère à jamais. Faisons un peu de brainstorming. À ton avis, quels pourraient être les bons mécanismes?

— Si je le savais, je les aurais appliqués, non?

Il lève les yeux au ciel. Très professionnel, ça.

— Allez, Kacey. Tu es une fille intelligente. Réfléchis à tout ce que tu as entendu dire. Ce que d'autres ont pu suggérer. Je vais commencer. Parler à d'autres de ton traumatisme en est un.

C'est à mon tour de lever les yeux au ciel.

Le docteur Stayner lève la main et balaie l'air comme pour effacer ce qu'il vient de dire.

— Je sais, je sais. Crois-moi, j'ai bien compris ce que tu pensais de ça. Mais parler de ta souffrance à d'autres gens est un des meilleurs moyens d'aller mieux. Cela peut t'aider à libérer la douleur, à ne pas l'enfermer jusqu'à ce que tu explodes. D'autres mécanismes incluent la peinture, la lecture, se fixer des objectifs, écrire un journal.

Hmmm. Je pourrais peut-être écrire un journal. Ça reste une activité privée.

— Le yoga est un super mécanisme aussi. Ça t'aide à te vider la tête et à te concentrer sur ta respiration.

Respirer.

– Dix petites inspirations, je murmure ironiquement, tandis que je sens un sourire se dessiner sur mes lèvres.

– Pardon?

Le docteur Stayner se penche en avant, remettant ses lunettes sur son nez avec son index.

Je secoue la tête.

– Non, rien. C'est quelque chose que me disait ma mère: Prends dix petites inspirations.

– Quand disait-elle ça?

– Quand j'étais triste, énervée ou angoissée.

Le docteur Stayner se frotte le menton.

– Je vois. Et est-ce qu'elle disait autre chose? Tu te souviens?

Je ricane. Bien sûr que je me souviens. C'est ancré profondément dans ma tête.

– Elle disait: «Respire, Kacey. Dix petites inspirations. Saisis-les. Sens-les. Aime-les.»

Il y a un long silence, puis il dit:

– Et à ton avis, qu'est-ce qu'elle voulait dire?

Je fronce les sourcils, irritée.

– Elle me disait de respirer.

– Hmmm…

Il fait rouler un stylo sur son bureau, comme s'il était perdu dans ses pensées.

– … Et comment dix petites inspirations pourraient-elles aider? Pourquoi petites? Pourquoi pas grandes?

Je frappe mes mains sur son bureau.

– C'est ce que je me suis toujours demandé. Vous comprenez, maintenant?

Mais il ne comprend pas. Étant donné le petit sourire en coin qui se dessine sur ses lèvres, il semble comprendre autre chose. Quelque chose que je ne saisis pas.

– Tu crois que le fait qu'elles soient petites plutôt que grandes change quelque chose ?

Je grimace. Je n'aime pas ce genre de jeu.

– À votre avis, qu'est-ce qu'elle voulait dire ?

– Et toi, à ton avis, qu'est-ce qu'elle voulait dire ?

J'ai envie de lui coller un second œil au beurre noir. J'ai *vraiment, vraiment* envie de le frapper.

* * *

Respire, Kacey. Dix petites inspirations. Saisis-les. Sens-les. Aime-les.

Je repasse ces mots en boucle dans ma tête, comme je l'ai fait des centaines de fois sans résultat, tout en fixant le plafond de ma cellule. Ce n'est pas vraiment une cellule. C'est une jolie petite chambre avec une baignoire et des murs jaunes. Mais je m'y sens emprisonnée quand même.

Le docteur Stayner a su tout de suite ce que voulait dire ma mère. Je l'ai compris à son sourire en coin. Peut-être qu'il faut être super intelligent pour comprendre. Apparemment, le docteur Stayner est super intelligent, et moi je ne le suis pas.

Je prends une profonde inspiration, me rappelant la conversation. Qu'a-t-il dit déjà ? Que « respirer » pouvait être un mécanisme d'adaptation. Puis il a remis sur le tapis les petites inspirations. Mais il m'a piégée. Il connaissait déjà la réponse. Et la réponse est…

Un… Deux… Trois…

Je compte jusqu'à dix, espérant avoir un éclair de génie. Mais ce n'est pas le cas, bien sûr.

Tu crois que le fait qu'elles soient petites plutôt que grandes change quelque chose ?

Eh ben, si les inspirations ne sont ni petites ni grandes, alors ce ne sont… que des inspirations. Et alors, c'est juste l'action de respirer et… rien de plus.

Saisis-les. Sens-les. Aime-les.

Je me relève d'un coup, une sensation étrange parcourt mon corps tandis que je comprends enfin.

C'est tellement simple. Putain, c'est tellement simple.

HUITIÈME ÉTAPE

LA GUÉRISON

CHAPITRE 21

Six mois plus tard, en thérapie de groupe.

Un… Deux… Trois… Quatre… Cinq… Six… Sept… Huit… Neuf… Dix.

J'essaie de ne pas triturer mes doigts.

– Je m'appelle Kacey Cleary. Il y a quatre ans, ma voiture a été percutée par celle d'un conducteur ivre. Mon père et ma mère, ma meilleure amie et mon petit ami sont morts dans l'accident. J'ai dû rester assise dans la voiture, tenant la main de mon copain mort, écoutant ma mère exhaler son dernier souffle, jusqu'à ce que les pompiers arrivent.

Je fais une pause pour déglutir. *Un… Deux… Trois…* Cette fois-ci, je prends de profondes inspirations. Je respire lentement, longuement. Elles sont loin d'être petites. Elles sont énormes. Gigantesques.

– Au début, j'ai noyé ma douleur dans l'alcool et la drogue. Puis je suis passée à la violence et au sexe. Mais aujourd'hui (je regarde le docteur Stayner dans les yeux) j'apprécie simplement le fait de pouvoir prendre ma sœur dans mes bras, de rire avec mes amis, de marcher, de courir. J'apprécie d'être en vie. De pouvoir respirer.

J'ai sorti la tête de l'eau.

Et, cette fois-ci, je ne bouge plus.

* * *

Un bruit presque assourdissant d'applaudissements retentit chez Penny's au moment où je pénètre dans le club. Nate
est le premier à m'accueillir, il se baisse pour me soulever et
me faire un énorme câlin. Je ne grimace plus d'être touchée
ainsi. J'ai appris à apprécier ça de nouveau.

– J'ai toujours su que tu étais complètement folle, crie
Ben.

Je me retourne au moment où il me soulève et me serre
contre lui.

– Mais tu es incroyablement forte d'avoir survécu à tout
ça, chuchote-t-il dans mon oreille. (J'aurais pleuré comme
une gamine de cinq ans.) Tu vas bien ?

Je tapote son bras tandis qu'il me repose par terre.

– Je vais de mieux en mieux. Mais j'ai un long chemin
devant moi.

– En tout cas, c'était pas pareil sans toi, moi je te le dis.

Soudain, il fronce les sourcils.

– Hé ! C'est ta sœur là-bas ?

Il hoche la tête en direction de Livie, debout à côté de Storm
et de Dan.

– Parce que je me disais que j'allais…

– Elle a quinze ans.

Je lui mets un coup de poing léger dans le ventre.

– Hé l'avocat, ils t'ont pas appris ce que voulait dire
« détournement de mineur » en fac de droit ?

Il écarquille les yeux, surpris, et lève les mains en signe de
capitulation.

– Et merde, je l'entends marmonner.

Il secoue la tête tout en dévisageant Livie.

Penny's est sur le point d'ouvrir et les filles sont en tenue,
du coup Mia est restée à la maison avec une baby-sitter. Livie

ne quitte pas Storm et Dan des yeux de peur de les perdre. Tanner est là aussi, bouche bée, sans gêne.

Mais la plus grosse surprise ? C'est que l'autre fou est là.

– Je suis pas sûre que ce soit dans le protocole patient-médecin, dis-je pour plaisanter, lui mettant un petit coup dans les côtes.

Il rit et passe son bras autour de mes épaules.

– Je crois que frapper son psy au visage, deux fois, n'en fait pas partie non plus, mais j'ai rien dit, alors tu me dois une faveur.

Livie et Storm écarquillent les yeux tandis que Dan et Ben se tiennent les côtes, morts de rire.

– Champagne, peut-être ? dit Cain en posant une main sur mon épaule. De l'autre, il tient un plateau rempli de flûtes.

J'ai un petit pincement au cœur en pensant à la dernière fois que quelqu'un m'a tendu une coupe de champagne. C'était Trent.

Il me manque. Ses yeux, son toucher, ce qu'il me faisait ressentir me manque.

Je peux désormais l'admettre sans sentiment de culpabilité, de colère ou de rancœur.

Trent me manque. Il me manque tous les jours.

Une main passe sous mon coude et me serre le bras. C'est Storm. Elle a deviné ce que je ressentais. Elle comprend.

– À la patiente que j'ai eu le plus de mal, et le plus de plaisir, à soigner ! annonce le docteur Stayner tandis que tout le monde lève son verre.

– Alors, je suis guérie, doc ? je demande en savourant le liquide pétillant.

Ça me rappelle la bouche de Trent et la dernière fois qu'il m'a embrassée.

Il me fait un clin d'œil.

– Je n'utilise jamais ce mot, Kacey. « Soignée », c'est mieux. Il y a un dernier pas de géant à faire avant de pouvoir dire que tu es en voie de guérison.

Je fronce les sourcils.

– Ah bon ? Et c'est quoi ?

– Je ne peux pas te le dire. Tu sauras quand tu sauras. Fais-moi confiance.

– Faire confiance à un taré ? dis-je en grimaçant d'un air enjoué.

– Un taré haut de gamme, ajoute-t-il en me faisant un clin d'œil.

À ce propos...

– Alors, c'est qui cet ami d'un ami d'un ami de Dan qui m'a eu une place auprès de vous ? Je devrais probablement le remercier, dis-je d'un air innocent.

Le regard du docteur Stayner se fixe sur Storm avant de s'arrêter sur le bar.

– Oh ! Regarde ! Du caviar !

Il file en direction d'un plateau qui, je n'en doute pas une seule seconde, ne contient *pas* de caviar. Ça ne fait que confirmer ce que je sais déjà, mais je décide de faire l'idiote.

– Livie ?

Elle ne sait plus où se mettre.

– Ne t'énerve pas...

J'attends et fais de mon mieux pour que mon expression soit neutre.

– C'est le père de Trent qui a tout payé.

Je fais semblant d'être choquée, j'inspire bruyamment en plaquant ma main sur ma bouche.

Livie se dépêche d'expliquer, rouge et haletante :

– Il te fallait de l'aide, Kacey, et c'était de l'aide qui coûtait très cher. Je ne voulais pas te mettre dans un hôpital public pourri parce qu'ils ne t'ont pas aidée la dernière fois, et les listes d'attente sont super longues...

Des larmes apparaissent dans ses yeux.

– Carter t'a trouvé une place auprès du docteur Stayner en moins d'une heure. Ils sont amis, et il est vraiment bon, et il a insisté, et…

Les larmes coulent maintenant le long de ses joues.

– Reste calme, s'il te plaît. Tu vas tellement mieux. S'il te plaît.

– Livie!

Je la prends par les épaules et je la secoue :

– T'en fais pas. J'avais déjà compris. Et je suis sûre que tu as fait le bon choix.

Elle déglutit.

– C'est vrai?

Elle met un certain temps avant de grimacer et de frapper mon bras :

– Tu savais déjà et tu m'as laissée paniquer?

J'éclate de rire et l'attire vers moi pour lui faire un câlin.

– Oui, Livie. Tu fais toujours les bons choix. Tu sais, j'ai souvent eu l'impression de prendre soin de toi, mais en vérité c'est toi qui prends soin de moi. Ça a toujours été le cas.

Elle rit doucement, me regarde et essuie ses larmes d'un revers de la main.

Je reste silencieuse un instant car je ne sais pas si je dois lui poser la question, mais je le fais quand même.

– Est-ce que tu as parlé à Carter à propos de Trent?

Livie hoche la tête et me sourit timidement. Elle est au courant pour les adieux de Trent. Je crois même l'avoir entendue pleurer au téléphone quand je lui ai raconté. Même Livie n'arrive pas à détester Trent.

– Carter m'appelle toutes les deux ou trois semaines pour savoir comment on va. Trent va bien, Kacey. Vraiment bien, murmure-t-elle.

– Tant mieux, dis-je en hochant la tête.

Je ne demande rien d'autre. Je sais que c'est mieux pour nous qu'on ne soit pas ensemble. Même si je souffre encore. Et je souffre beaucoup. Mais je sais que c'est bien de sentir les choses. Et un jour je ne souffrirai plus.

— Bon, les filles. Il faut que je vous dise quelque chose, dit Storm en levant les yeux vers Dan.

Il hoche la tête et elle annonce :

— Je quitte Penny's. Je vais monter ma propre école de cirque !

Livie et moi devons avoir la même expression : yeux écarquillés et bouche bée.

— Mais ce n'est pas tout. Dan vient d'acheter une maison sur la plage et il nous a demandé, à Mia et moi, d'emménager avec lui, et j'ai dit oui. Enfin…

Storm lève les yeux au ciel.

— … Mia a dit oui, et moi je suis aux ordres de Mia.

Quelques secondes passent, puis Livie se jette dans les bras de Storm.

— C'est génial, je suis trop contente pour toi !

Elle se remet à pleurer.

— Ce sont des larmes de joie, promis ! Vous allez tellement me manquer !

Une joie un peu nostalgique m'envahit tandis que Storm et moi échangeons un regard par-dessus l'épaule de Livie. Ça va me manquer de ne plus vivre à côté d'elle. Tout est en train de changer. Tout le monde tourne la page.

— Ah ben, ça me rassure parce que…

Storm tient Livie à bout de bras et prend une grande inspiration, l'air nerveux :

— La maison est grande. Immense, même. Dan a hérité de l'argent de sa grand-mère. Il y a cinq chambres. Et… enfin… vous avez toutes les deux une place tellement importante dans nos vies… et je ne veux pas que ça change. Alors on s'est dit que vous pourriez emménager avec nous !

Mon regard passe de Livie à Storm, puis à Dan.

– Tu es sûr que c'est pas *toi* qui as besoin de voir un psy, Dan ? je demande, très sérieuse.

Il rit simplement, tirant Storm à lui.

Storm poursuit :

– Livie, tu pourras te concentrer sur la bourse que tu vas décrocher pour aller à Princeton. Kacey…

Elle pose sur moi un regard sévère et prend mes mains dans les siennes.

– … tu vas trouver ce que tu veux faire dans la vie et tu vas foncer pour l'avoir. Je serai là à chaque pas. Je ne bouge pas.

Je hoche la tête, me mordant les lèvres pour m'empêcher de pleurer. Mais ça ne marche pas. Quelques secondes plus tard, les larmes coulent à flots et je ne vois plus rien.

Mais ce sont des larmes de joie.

* * *

– Ça va être sacrément calme ici sans vous, dit Tanner en se grattant la tête.

Il s'assied sur le banc dans la cour commune.

Il est 21 h et il fait nuit. Les déménageurs viennent chercher nos boîtes demain matin.

– J'adore ce que tu as fait ici, Tanner, dis-je en regardant les guirlandes lumineuses suspendues dans les arbustes fraîchement taillés. Les parterres ont été désherbés et taillés et des petites fleurs violettes recouvrent le sol. Un nouveau barbecue est accompagné d'une table de pique-nique et, à sentir l'odeur de viande grillée dans l'air, je dirais que la cour est enfin utilisée par les résidents.

– C'est l'œuvre de ta sœur, marmonne Tanner. Il fallait qu'elle s'occupe pendant que tu n'étais pas là.

Il se penche en arrière et croise les bras sur son ventre rebondi.

– Du coup, maintenant, il faut que je reloue trois appartements : le tien, celui de Storm et le 1 D.

Sans le vouloir, je regarde derrière moi en direction de la fenêtre sombre et je me sens triste.

– Tu ne l'as pas encore loué ? Ça fait des mois que Trent est parti.

Même dire son prénom m'est encore difficile.

– Ouais, je sais. Mais il avait payé pour six mois. Et puis, j'espérais qu'il reviendrait. (Il se ronge un ongle un instant.) On m'a tout raconté. Enfin, Livie m'a tout raconté. C'est horrible.

Je hoche lentement la tête.

Tanner s'étire bruyamment.

– Je ne t'ai jamais parlé de mon frère ?

– Euh… non… ?

– Il s'appelait Bob. Un soir, lui et sa copine sont sortis. Il a bu une bière de trop. Il pensait qu'il était largement en état de conduire. Ça arrive. Y a pas d'excuse, mais ça arrive. Il s'est encastré dans un arbre. Il a tué sa copine.

J'attends en silence que Tanner poursuive son récit et je regarde la plante de son pied taper le sol.

– Il n'a jamais été le même après ça. Six mois plus tard, je l'ai trouvé pendu dans la grange.

– Je…

Je déglutis difficilement en me penchant vers Tanner pour mettre ma main sur son épaule.

– … je suis tellement désolée, Tanner.

C'est tout ce que je peux dire.

Il hoche la tête en acceptant mes condoléances.

– Ce genre d'accident est horrible pour tout le monde. Pour celui qui l'a causé, pour les victimes. Tout le monde souffre, tu ne crois pas ?

– Oui, tu as raison, je réponds d'une voix rauque, les yeux rivés sur les guirlandes, me demandant si Tanner a eu besoin de deux mois de thérapie intense pour en arriver à cette conclusion.

– En tout cas, j'espère que Bob a trouvé la paix désormais. J'aime penser qu'il a retrouvé Kimmy au paradis. Peut-être qu'elle lui a pardonné ce qu'il lui a fait.

Tanner se lève et s'en va, les mains dans les poches, me laissant pensive, les yeux fixés sur la fenêtre du 1 D.

Et soudain, je sais quoi faire.

Je parviens à peine à composer le numéro du docteur Stayner tellement mes mains tremblent. Il me l'a donné en cas d'urgence. Et c'est une urgence.

– Allô ? répond la voix douce, et je l'imagine assis dans un fauteuil, au coin du feu, un verre de whisky dans la main, en train de lire *Psy Magazine*.

– Docteur Stayner ?

– Oui, Kacey ? Tu vas bien ?

– Oui, je vais bien, docteur. J'ai un service à vous demander. Je sais que c'est probablement abuser, mais…

– Qu'y a-t-il, Kacey ?

J'entends le sourire patient dans sa voix.

– Dites-lui que je lui pardonne. Pour tout.

Il y a un long silence.

– Docteur Stayner ? Vous pouvez faire ça pour moi ? S'il vous plaît ?

– Bien sûr que je peux, Kacey.

NEUVIÈME ÉTAPE

LE PARDON

CHAPITRE 22

Les vagues viennent chatouiller mes pieds tandis que je me promène sur la plage sur le chemin du retour, les yeux rivés sur le soleil couchant. Lorsque Storm nous a dit « sur la plage », je ne pensais pas que la terrasse arrière de la maison était *sur* Miami Beach. Et lorsqu'elle a dit « une grande maison », je ne pensais pas qu'elle parlait d'une maison à trois étages entourée de balcons, avec une aile séparée pour Livie et moi. Apparemment, mamie Ryder avait quelques parts dans des compagnies pétrolières, et son seul petit-fils, officier Dan, s'en est sorti comme un renard à qui on a confié la clé du poulailler.

Ça fait presque cinq mois que nous vivons ici, et je ne me suis toujours pas entièrement faite à l'idée. Je ne sais si c'est parce que c'est trop beau pour être vrai ou s'il manque quelque chose.

Ou quelqu'un.

Tous les soirs, je vais au bord de la plage, écoutant le bruit des vagues, profitant de pouvoir marcher, courir, de pouvoir respirer. Et de pouvoir aimer. Et puis, je me demande où est Trent. Et comment il va. S'il a trouvé un bon mécanisme pour l'aider à guérir. Le docteur Stayner ne m'a jamais reparlé du coup de fil. Je suppose qu'il a fait passer le message. Je n'en doute pas. Je ne peux qu'espérer que ça a pu apporter à Trent un peu de paix.

Mais je n'ai pas poussé plus loin. Je n'en ai pas le droit. J'ai demandé plusieurs fois à Livie si elle avait eu des nouvelles via Carter. Il appelle Livie un dimanche sur deux pour savoir si tout va bien à la maison et au collège. J'ai l'impression que Livie adore ces coups de fil. Il est devenu comme une sorte de père pour elle, remplissant quelque peu le vide laissé par l'accident. Peut-être qu'un jour je pourrai lui parler. Je ne sais pas…

Chaque fois que je lui demande des nouvelles de Trent, Livie me supplie de ne pas lui faire de mal, de ne pas m'en faire à moi-même en rouvrant des blessures qui ont eu tant de mal à cicatriser. C'est elle qui a raison, bien sûr. Elle sait toujours quelle est la meilleure chose à faire.

J'essaie de ne pas penser au fait que Trent continue sa vie, même si je sais que c'est probablement le cas. L'imaginer le bras autour des épaules de quelqu'un d'autre me retourne l'estomac. Je vais avoir besoin de plus de temps pour affronter cette réalité. Quant à mon amour pour lui, je ne sais s'il disparaîtra un jour. Je vais simplement avancer, rêvant qu'il soit à mes côtés, sachant que c'est impossible. Avancer… C'est une chose que je n'avais pas pu faire depuis la mort de mes parents.

Je ralentis en regardant le soleil décliner à l'horizon, ses derniers rayons dansent sur les vagues, et je remercie Dieu de m'avoir laissé une deuxième chance.

– Je crois que je préfère qu'on se rencontre ici plutôt qu'à la buanderie.

En entendant cette voix grave, mon cœur cesse de battre. Je prends une grande inspiration et je me retourne, mon regard se pose sur ses yeux bleus et ses cheveux châtain doré.

Trent est planté là, devant moi, les mains dans les poches. Ici, en personne.

Je lutte pour reprendre mon souffle et forcer mon cœur à redémarrer. Seulement, désormais, il bat la chamade. Je suis prise d'une vague d'émotions terrible, figée sur place, faisant de mon mieux pour séparer et identifier chacune de ces émotions pour mieux les appréhender. Pour ne pas les réprimer. Plus jamais je ne refoulerai mes sentiments.

Je me sens heureuse. Heureuse que Trent soit ici.

Je ressens du désir. Un désir de le sentir contre ma peau, d'être dans ses bras protecteurs, de sentir sa bouche sur la mienne.

Je ressens de l'amour. Quoi qu'il se soit passé entre nous, c'était bien réel. Je le sais. Et je l'aime parce qu'il m'a permis de vivre ça.

De l'espoir. J'espère que quelque chose de beau pourra naître un jour de cette histoire tragique.

J'ai peur. Peur que ce ne soit pas le cas.

Je ressens la force de pardonner… De pardonner.

— Qu'est-ce que tu fais ici? je demande sans réfléchir et sans pouvoir m'arrêter de trembler.

— Livie m'a demandé de venir.

Livie. Quelle surprise!

Sa voix est lente et douce. Je pourrais fermer les yeux et l'écouter résonner dans mes tympans toute la nuit. Mais je ne ferme pas les yeux, car j'ai peur qu'il ne soit plus là quand je les rouvrirai. Alors, je ne le quitte pas des yeux. Je regarde ses lèvres entrouvertes, ses yeux bleus qui me scrutent.

— Apparemment, elle n'est plus persuadée que tu fourres les chatons dans les micro-ondes! je parviens finalement à dire.

Il rit, ses yeux scintillent.

— Non, c'est déjà un souci de moins pour elle.

Il est à un peu plus d'un mètre de moi. À trois pas d'être dans mes bras, mais mes pieds refusent de bouger. J'en ai terriblement envie, mais je n'en ai pas le droit. Ce corps musclé, ce visage, ce sourire, ce cœur… Rien de tout cela ne m'appartient, en dehors de mes rêves. Ces choses merveilleuses appartiendront à quelqu'un d'autre. Peut-être est-ce déjà le cas.

– Est-ce que le docteur Stayner sait que tu es ici ?

Je regarde la poitrine de Trent se soulever pour prendre une grande inspiration.

– Oui, je le lui ai dit. Je ne lui cache plus rien.

– Ah.

Je croise mes bras et les serre autour de moi.

– Alors, comment tu vas ?

Il me regarde un long moment avant de sourire.

– Je vais bien, Kacey.

Il marque une pause avant de continuer.

– Mais je ne peux pas dire que tout est parfait.

Je fronce les sourcils, inquiète.

– Pourquoi ? Qu'est-ce qui ne va pas ? La thérapie ne marche pas ?

– Qu'est-ce qui ne va pas ?

Trent hausse les sourcils et fait deux pas en avant. Il se rapproche de moi, ses mains agrippent mes hanches. J'inspire profondément, sa proximité est à la fois alarmante et envoûtante.

– Ce qui ne va pas, c'est que chaque matin, et chaque nuit, je reste allongé dans mon lit, les yeux accrochés au plafond, à me demander pourquoi tu n'es pas à côté de moi.

Mes jambes se mettent à trembler.

– Tu sais bien pourquoi…, je réponds d'une voix basse.

Dans ma tête, je hurle de douleur que la vie soit si injuste.

– Non. Avant, je le savais. Mais tu m'as libéré, Kacey. Tu te souviens ?

Je t'ai pardonné. Je hoche la tête et me force à déglutir. Sa main caresse lentement ma joue.

– Je ne souhaite plus aller nulle part sans toi.

Son pouce caresse ma lèvre inférieure.

J'ai l'impression que je ne suis plus capable de respirer. Ma main tremble tandis que je replace une mèche derrière mon oreille.

– Et qu'en dit le docteur Stayner? Ce n'est pas mauvais pour nous?

– Oh, Kace.

Ses lèvres esquissent un sourire qui s'étire jusqu'aux oreilles, révélant les plus belles fossettes du monde.

– Rien ne pourrait être meilleur.

C'est tout ce qu'il me fallait. Je me jette dans ses bras tandis que ma bouche rencontre la sienne.

Le sentant. L'aimant. Je le saisis. Je le sens. Je l'aime.

ÉPILOGUE

La robe de Storm vole au gré de la brise légère pendant qu'elle et Dan posent pour le photographe, devant l'océan et un coucher de soleil magnifique. C'est la plus belle mariée que j'aie jamais vu, surtout avec son ventre bombé. Le bébé est prévu dans trois mois et Mia a décidé de l'appeler «Bébé Alien X». Je ne sais pas d'où elle sort ces choses-là. De Dan, probablement. Le bébé est une fille. Dan fait semblant de râler d'être entouré de filles, mais je crois qu'en vérité, nous ne sommes plus assez nombreuses pour lui. Le taux d'œstrogènes de la maison est un peu moins élevé depuis que Livie est dans le New Jersey et que mon temps est partagé entre là-bas, l'université et l'appartement de Trent à cinq minutes d'ici.

— Qui aurait cru qu'il y aurait autant de filles canon à un mariage? dit Trent en se glissant derrière moi et en passant ses bras autour de mes épaules.

Mon estomac fait un petit saut périlleux. Il fait toujours ça lorsque Trent me touche. Même au bout de trois ans, il a un effet sur moi que je pensais impossible. J'espère que ça ne cessera jamais.

— Par «autant», tu veux dire «une seule», non? je murmure en penchant la tête en arrière pour nicher mon nez dans son cou.

Il grogne.

— Tu essaies de me filer une érection devant mes parents ?

J'éclate de rire et tourne la tête vers Carter et Bonnie qui nous regardent de loin, souriant jusqu'aux oreilles. Ma thérapie m'a fait comprendre que les empêcher de nous approcher après l'accident ne leur avait pas permis de guérir en tant que famille. Après que Trent et moi nous sommes retrouvés, j'ai pris le temps de leur écrire une longue lettre pour m'excuser. Un jour, Bonnie est apparue sur le pas de ma porte, en larmes, puis Carter est arrivé. Une chose en a entraîné une autre et les voici, main dans la main, formant de nouveau une famille.

La brise porte le rire de Livie jusqu'à nous. Elle est avec Mia qui lui montre ses nouvelles dents d'adulte. Livie a eu sa bourse au mérite pour Princeton comme prévu, et on ne la voit plus trop. Je suis tellement fière d'elle. Et je sais que papa le serait aussi.

Mais elle me manque terriblement.

Je crois qu'elle sort avec quelqu'un, mais je n'en suis pas sûre. Elle reste toujours vague au sujet de ce qui se passe à Princeton, en général, c'est un signe qu'un mec est impliqué, non ? J'espère que c'est le cas. Livie le mérite. Ça, et tellement plus encore.

Je tourne la tête en direction de notre groupe d'amis. Ils sont tous là. Cain et Nate, en costard, aussi classe que James Bond. Tanner, avec une femme qu'il a rencontrée sur Internet. Même Ben, qui tient dans ses bras une avocate canon qui travaille dans le cabinet où il vient d'être recruté. Il me voit le regarder et il me fait un clin d'œil. Je ne peux m'empêcher de rire. Oh, Ben !

— Tu veux aller à Las Vegas la semaine prochaine ? murmure Trent en me mordillant l'oreille.

Je rigole.

— J'ai des examens de mi-semestre, tu te souviens ?

Je viens de finir ma première année en fac de psycho. Je prévois de me spécialiser dans les troubles du stress post-traumatique. J'ai déjà une super lettre de recommandation du docteur Stayner, dont la renommée est aussi grande que la folie.

– Juste un aller-retour. On rentre dans la chapelle et on ressort.

– Ouais ?

Je plonge mon regard dans le sien afin de savoir s'il plaisante. Je n'y vois que de l'amour.

Sa main caresse amoureusement ma joue.

– Absolument.

Trent a tenu sa promesse. Il me fait sourire tous les jours.

Suivez-nous sur le Web

Consultez nos sites Internet et inscrivez-vous à l'infolettre pour rester informé en tout temps de nos publications et de nos concours en ligne. Et croisez aussi vos auteurs préférés et notre équipe sur nos blogues!

EDITIONS-HOMME.COM
EDITIONS-JOUR.COM
EDITIONS-PETITHOMME.COM
EDITIONS-LAGRIFFE.COM

Achevé d'imprimer au Canada

K300